G000122760

97 0059180980

FRATELLI COLI
BLT
1 EDIZIONE
BOCCA GIORGIO

FELTRINELLI

Serie Bianca Feltrinelli

GIORGIO BOCCA
FRATELLI COLTELLI
1943-2010
L'ITALIA CHE HO CONOSCIUTO

© Giangiacomo Feltrinelli Editore Milano
Prima edizione in "Serie Bianca" ottobre 2010

Published by arrangement with Marco Vigevani Agenzia Letteraria

Stampa Nuovo Istituto Italiano d'Arti Grafiche – BG

ISBN 978-88-07-17196-3

www.feltrinellieditore.it
Libri in uscita, interviste, reading,
commenti e percorsi di lettura.
Aggiornamenti quotidiani

razzismobruttastoria.net

FRATELLI COLTELLI

1943-2010
L'ITALIA CHE HO CONOSCIUTO

Dei miei novant'anni di vita, quasi settanta li ho passati a scrivere le cronache del mio paese. Cominciando con i giornali della guerra partigiana e della caduta del regime fascista. In casa ho una stanza dove conservo gli articoli e i libri, che a metterli in fila si fa il giro del mondo. Posso dire che conosco il paese in cui sono nato e vissuto? Sì e no. Le sue virtù continuano a stupirmi come i suoi difetti. Dopo avere per due volte primeggiato nel mondo, ne siamo ancora in certo modo estranei: i nostri imperi non hanno lasciato il segno nel nostro carattere, i santi, gli eroi, i navigatori hanno vissuto invano, non hanno lasciato una traccia nel nostro modo di essere e forse questa è la nostra peculiarità: dobbiamo ancora imparare a vivere in società, a essere Stato, inutilmente furbi, inguaribilmente infantili ma molto umani nelle debolezze come nelle virtù, in un certo senso rassegnati a questa nostra umanità: capaci di fermarci prima della ferocia e del fanatismo. Un paese spesso logorante nei suoi sprechi, nelle sue occasioni mancate, ma pietoso e vivibile. Le vicende storiche e politiche di questo Belpaese, come lo chiamano, sono un vai e vieni come l'acqua sulla battigia, un ricominciare sempre dal principio, una serie di illusioni, di entusiasmi sui nostri cambiamenti e miglioramenti, sempre smentiti. Forse è così di tutti i paesi e di tutte le storie, ma qui nel paese "ch'Appennin parte, e 'l mar circonda e l'Alpe" ci ritroviamo sempre al punto di partenza. La mia vita, per dire, è stata segnata dalla guerra partigiana, una grande speranza e una grandissima illusione. L'8 settembre del '43, quando il re Vittorio Emanuele III annunciò la firma dell'armistizio e per gli italiani arrivò l'ora del "tutti a casa", il pensiero affliggente e paradossale di noi che salivamo sulle montagne per resistere all'occupazione nazista è stato: non sarà troppo tardi? Gli alleati angloamericani padroni del mare e del cielo non sbarcheranno in Liguria come sono sbarcati in Sicilia? Quanti giorni ci rimarranno per pagarci il biglietto di ritorno alla democrazia? Per i mille partigiani del settembre le notizie che arrivavano dal profondo Sud di una lunga guerra di logoramento, di una lunga risalita dei vincitori per la lunga Italia furono di sollievo e di speranza. Inspiegabilmente la strategia dei vincitori ci concedeva il tempo per un esame di riparazione, eravamo come mille piccoli fuochi sparsi nel buio del paese, ma avremmo avuto il tempo di formare un esercito di popolo per la guerra di libertà. Così oggi dalla mia casa milanese piena di fogli con le cronache italiane di quei venti mesi che ci furono concessi, posso dare il via a questa mia storia dell'Italia scritta giorno dopo giorno, con le cronache che messe in fila farebbero il giro del mondo. Cominciamo dalla caduta del fascismo.

Capitolo I

LA CADUTA DEL FASCISMO

Ci sono solo due modi per uscire da una dittatura: una sconfitta militare o una crisi economica. La prima inizia in Africa nell'ottobre del '42 a El Alamein, a seguito della battaglia fra la VIII armata britannica del generale Montgomery e le divisioni italo-tedesche. Più che uno scontro di uomini un bombardamento schiacciante. Sulle mappe degli artiglieri inglesi sono stati messi dei trasparenti a linee parallele: il tiro le seguirà spostandosi in avanti di cento in cento metri, la tempesta improvvisa e totale piomba sul nostro schieramento alle 20.40 del 20 ottobre. Nei due giorni seguenti Rommel tenta l'ultimo disperato contrattacco, manda al massacro i carri armati della 15ª divisione Panzer e della Littorio, ma la sera del 21 inizia la ritirata, che finirà solo con l'abbandono della Tunisia, la caduta della roccaforte di Pantelleria, lo sbarco degli Alleati in Sicilia. Si è consumata intanto l'altra disfatta in Russia, ciò che resta dell'Armir è uscito dalla sacca in cui è stato chiuso dall'Armata Rossa il 31 gennaio. Il comando supremo italiano non ha avuto il cuore di annunciare il disastro alla nazione, nel bollettino di guerra si parla "di combattimenti nella regione fra il Donetz e la regione del medio Don" senza precisare che il Donetz scorre a centinaia di chilometri dietro il Don, dove eravamo all'inizio dell'offensiva russa. Il fronte interno si sta sgretolando sotto le bombe, la fame, la stanchezza, le strutture portanti dello Stato cedono, i contadini rifiutano di portare il grano agli ammassi, le grandi città del Sud sono state abbandonate a se stesse, ci vorrebbero 13.000 camion per rifornirle, la razione quotidiana del pane è stata ridotta a 150 grammi, e a marzo come annuncio definitivo della crisi del regime partono gli scioperi degli operai Fiat: la fine del lungo silenzio operaio, il ritorno dell'antifascismo. L'Italia intera è a pezzi, bombardata ogni giorno da centinaia di aerei senza che ci sia la minima reazione da parte nostra e dei tedeschi, colpiti i nodi ferroviari, la marina mercantile affondata o riparata in Spagna. E nella notte del 9 luglio del '43 duemilaottocento navi con 160.000 soldati appaiono davanti alla costa della Sicilia e iniziano l'offensiva finale. Alla luce dell'invasione i capi del fascismo morente, guidati da Dino Grandi, chiedono a Mussolini di convocare il Gran Consiglio del fascismo per le decisioni supreme di restituire tutti i poteri al re e di trattare la resa; Mussolini li ascolta con una leggera, impercettibile obliquità della testa, quasi voglia guardandoli di scorcio capire le loro intenzioni, capire se vogliono seguirlo fin in fondo o defenestrarlo. E alla fine acconsente: "Ebbene, convocherò il Gran Consiglio. Si dirà in campo nemico che si è radunato per decidere la capitolazione, ma lo radunerò".

E il fascismo si suicida

I pini, le rovine, i palazzi barocchi, nella calura. 24 luglio del '43, molta gente è fuori Roma dopo il bombardamento del 19. In Sicilia "l'aumentata pressione delle forze corazzate nemiche ha reso necessario lo sgombero di Palermo". Bollettino millecentocinquantacinque, altrettanti giorni di guerra, e la Sicilia, nell'estate del '43, è lontanissima. A Roma e al Nord gli italiani pensano ai casi loro, i cittadini di un paese dissociato dove riaffiorano istinti di conservazione provinciali e comunali, le campagne e le valli riscoperte dagli sfollati, ogni gruppo il suo villaggio, dove attendere la fine. Alle otto Mussolini è al tavolo di lavoro, rilegge le relazioni militari che farà al Gran Consiglio. Per la sedu-

14

ta ha già dato disposizioni al segretario De Cesare che sta parlandone con il segretario del partito Scorza: "È mai possibile?". "Ti dico che non vuole i moschettieri, neanche i militi della divisione M." "E la scorta al labaro del partito?" "Niente labaro." "Ma sei proprio sicuro?" "Che ti devo dire, mi ha fatto chiaramente capire che non vuole niente e nessuno. Il servizio all'interno lo farà il reparto normale di pubblica sicurezza."

Galbiati ritorna al comando della milizia, Scorza al partito dove fa leggere l'ordine del giorno, un documento generico, il solito appello al re, ma neppure una parola sul problema del comando supremo. Il re è a Villa Savoia. Agli uomini del re come Castellano, il generale, e Senise, il poliziotto, sta parlando il comandante generale dei carabinieri: rivela il piano per l'arresto di Mussolini. "Mi raccomando l'autoambulanza, che sia nascosta qui fra gli alberi," e controlla la lista dei fascisti da arrestare. "Sì, il Montagna è uno da mettere al sicuro, subito." Altri uomini del re, il generale Ambrosio, il conte Acquarone, sono da Badoglio, gli consegnano il proclama che dovrà leggere alla radio, scritto da Vittorio Emanuele Orlando, liberale rimbambito e mafioso. C'è la frase della guerra che continua, ma Badoglio non fa obiezioni: "Sua maestà comandi, io obbedisco". Finché gli fa comodo. Tutto è deciso, lo sa anche il conte Grandi, poi non faccia l'innocente a cose fatte, lui sorpreso per l'arresto di Mussolini? Storie! Grandi, Federzoni e Ciano hanno ascoltato messa e si sono comunicati. Se non sono religiosi, sono superstiziosi, i grandi del regime: Mussolini tiene sempre in tasca una moneta portafortuna, Grandi e Acquarone non sopportano il tredici, a Ciano non va il diciassette.

I baroni del fascismo sono ancora discordi nell'ufficio di Grandi a Montecitorio. Viene Farinacci a ritirare la sua adesione all'ordine del giorno Grandi. "Non mi stupirei se domani le camicie nere ti pugnalassero," dice, ma Grandi non è stupito che Farinacci abbia cambiato idea, si sa che è uomo dei tedeschi e i tedeschi gli hanno ordinato di presentare un ordine del giorno in cui si prevede l'accentramento dei poteri nelle mani di una sola persona. È previsto anche il sì di Alfieri. Ma incontra Ciano verso mezzogiorno al ministero degli Esteri, a Palazzo Chigi, e gli dice: "Siamo tutti d'accordo che bisogna salvare l'Italia dai tedeschi, ma quello, il testone, non vuole capire". A quell'ora la principessa Maria José sta visitando una mensa di sinistrati: nei giorni dell'invasione tedesca del Belgio aveva chiesto l'iscrizione al Partito fascista, voleva partecipare anche lei come il fratello Leopoldo (come tutti noi del resto, ma non eravamo principi, ministri, generali) al "nuovo ordine europeo". Ora siamo al 24 luglio del '43, gli Alleati sono in Sicilia e la principessa cerca relazioni con i baroni dissidenti e i *revenants* della democrazia. Il meglio dei gerarchi e del giornalismo cortigiano è negli hotel di via Veneto: quelli del Gran Consiglio li terranno informati, mica per raccontare ciò che accade, ma per provvedere subito al proprio particolare. A cose fatte, milioni di italiani sono all'oscuro di tutto, ignari della congiura. Ma è normale sotto la dittatura, per gli italiani qualsiasi anche il 24 luglio continuano a funzionare le censure, giornali e radio imbavagliati.

Gli italiani non sanno, trascorrono giornate immobili in quel luglio, di sole che sorge, di sole che tramonta, ma come se la terra non camminasse. Attendere una cosa che non viene, non sapere da dove può venire, nessuna idea sul dopo, perché si rischia all'ultimo momento? Sì, la Sicilia, ma quanto ci vorrà prima dello sbarco nel continente? Un mese? Tre mesi? E allora aspettare, cercare il pane, le uova nelle cascine, fare l'amore, viaggiare sui carri merci, anche sui tetti delle corriere, il resto alla malora. Devono pensarla così anche i tedeschi estetizzanti di Roma, quelli dell'ambasciata. Von Rintelen, l'occhio dello stato maggiore, il 24 mattino fa un telegramma al ministero della Guerra, per coprirsi dice che la riunione del Gran Consiglio "si annuncia molto importante". Poi mette in una borsa spazzolino da denti e pigiama e va a una festa del generale Grauser, sul lago di Bolsena. Tornerà solo il 26, a fascismo caduto. Dollmann rimarrà all'oscuro di tutto fino alle undici del 25. Von Mackensen, l'ambasciatore, aspetta le informazioni di Dollmann che sono poi quelle di Guido Buffarini Guidi, la spia.

Il Gran Consiglio si è riunito poche volte, sempre alle ventidue. Ma stavolta Mussolini prevede una "discussione lunga
e confidenziale dove ciascuno dirà la sua", perciò ha antici-
pato l'inizio alle diciassette. Le automobili dei gerarchi cominciano ad arrivare verso le 16.40, le mettono nel cortile,
per non mettere in sospetto i curiosi. Ma quali? Da sempre
è proibito attraversare piazza Venezia in bicicletta, sostare
sui marciapiedi, sedere sui gradini di Santa Maria, stare ai
tavolini del caffè Faraglia. Trentadue gradi e i gerarchi indossano la sahariana nera, lui ci tiene alla forma, un sup-
plizio per un grassone come Buffarini.

Il Duce è ancora a Villa Torlonia. Ha indossato la divisa
di caporale d'onore della milizia, ascolta, seccato, gli avver-
timenti di Rachele che sono, lei non lo sa, gli stessi di Claretta: "Stai attento, Benito, quelli ti vogliono male". "Lo so,
ma una chiarificazione è necessaria, bisogna che ognuno si
prenda le sue responsabilità. Io li conosco quelli, sono sempre vissuti nell'equivoco, alle mie spalle." Prima di venire a
Palazzo Venezia, Grandi ha scritto una lettera al re: "Ho l'o-
nore di informare vostra maestà che fra poco mi recherò a
Palazzo Venezia per sottoporre al Gran Consiglio la qua al-
legata mozione. Non so se l'iniziativa, presa d'accordo con
altri colleghi, raccoglierà la maggioranza dei votanti. Abbiamo ritenuto fosse opportuno intraprendere un estremo
tentativo di postulare le condizioni costituzionali di un ripristino delle garanzie statuarie e delle prerogative del sovrano". Scritto da cani, ma il re capirà lo stesso. C'è anche
questa differenza tra Grandi e Mussolini: almeno Mussolini sa scrivere. A Palazzo Venezia Grandi passa subito da uno
all'altro per raccogliere adesioni. La riunione avverrà nella
sala del consiglio, adiacente a quella del mappamondo. Tre
tavoli a ferro di cavallo, la sedia del Duce, quella centrale,
su un gradino rialzato, coperto di broccato rosso. Stemmi
ecclesiastici sui pannelli delle porte, sulle mensole statue di
bronzo e vasi. Il capousciere Navarra ha fatto preparare nella stanzetta vicina bibite e panini. Le finestre sono coperte
da tende di tela blu. Alle 17.05 Navarra appare, con la car-
tella datagli dal capo del governo, e lo annuncia. "Andiamo

nella trappola," dice Mussolini a Scorza che lo accompagna. Dentro, Scorza ordina il saluto al Duce, secondo il rito. "A noi," rispondono a voce bassa i consiglieri e prendono posto: De Bono e De Vecchi alla destra di Mussolini, quadrumviri superstiti; il segretario del partito Scorza e il presidente del Senato Giacomo Suardo alla sinistra. Grandi è sicuramente il primo al tavolo di destra perché passerà sotto il tavolo a De Vecchi una bomba a mano, durante la prima parte della riunione. Per dire come si intendessero di armi i baroni del fascismo: quelle inutili bombe a mano come il simbolo di un ritrovato coraggio squadristico.

L'indomani, a Palazzo Chigi, Ciano ne poserà ostentatamente due sul suo tavolo. La sedia dello stenografo è vuota. Mussolini crede davvero alla seduta confidenziale o non vuole che sia registrato ciò che si dirà su di lui? Tocca a Mussolini. L'ulcera l'ha tormentato tutta la mattina. "Tu solo mi puoi capire," dirà a cose fatte a Marinelli, "tu che conosci il nostro male. Ero spossato, la luce mi dava fastidio, il cervello lucido ma non mi sentivo di battermi." L'ulcera può servire da alibi per chi ormai ha rinunciato a battersi. Tocca a Mussolini. Voce "scialba e lamentosa", ammissioni, scuse: "Sia detto una volta per tutte che io non ho mai sollecitato la delega del comando supremo rilasciatami dal re all'inizio della guerra, l'iniziativa è stata del maresciallo Badoglio". Poi le solite accuse ai comandi periferici che non hanno obbedito, che non hanno risposto, che hanno tradito, e poi il lungo elenco degli errori altrui: di Rommel che si ferma a El Alamein, che si fa distruggere l'armata per fare la bella guerra, l'evacuazione di Tripoli, la vergogna di Pantelleria, il disastro in Sicilia. Non alza gli occhi dalle carte, espone le ipotesi ovvie sui prevedibili attacchi nemici, non dice come potranno essere contenuti, fa una difesa d'ufficio dei tedeschi. Bottai lo osserva: "Ora il suo viso pallido si solleva nella luce, gli cade la maschera, appare il suo vero volto di uomo rassegnato alla resa dei conti". Una difesa fiacca: questa guerra è impopolare ma lo sono tutte le guerre; la perdita di una provincia non significa la sconfitta, se sarà necessario la capitale verrà portata nella Pianura padana; la

18

fedeltà ai tedeschi fuori discussione: "Pacta sunt servanda", ancora una citazione; che potrà fare il re se sarà approvato l'ordine del giorno Grandi? I camerati ci pensino, è in gioco il regime. Il Duce ha parlato due ore. Ora lo sanno tutti: la guerra è davvero persa. Si rispetta ancora il protocollo, la parola ai quadrumviri. De Bono, il vecchietto in divisa da generale, prova a difendere l'esercito, ma Farinacci lo interrompe con villania. "Dammi una mano," dice De Bono, sedendosi, e De Vecchi, baffi da tricheco, attacca uno sproloquio sulla gioventù fascista, il premilitare, la politica nell'esercito. La mano del Duce fa segni come dire: Via, via con 'ste fesserie. Poi la mano del Duce si ferma a difesa degli occhi e lui sta seduto di traverso voltando le spalle al tavolo di Grandi che ha cominciato a leggere il suo ordine del giorno: "Il Gran Consiglio dichiara l'immediato ripristino di tutte le funzioni statali... invita il capo del governo a pregare sua maestà il re affinché voglia assumere, con l'effettivo comando delle forze armate, quella suprema iniziativa di decisione che le nostre istituzioni a lui attribuiscono". Questo Mussolini lo conosce, ma ora viene il resto, la requisitoria del barone fascista che vuol buttarlo a mare per salvarsi, anche pieno di vecchi rancori da sfogare: "La tua dittatura ha rovinato il fascismo; la formula imbecille e ristretta della guerra fascista ha portato la nazione alla rovina; togliti quella greca da generale, toglici queste aquile dai cappelli; ora non basta più che la responsabilità del comando te l'assuma tu, ci siamo anche noi, c'è il paese. Che hai fatto nei quindici anni nei quali hai tenuto i ministeri militari?".

Mussolini si comprime il ventre con una mano: forse soffre davvero per un'ulcera, forse gli serve a darsi un contegno mentre quello parla. Uno che due anni prima gli aveva scritto: "Duce, voglio essere sempre più uno degli italiani nuovi che tu sbalzi a martellate. Questo vogliono la mia vita, la mia fede, il mio spirito che da venticinque anni sono tuoi". Mussolini gli volta le spalle: ira e stanchezza, voglia di farla finita, ma la tortura di ascoltare quel verme che continua: "Il mio ordine del giorno tende a creare un fronte nazionale interno che finora non è esistito perché in Italia la corona si è

19

tenuta in un atteggiamento di prudente riserva. E concludo, Duce, ripetendo una tua frase: perisca la frazione, anche la nostra, purché la patria viva". "Ma sì," mormorò Mussolini, "stanotte possiamo anche deliberare che la rivoluzione è finita." Ma parla già Bottai, un cervello freddo e lucido fra tanti esagitati, l'unico pronto a pagare di persona, il migliore di tutti. Lui parla chiaro e educato, ma va diritto e ferisce: "La tua relazione, Duce, è stata una ben dura mazzata alle nostre ultime illusioni. Ci hai parlato degli errori dello stato maggiore, dei tecnici, degli industriali. Ci hai parlato dei tuoi ordini non obbediti, dei tuoi suggerimenti inascoltati. Come se fra i due lobi della nazione in guerra non vi fosse accordo, armonia. È chiaro che la parte politica del comando è impotente rispetto alla parte tecnica esecutiva, è chiaro che manca al governo l'ascendente necessario per imporre il suo volere. In una guerra come questa ciò significa la fine, non ci resta che trarre le conseguenze".

Per ascoltare Ciano Mussolini si toglie la mano dagli occhi: Ciano, il marito di sua figlia. Ciano la prende alla larga, con diplomazia, parla dei tradimenti tedeschi, delle occasioni politiche mancate, ma è chiaro dove andrà a parare, anche lui dalla parte di Grandi. Federzoni osserva Mussolini: "È il quarto d'ora di più rabbiosa esasperazione, gli occhi roteanti lampeggiano d'ira, tacite imprecazioni masticate dalle mascelle, sinistre minacce". Gli altri vale la pena di ascoltarli? Il Guido Buffarini Guidi, la sahariana immollata di sudore, lui che ha sempre cercato di conservare il cadreghino rendendo favori ora li chiede, la sua idea brillante è di "fare un quadrato di mille gerarchi attorno al Duce, in piazza Venezia". Immaginiamo i GM americani che arrivano con gli Sherman e che trovano i mille sotto il sole in sahariana nera e moschetto. Quanto a Farinacci è conosciuto: il peggio del peggior fascismo, ras provinciale legato ai più retrivi interessi agrari. Anche venduto ai tedeschi. Quando il re dice: "Cui dui strasun", quei due stracciani, di lui e di Buffarini, sa quel che dice. Gottardi ha capito poco, Marinelli è sordo; Biggini bilioso e pedante osserva che, "in tutto l'ordine del giorno Grandi, non si nomina mai la parola Duce".

De Bono mentre gli altri parlavano ha avuto una folgorazione, ha disegnato a matita, su un foglietto, una stelletta dell'esercito e sotto c'è scritto: "Tutta la milizia mobilitata". Galbiati parlerà dopo, altri non parleranno mai. In quella stanza tutte le mediocrità di cui la tirannia ama circondarsi. Mussolini, il Mussolini di quella sera, non è poi molto meglio. Sì, l'ulcera, il peso della sconfitta, il futuro buio, il fatalismo. Ma anche le sue doti peggiori che vengono a galla, le esitazioni, le paure, i pietosi tentativi di impietosire: "Se allora i medici non mi avessero curato bene non saremmo qui a discutere". I biglietti di Claretta che Navarra va a prendere in una viuzza vicina. "Stai attento, ce li hai tutti contro, salvo due o tre." Come si stesse partecipando a un appalto o a una lite d'affari, non alla fine drammatica di un regime. E ancora il passar bigliettini a Scorza perché faccia rimandare la seduta all'indomani, tanto perché Grandi possa togliersi il gusto di urlargli in faccia: "Per la carta del lavoro ci hai tenuto qui per sette ore, oggi che si decide della vita della patria possiamo continuare a discutere per una settimana se necessario".

Si è arrivati alla mezzanotte. La seduta è sospesa per quindici minuti. Bicchieri di birra, portasigarette pieni, l'eccitazione nell'atrio dell'Excelsior e degli altri hotel in via Veneto. L'ansia dei cortigiani del regime. Asvero Gravelli va e viene dalla cabina telefonica. "Ora stanno mangiando panini e bevendo aranciate," dice a quelli che gli stanno addosso, "riprendono fra qualche minuto." Gravelli ha il suo informatore a Palazzo Venezia, come gli altri. Il prefetto Presti informa il principe di Piemonte, l'ispettore Agnesina dà notizie a Senise. La radio ha appena finito di trasmettere canzonette e la posta del combattente, il bar dell'Excelsior è affollato dai signori sui cinquant'anni che hanno un'impronta comune nel vestire, nel gestire, nel parlare, difficile dire quale, forse l'imitazione che hanno fatto per anni del Duce, quel suo modo di guardare cordiale, imperioso, forse quel tanto di ruffianeria che c'è in tutti e di volgare, da autista sposato alla padrona ricca. Molti sono abbronzati, molti assomigliano a Mino Doro, l'attore. I signori della Farnesina e di

Palazzo Chigi, e i dolci inganni dell'impero, convegni cultu-rali del tripartito a Venezia, bandiere, anche quella del sole nascente giapponese che sventola su un pennone, e tutti spa-paranzati sulla spiaggia del Lido, paga il partito, anche le donne ci scappano come segretarie. Di sera in sahariana bianca le ultime barzellette su di lui o su di lei, un whisky. Non i fascisti duri, manganellatori, villani, ma i fascisti be-ne, via da un posto subito in un altro, se arriva alla segre-teria del partito un fanatico come Muti lascialo dire, fra un mese sarà liquidato. Ti ricordi la visita di Matsuoka a Ro-ma? Il Max che gli dava la coca? Che giorni! Via dell'impe-ro, sahariane bianche, speculazioni sui terreni. "Tornano in riunione," avvisa l'Asvero che ha un informatore a pa-lazzo. Però non si sa che in quel quarto d'ora di pausa Mus-solini ha preparato la sua ultima manovra dicendo a Gal-biati di ricordare questo e quello e pregandolo di tenersi a disposizione dopo la seduta. Pensa di farli arrestare o vuo-le che lo pensino?

Galbiati riapre la discussione: "Io non ho sottoscritto e non sottoscriverò mai l'ordine del giorno Grandi. Il proble-ma non è di chiedersi chi ha commesso questo o quell'erro-re nella condotta della guerra, ma perché siamo entrati in guerra. Ebbene, si dica chiaramente che ci siamo entrati per-ché eravamo sicuri di vincere a fianco della Germania". La chiamata di correo di Mussolini: tutti sulla stessa barca nel-le ore buone, tutti insieme ora. Giù la maschera. È tempo di ricatti e di invettive, la voce di Mussolini ritrova un suo acre vigore: "Avete parlato di frattura tra fascismo e il popolo. Forse volete dire che il popolo è indignato per certi facili ar-ricchimenti. Ho tutto qui, so tutto. E mi presentate que-st'ordine del giorno: il capo del governo prega la maestà del re di assumere... ma che significa questo? Si tratta di sape-re se io accetto di essere decapitato. Io ho sessant'anni e so cosa vogliono dire certe cose. Meglio parlarci chiaro. E poi ho in mano una chiave per risolvere la situazione bellica, ma non vi dirò quale". Il vecchio giocatore d'azzardo non ha re-sistito alla tentazione del bluff e il bluff può avere effetto sui deboli. Ora anche le comparse capiscono che si sta giocando una partita decisiva, venuti per passare inosservati si sentono chiamare a opinioni che inchiodano, qualcuno perde la testa, Suardo ritira piangendo la sua approvazione all'ordine del giorno Grandi, Alfieri imbroglia anche più le carte suggerendo un incontro Hitler-Mussolini, Ciano propone di fondere tre ordini del giorno. Fumo, sudore, gente che urla, gente che complotta, il cerimoniale andato a farsi benedire, parla Gottardi e metà sono di là nella stanza dei rinfreschi o nei corridoi, Grandi che passa dall'uno all'altro per far firmare le due copie dell'ordine del giorno, una per Mussolini l'altra per il re. "No, tu Galeazzo non firmare, ti siamo grati per la tua adesione, ma adesso non metterti in una situazione troppo grave." Ciano firma: "Devo farlo, se fosse qui mio padre sarebbe con voi". Non manca di coraggio Ciano, e poi le ambizioni non sono spente, forse conta nel governo "nazionale", dopo Mussolini... viene anche Galbiati a dare un'occhiata: "Cercai di scambiare qualche idea ma erano tutti avversi al mio punto di vista. Nel rientrare nella camera di consiglio mi avvidi che a ridosso della porta stavano comodamente seduti in ascolto Chierici, De Cesare, il questore Stracca, l'ispettore Agnesina e altri. Costoro avevano evidentemente seguito l'intera seduta". Galbiati li vede ma li lascia stare, ormai lì dentro è tutto un bordello, gente che firma l'ordine del giorno del tradimento e i fanatici come Tringali-Casanova e Biggini, o gli imprevedibili, come Scorza, che continuano a parlare di Duce, fedeltà, vittoria.

Chiude la partita Bottai: "Sono tre giorni che non dormo e che non tocco cibo. So la gravità della decisione che ho preso. Ma se cambiassi parere proprio ora mi vergognerei di farmi vedere dai miei figli". Ora Grandi può presentare a Mussolini il suo ordine del giorno con le firme. "Senza una parola di più, senza un gesto Mussolini invitò Scorza a porlo ai voti." Scorza fa l'appello nominale cominciando da se stesso: "Carlo Scorza, no; Emilio De Bono, sì; Cesare Maria De Vecchi, sì...". Uno dopo l'altro, nel silenzio. Ancora diciannove a favore, sette contrari, un astenuto, Suardo, e uno che ha votato il suo ordine del giorno, lui solo, Farinacci. Mussolini raccoglie le sue carte e dice: "Signori, voi avete provocato la crisi del regime, la seduta è tolta", e vedendo che Scorza sta per lanciare il saluto al Duce: "No, ve ne dispenso". Sono le 2.37 del 25 luglio. Mussolini va con i suoi fedeli nella sala del mappamondo, loro dicono che il voto del Gran Consiglio ha solo un valore consultivo, lui tace meditabondo.

Quelli che hanno votato contro di lui stanno lasciando Palazzo Venezia. Tringali-Casanova si avvicina a Ciano, lo prende per un braccio e gli dice: "Ragazzo mio, non è bello quello che avete fatto questa notte, mi sembra che abbiate giocato la vostra testa". Ciano non risponde. Appena fuori telefona a Isabella Colonna che ha attorno a sé, ansiosi, Vitetti, D'Ajeta e altri amici di Palazzo Chigi. C'è anche una dama di compagnia di Maria José. Ciano è preoccupato ma cerca di apparire disinvolto. "Vedrete che il re interverrà, il pazzo andrà via con tutti gli onori." Il pazzo è ancora a Palazzo Venezia, ha chiamato al telefono la Petacci: "Hai dormito?". "Non ho potuto chiudere occhio, dimmi com'è andata." "Ti dirò domani, ma credo che la mia stella sia in declino." Donna Rachele, la moglie, lo sta aspettando dalle due sul balcone di Villa Torlonia. "Il giardino era buio e silenzioso."

Il Duce arriva alle quattro accompagnato da Scorza quando già schiarisce all'orizzonte. "Mi pareva di sentire nell'aria, già quasi chiara, il senso dell'ineluttabile che dà, quando si muove, la ruota del destino di cui gli uomini sono spesso inconsapevoli strumenti." Durante il tragitto in auto Scorza lo ha sentito mormorare: "Anche Bastianini, Albini, Ciano". Il Duce scende dalla macchina e dice a Scorza: "Allora siamo intesi, che sia tutto pronto per domattina. Se ci sono novità telefonami". Tutto pronto vuol dire il colloquio con Graziani per discutere della sua nomina a capo di stato maggiore generale, al posto di Ambrosio.

Ora Mussolini è nel vestibolo, ha messo un braccio sulle spalle di Rachele. "È tornato tutto bianco. Senti bene, mi ha detto, vogliono salvarsi a spese mie, faranno di tutto, ma io sono ancora vivo." Grandi è passato a Montecitorio, poi è andato in via Giulia a casa di un amico dove

l'aspetta Acquarone, l'uomo del re. Alle cinque del mattino Acquarone riferisce al sovrano; gli porta la copia del-
l'ordine del giorno. Le truppe del corpo motocarrozzato
stanno avvicinandosi a Roma.

Da "Il Giorno" del 26 luglio 1963

L'ultima udienza reale

"Come l'ha trovato, dottore?" "Non ha voluto l'iniezione, dice che ha il sangue troppo agitato." Il dottor Pozzi saluta Rachele Mussolini. Sono le sette, il Duce è già alzato,
beve un bicchiere di latte, rivede certe carte, alle otto è a
Palazzo Venezia "regolarmente, come da circa vent'anni".
Il burocrate, nella tragedia, è più forte del politico: la scrivania, l'ufficio, le carte, le cose di sempre alla solita ora.
"Fra la posta non vi era nulla d'importante." Il Duce di
un regime che crolla non cerca nessuno, non chiama Ambrosio, non vuole sapere come va la guerra in Sicilia, aspetta che le cose succedano.
A questo punto è difficile sondare l'animo del dittatore.
Che cosa vuole veramente? Lasciarsi andare al corso degli
eventi o passare la mano? È l'uomo stranito, confuso che
appare ad alcuni, oppure gioca da attore consumato questa ultima partita? Probabilmente le due cose assieme, anche se, nel volgere rapido degli avvenimenti e nel tumulto
dei sentimenti, non c'è posto per un disegno preciso. L'uomo è stanco, deluso, ma conta ancora sulla sua abilità ma-
novriera: attorno a sé non vede chi possa sostituirlo. Sì, forse questa è la strada: lasciare che il re riprenda il potere,
che lo esoneri temporaneamente. Poi si vedrà.
Viene a trovarlo Galbiati con molti progetti: arrestare i
diciannove, convocare il direttorio del partito, chiedere l'intervento tedesco. Il Duce rifiuta: "Fra qualche ora andrò dal
re e me la vedrò con lui".
È una domenica calda. Ora che tutto è deciso sembra
che i protagonisti siano presi da un'improvvisa stanchez-

za: il re passeggia nel giardino, taciturno; Mussolini, dopo una breve visita ai quartieri bombardati, è tornato a Villa Torlonia; von Rintelen è a pranzo con amici sull'isola Bisentina nel lago di Bolsena; l'ultimo messaggio inviato da von Mackensen a Berlino parla in modo generico della riunione del Gran Consiglio. A mezzogiorno i fedeli amici dei nazisti, Biggini, Buffarini, Tringali-Casanova, pranzano con Dollmann al San Carlo.

Per incarico di Mussolini il segretario De Cesare telefona alle 12.15 a Villa Savoia per chiedere al sovrano di anticipare al pomeriggio alle 17.00 la tradizionale udienza del lunedì. Sua maestà aderisce, Acquarone si precipita da Ambrosio, che convoca Cerica: "È per stasera alle diciassette," gli dicono, "quando uscirà dall'udienza reale". "Siamo nel campo costituzionale, eccellenza?" chiede Cerica. "Sì, l'ordine viene da sua maestà." Mussolini sta per uscire da casa, Rachele gli chiede: "Hai davvero il coraggio di andare?". Lui la guarda. "Tu stasera non torni," dice lei. Mussolini si avvia: "Devo mettere le cose in chiaro, la guerra non l'ho firmata solo io". Telefona in quel momento Scorza: Graziani accetta di succedere ad Ambrosio. "Va bene," dice Mussolini, "venite dopo l'udienza reale."

Il re attende inquieto; ha dato le ultime istruzioni a Puntoni: "Sono stato costretto a dare il mio assenso perché Mussolini appena fuori di casa mia sia fermato... siccome non so come il Duce potrà reagire, la prego di rimanere accanto alla porta del salotto dove noi ci ritireremo a discutere. In caso di necessità intervenga".

Mussolini arriva alle 17.00, pensa "che il re gli ritirerà la delega del 10 giugno riguardante il comando supremo, delega che da tempo aveva in animo di restituire, entra a Villa Ada con l'animo assolutamente sgombro da ogni prevenzione, in uno stato che, visto a distanza, potrebbe chiamarsi di vera e propria ingenuità". Sicuramente non sospetta che il sovrano stia per farlo arrestare, nel giardino di casa sua. Il colloquio è breve, confuso. Il re interrompe l'esposizione mussoliniana: "Io vi voglio bene e credo di avervelo dimostrato più volte difendendovi contro ogni attacco ma stavolta, c'am fasa s'piasi, devo proprio pregarvi di lasciarmi libero di affidare a un altro il governo". E insistendo Mussolini: "Mi dispiace, mi dispiace, ma la soluzione non poteva essere diversa". Mussolini esce dallo studio pallidissimo, scende la scalinata accompagnato da De Cesare, sta per mettere il piede sul viale quando il capitano dei carabinieri Vigneri gli si pianta davanti: "Duce, in nome di sua maestà il re vi preghiamo di seguirci per sottrarvi a eventuali violenze di folla". "Ma non è necessario," mormorò Mussolini. "Comunque seguitemi", e come Mussolini fa per dirigersi verso la sua macchina gli dice: "No, da questa parte", e presolo per un braccio lo spinge verso un'autoambulanza. Lo portano in una caserma dei carabinieri. I gerarchi che attendono il suo ritorno dall'udienza reale cominciano a preoccuparsi: Buffarini è a Villa Torlonia con Rachele, Scorza al partito, Galbiati al comando generale della milizia, Vidussoni a Palazzo Venezia. Telefonano a Villa Savoia, al comando supremo. Nessuno risponde. Il primo a sapere è Scorza, gli dà la notizia Albini dal ministero degli Interni. Tarabini e Host-Venturi che sono nel suo ufficio lo sentono esclamare: "Ah perdio, questo poi no". Poi, rivolto a loro: "Pare che abbiano arrestato il Duce. Io vado a Palazzo Venezia. Se non torno fra un'ora mobilitate il partito". È informata anche Rachele, impreca contro i traditori, aspetta che vengano ad arrestarla. Basta una sera perché il partito e le milizie si sciolgano. I moschettieri di Palazzo Venezia scompaiono, in abiti borghesi; Scorza, trovato il vuoto a Palazzo Venezia, va al comando dei carabinieri, da Cerica, di cui è amico. "Mi rincresce, eccellenza, che sei venuto," dice il generale, "perché sono nell'increscioso dovere di farti arrestare, sei il primo dell'elenco." Scorza implora, promette: lo lascino libero, darà al partito l'ordine di mettersi a disposizione del nuovo governo, eviterà la guerra civile. Cerica esita, poi lo lascia andare sulla parola d'onore. Scorza scompare, non va alla sede del partito: Tarabini, che vi è rimasto, riceve una telefonata da Ambrosio e uno dei vicesegretari, Cucco, sente che risponde rispettoso: "Signorsì, va bene, provvedo subito".

Così viene compilato un telegramma ai federali perché accettino il cambio del governo. Galbiati, invitato da Ambrosio a presentarsi a Badoglio, si dimette: la divisione M è sparsa nella zona di Bracciano per le manovre, le divisioni dell'esercito hanno ormai occupato Roma.

Alle 22.30 Badoglio scrive a Mussolini una lettera promettendogli un onorevole ritiro e chiedendogli dove voglia stabilirsi. Mussolini ringrazia, indica la Rocca delle Caminate, si dice persino disposto a collaborare. Gli italiani sono gli ultimi a sapere. Solo alle 22.45 la radio trasmette il comunicato e i proclami del re e di Badoglio: "Sua maestà il re e imperatore ha accolto le dimissioni di sua eccellenza il cavaliere Benito Mussolini e ha nominato capo del governo il cavaliere maresciallo Pietro Badoglio". "Italiani," dice il re, "assumo da oggi il comando di tutte le forze armate. Nell'ora solenne che incombe..." E Badoglio precisa: "...la guerra continua".

Da *Storia d'Italia nella guerra fascista 1940-1943*, 1969

Che cosa è accaduto a Roma?

"Che cosa dunque è accaduto a Roma?" "Quel che doveva accadere, Führer." L'italiano a cui Hitler si rivolge per primo, alla mezzanotte del 26 luglio '43, trenta ore dopo la caduta di Mussolini, è Giovanni Preziosi, un giornalista napoletano che il fascismo di regime ha ignorato o disprezzato. Hitler lo conosce dal '22, Preziosi ha pubblicato su "Vita italiana" un suo articolo a firma "il bavarese" intitolato *Gli ebrei, la passione e la resurrezione della Germania*, e nel '22 Preziosi è qualcuno nel fascismo, fra i più vicini a Mussolini durante la marcia su Roma; poi la sua fortuna è declinata, e dopo il 1930 si è chiuso in un suo astioso isolamento; a forza di predicar sventure si è visto affibbiare dallo stesso Mussolini la fama di jettatore, i gerarchi lo conoscono per un delatore, Farinacci lo adopera per i bassi servizi del suo giornale, "Regime fascista". I nazisti guar-

28

dano Preziosi con un'ottica diversa: non solo è fra i rari estimatori che hanno avuto in Italia prima di salire al potere, ma è un'eccezione nello svogliato razzismo italiano, crede nella rigenerazione razziale del mondo, è un fedele. Così si spiega come questo fascista sconosciuto agli italiani sia stato chiamato a far parte, il 19 luglio del '43, a regime ormai prossimo al collasso, del "comitato dei cinque", che costituisce una sorta di governo ombra pro-tedesco.

"Che cosa dunque è accaduto a Roma?" Il "signore della guerra" indossa l'uniforme grigia delle ss, un'unica decorazione, la Eisener Kreuz della Prima guerra mondiale, seduto sul divano di vimini con i grandi cuscini a fiori, nel suo rifugio, la "tana del lupo", in una foresta della Prussia orientale; e ascolta il professor Preziosi, il piccolo professore dai capelli bianchi prelevato su suo ordine a Roma dalle ss e portato in aereo al colloquio notturno. Hitler, di solito, impone i suoi monologhi, ma ora ascolta la requisitoria di Preziosi contro i gerarchi traditori e contro le "forze occulte" dei giudei e dei massoni che hanno usato Badoglio e il re per la rovina, prevista, del fascismo. Spetta al Führer la secca conclusione politica: "Noi non possiamo permettere che in Italia venga ammainata la bandiera del fascismo. Una definitiva caduta del fascismo in Italia potrebbe avere delle conseguenze incalcolabili nell'interno del Reich". Preziosi resta al quartier generale: Rosenberg, il teorico del razzismo, pensa a lui come al capo di un nuovo governo fascista; Goebbels lo tiene a disposizione per alcuni mesi, anche dopo la creazione della Repubblica di Mussolini, "rimprovero vivente del fascismo restaurato".

L'altro italiano subito ricevuto da Hitler è Roberto Farinacci: segretario del partito, nel 1925 si è provato a creare le strutture di uno Stato totalitario, ma gli altri poteri del regno del fascismo moderato lo hanno battuto; la sua stella è calata fra il 1930 e il '35, anche se ha conservato una sua impunità e una libertà d'azione soprattutto da quando è diventato il "re di Prussia", l'uomo dei tedeschi. Farinacci è nato alla politica come ras, come capo provinciale, e Cremona, dove esce "Regime fascista", è il suo feudo, ma ha sempre seguito la politica nazionale tenendo a Roma alloggio e studio da avvocato; uomo di grinta non privo di fiuto politico, legato a Mussolini da un rapporto di odio-amore, non ha saputo tener a freno un'ambizione violenta che ora gli fa perdere l'ultima occasione. Sfuggito all'arresto la sera del 26 e rifugiatosi all'ambasciata tedesca, ha indossato l'uniforme germanica; poi, accompagnato dal colonnello delle ss Dollmann, è giunto in aereo la mattina del 27 al quartier generale. Del suo colloquio con Hitler, Farinacci scrive nel suo diario come di uno scontro fra pari, anzi con lui un po' in cattedra, tanto che il Führer deve interromperlo: "Eccellenza Farinacci, la vostra critica al fascismo era una critica a Mussolini [...] siete un ambizioso e con le vostre parole sperate che io agisca in modo da sostituirvi alla testa del movimento fascista italiano [...] la mia pazienza ha un limite, nessuno è mai venuto qui a parlarmi così". Di sicuro Farinacci ne esce male, Goebbels suo sostenitore è deluso: "Si è comportato quanto mai maldestramente durante questi colloqui. Il Führer si aspettava che egli esprimesse il suo profondo rincrescimento per gli sviluppi della situazione e che, quantomeno, si mostrasse solidale, senza riserve, con il Duce. Viceversa non ha fatto nulla di tutto ciò [...] risulta evidente che questo uomo non può essere utilizzato da noi per grandi compiti. Il Führer lo ha affidato per ora alle cure di Himmler. Farinacci è annientato". Ed è seriamente preoccupato per ciò che lo attende se ne mette al corrente Goering che gli fa visita: "Mi premeva sapere se ero un ospite o larvatamente prigioniero. Goering mi parve pessimista su questo argomento". Intanto arrivano altri fascisti: Renato Ricci, ministro delle Corporazioni e comandante della gioventù fascista, è a Monaco con la famiglia, al quartier generale ci sono il figlio del Duce Vittorio Mussolini, e l'ex ministro della Cultura popolare, Alessandro Pavolini; sbarcherà a Monaco, fatto imprevedibile, anche Galeazzo Ciano con la moglie Edda, figlia del Duce.

Da *La Repubblica di Mussolini*, 1977

Badoglio concede agli italiani ventiquattro ore di libertà, percorrano in festa le vie cittadine, buttino in strada i segni della dittatura, i busti del Duce, occupino Palazzo Venezia che già gli uomini del potere li esortano a star tranquilli: questo è il momento della disciplina, accontentatevi delle storie sugli amori di Mussolini con la Petacci o dei profitti di regime dei Ciano, fate finta di non accorgervi che i tedeschi stanno invadendo l'Italia in previsione del cambio di alleanza dopo l'armistizio con gli angloamericani. "Fratelli dilettissimi," dice da Napoli il cardinale Ascalesi, "la patria richiede molta disciplina e sacrificio per conservare il patrimonio della sua civiltà millenaria." Noi ufficiali al corso di Merano veniamo mandati a Venezia a tenere l'ordine: nelle ronde notturne vediamo che nei canali passano gondole di finti turisti, di soldati tedeschi in borghese, ma non possiamo arrestarli, sono ancora alleati. Passano i giorni, nessuno salvo i tedeschi e le loro spie sanno in quale prigione si trovi Mussolini, ma l'8 settembre la radio dei vincitori annuncia che è stato firmato l'armistizio, l'Italia non è più in guerra, ha cambiato alleanza. Il re e la sua corte sono fuggiti per raggiungere Brindisi e il Regno del Sud.

La fuga del re

Alba del 9 settembre '43: la monarchia e lo stato maggiore uniti nella fuga e nella vergogna. Il re e la regina su una grossa Fiat nera: lui che consulta una carta topografica, lei che si copre le ginocchia con un plaid. L'autista vede nello specchietto retrovisore che ogni tanto lei lo prende per una mano, come due turisti anziani alla ricerca di un antico itinerario sentimentale. Il principe di Piemonte segue su una macchina sportiva. Per sciogliere ogni impedimento formale alla fuga è stato soppresso, pochi giorni prima, il suo comando delle armate sud, con sede a Sessa Aurunca. Umberto, "Bepo" per i familiari, è bello e obbediente, uno che vuol sempre fare ciò che non fa: tornare a Roma, fermarsi sulle montagne abruzzesi, rifiutare l'imbarco sulla "Baionetta", farsi paracadutare fra i partigiani. I monarchici con il fazzoletto blu, i partigiani di Mauri, lo aspettano tutta l'estate e l'autunno del '44: al campo d'aviazione sicuro, a Cortemilia, nel cuore della Langa partigiana; le bande e le brigate, anche garibaldine, anche di Giustizia e Libertà, pronte a battersi per difenderlo e un retroterra libero fin quasi a Savona e sentieri sicuri per raggiungere le Alpi e la Francia già occupata dagli angloamericani. Ma Umberto non si vede, passa l'ultima grande occasione [...].

Un altro Savoia, Calvi di Bergolo, resta invece a Roma per consegnare la città ai tedeschi, l'ultimo anello della vergogna dei Savoia, la famiglia che rivela, nella sventura, la sua incapacità a essere una monarchia di popolo, a guidare una guerra popolare e si scopre che dietro la retorica dei re montanari e cacciatori, di poche lettere ma guerrieri, di modesta apparenza ma fedeli, c'è poi un'aristocrazia provinciale biliosa troppo piccola per regnare sull'Italia, incapace di regnare appena cedono le strutture reazionarie. Con tutti i suoi difetti Mussolini è un personaggio moderno, rispetto ai Savoia, uno che partecipa al movimento operaio e che lo tradisce per la disperata avventura imperialistica. Ma i Savoia che sono? Che fanno? Raccogliere le monete, amministrare abilmente il patrimonio, andare a pesca a Valdieri, stare alla finestra? Anche il giorno della fuga a Pescara il re si ricorda con simpatia di Mussolini; sta facendo colazione nel castello di Crecchio e dice: "Quel Mussolini in fondo mi ha servito fedelmente per vent'anni". Perché il vecchio re, di un'aristocrazia provinciale, è sempre convinto che i capi del governo debbano servire la sua casa prima che il paese. Mussolini come servitore non gli dispiace, forse sta pensando che fra uno o due anni si può riprenderlo a servizio.

Però la fuga a Pescara è qualcosa di peggio che una manifestazione dell'antistoria, non è solo la giornata nera di gente che ha voltato le spalle alla grande storia. È la vergogna elementare e degradante degli uomini che dimenticano di essere uomini, è la paura indegna persino di una creatura paurosa come l'uomo, è la viltà peggiore, quella ridicola, quella che rinuncia anche alla giustificazione della tragedia, tutti che sembrano una macchietta di se stessi, burattineschi anche nei ricordi: "Sorvolo sull'incidente avvenuto fra l'ammiraglio De Courten e il sottoscritto [generale Giacomo Zanussi] all'atto dell'imbarco sulla 'Baionetta' [diretta a Brindisi, già liberata dagli angloamericani]. Come che sia, il terzetto Zanussi, Michelotti, Scortecagna riesce a issarsi al completo sulla pirocorvetta... Non bisognava abbandonare l'Italia così".

Da "Il Giorno" del 7 agosto 1963

Capitolo II

LA GUERRA PARTIGIANA

Che cosa è stata per chi l'ha fatta la guerra partigiana? La scoperta della libertà? Una felice illusione? La migliore definizione mi pare quella di Dante Livio Bianco, il comandante di Giustizia e Libertà in Piemonte: "Una splendida, lunga vacanza". Venti mesi di libertà dai legami dell'esistenza, dal posto nella tua vita già deciso dagli altri, dai tuoi genitori, dal loro censo, dai loro calcoli e desideri. E anche la libertà fisica di andare dove ti portano le gambe, di giorno e di notte in un mondo ritornato immenso, dove puoi scegliere anche la tua morte, dove puoi vivere senza una lira in tasca come il santo Francesco, e riscoprire ciò che la vita in società ti ha nascosto, quel desiderio del valico da superare verso il nuovo e l'ignoto. E dentro questo vago ma inebriante senso di libertà, tutti i ferrei doveri che hai liberamente scelto: il coraggio in guerra, la solidarietà con i compagni di lotta, la scoperta degli altri, dei poveri, dei deboli, l'intransigenza verso gli oppressori. Che cosa era la politica in quei venti mesi di guerra partigiana? Era alcune scelte pratiche, necessarie, urgenti come la voglia di arrivare al comando o la rivalità con le formazioni di altro colore, l'occupazione del territorio, come in natura tutti gli animali: segnare il tuo territorio, allargare il tuo territorio. E poi il rapporto con la gente, con quelli fatti come te che parlano e mangiano come te, ma che ora ti guardano e giudicano, la "zona grigia" la

37

chiameranno gli storici, ma senza non potresti sopravvivere e combattere, sono quelli che fanno finta di non averti visto passare, quelli che ti nascondono al nemico, ti rifocillano. Il tutto come in un sogno in cui gli opposti e i diversi in qualche modo si tengono, democrazia liberale e rivoluzione proletaria, economia di mercato e socializzazione, governo pianificatore e solidarietà combattentistiche. Una gran confusione, ma liberatrice, dove tutti possono parlare, promettere, sostenere, che tanto non ci sono verifiche possibili nell'immediato, tutto veniva rinviato al giorno luminoso della Liberazione. "Evviva il comunismo evviva la libertà," cantavano i garibaldini, dando per certo che fossero la stessa cosa. "Pensiamo a combattere," ci si diceva e i dissensi venivano rinviati a un dopo che sarebbe stato comunque radioso, anche perché peggio di come andava nell'Italia occupata dai nazisti non sarebbe potuto andare. La guerra partigiana era per i giovani arrivati dal lungo viaggio dentro il fascismo la scoperta della ragione, della conoscenza, l'uso, finalmente, della ragione e della conoscenza che la dittatura non aveva cancellato, ma sospeso dietro gli opportunismi e gli inganni. Noi giovani sapevamo poco di cosa era stata la democrazia prefascista. E sapevamo poco anche della nostra nascente, che si manifestava con il colore delle mostrine o dei fazzoletti delle formazioni, o nella diversità dei simboli, dei miti, delle memorie che si mescolavano festosamente come in una festa campestre: *Bandiera rossa* e *Fratelli d'Italia*, Gramsci e Rosselli, Mazzini e Togliatti, la croce dei Savoia e l'*Internazionale*. E gli anziani che sapevano che cosa era stata realmente la democrazia prefascista, che cosa era stato ed era il socialismo reale, non ne parlavano, come rispettando le nostre fantasie, le nostre ingenuità, presi anche loro dalla speranza che questa volta il destino del paese fosse davvero nelle nostre mani. Non ho conosciuto un solo comunista di quelli che erano stati in Spagna o in Russia che raccontasse nel bene e nel male la sua esperienza; e neppure un liberale, un monarchico, un cattolico che ricordasse i metodi di Giolitti "ministro della malavita" o lo scandalo del Banco di Roma o il mercato delle vacche elettorali. E non perché volessero ingannare noi e loro stessi, ma perché anche loro pensavano che la guerra partigiana avrebbe aperto una nuova storia.

I Mille di settembre

Vi è un cielo limpido e fermo in cui capisci che è finita, se sei ferito e solo. Il cielo che sta sopra le stragi, le fucilazioni, i terremoti, sopra gli eserciti battuti che si sciolgono. Oggi, 9 settembre del '43, c'è questo cielo sopra il cortile della nostra caserma, 2° reggimento alpini, Cuneo, portoni sbarrati per ordine del signor colonnello, solo la porta carraia aperta un momento per lasciar passare un camion carico di vasi da fiori del signor colonnello. Sono venuti poco fa Duccio Galimberti, Livio Bianco e Leo Scamuzzi a chiedere, per conto degli antifascisti, l'arruolamento volontario negli alpini, ma il signor colonnello gli ha fatto dire che lui, senza ordini, non può accettare volontari. Ora vanno al comando di zona e per strada li raggiunge il Nardo Dunchi, tenente di complemento, lo scultore anarchico di Carrara: "Dammi retta, Duccio, bisogna farlo fuori 'sto colonnello, se no ci consegna tutti ai tedeschi. Poi diamo la caccia ai fascisti più carogna, se non ce li togliamo dai piedi ora domani ce li abbiamo contro". Galimberti lo ascolta, ma non si impegna, quando si lasciano, lui scherza sul Dunchi: "Simpatico, ma un po' troppo deciso, non vi pare?". Ma poi verrà per venti mesi la lezione della guerra partigiana e si capirà che il Nardo non aveva poi visto male. Dante Livio Bianco scriverà di lui e della sua proposta: "Quella che c'era sembrata una specie di attiva spregiudicatezza era, in realtà, una prova di saggia lungimiranza".

Galimberti e gli altri capi dell'antifascismo vanno al comando di zona. Noi chiusi nella caserma del 2° alpini ad aspettare non si sa bene cosa, l'esercito ormai sta su per abitudine, ciò che resta dell'esercito, come il nostro 2° alpini: i soldati nelle camerate, odore di latrine e di panno bagnato, stesi sui pagliericci, lo zaino già affardellato, come larve sui graticci di un'incubatrice. Gli ufficiali in cortile, a gruppi, il Nuto Revelli e quelli della Russia davanti al corpo di guardia, noi prima nomina con la divisa pulita pulita, nel cortile, vicino ai lavatoi. Loro convinti che il 2° alpini non è più quello, che il vero 2° alpini è rimasto sul Don; quel ricordo dei morti e dei sacrifici che può prestarsi all'inganno idealistico, alla patria di Gentile. Noi fra il rispetto e il fastidio di fronte a quei reduci taciturni. La porta carraia si è di nuovo aperta, anche il signor colonnello deve averlo udito il Dunchi che urlava, per farsi aprire, ora chissà dove è con la sua carretta carica di armi e di esplosivo. Lui è stato il primo a capire che a discutere con i colonnelli e con i generali è fatica sprecata. È un anarchico di Carrara, scolpisce se ne ha voglia, se no pesca, non ha nel sangue secoli di disciplina militare. I soldati sono inquieti, in gran parte reclute venute al reggimento da venti giorni, i fratelli giovani di quelli che sono morti in Russia, tutti montanari o contadini di una montagna e di una campagna dissanguate. Quando si dice che la guerra partigiana è forse il momento migliore della nostra storia nazionale, non si pensa alle battaglie, certo sul Piave e sul Grappa le battaglie sono state più dure. Ma si pensa a questi ragazzi, montanari e contadini, gli ultimi giovani rimasti alle famiglie montanare e contadine, che bene o male, senza essere obbligati, trovano ancora la forza di farla.

L'8 settembre del '43 questi ragazzi non hanno mai sparato un colpo, la guerra è quella triste e straniera faccenda da cui i fratelli maggiori non sono tornati e ora essi, finché si può, vogliono tornarci, a casa. Molti stanno affacciati alle finestre sul cortile. "Dentro, dentro tutti!" urla il capitano della prima compagnia, ma non si muovono, hanno gli occhi dei contadini quando hanno capito che il padrone non può più comandarli e lo lasciano urlare, già fuori dell'obbedienza, non ancora nella ribellione. Questo, l'8 settembre del '43, è il 2° reggimento alpini, un reggimento che sta su per abitudine, dietro i portoni sprangati, mentre fuori la corrente della IV armata si rompe e si divide, alle soglie della pianura. Quelli che comprano un abito borghese a contanti; gli altri che se lo vedono offrire dalla signora che si è affacciata alla finestra: "Grazie, signora, scriva l'indirizzo, Domeneghetti Attilio, Padova, via Roma 36, appena a casa le mando i soldi o il vestito". "Ma no, lasci stare, bisogna aiutarsi in questi giorni." Ma anche il vergognoso commercio, i camion della sussistenza lungo il viale degli angeli, teli-tenda e paglia sull'asfalto e ufficiali, sottufficiali, soldati, borghesi che vanno e comprano, uno che corre facendo rotolare una gran ruota di camion, l'altro curvo sotto il peso delle scatole di carne, difficile capire se quelli in tuta sono dei soldati che si preparano a partire o quelli del garage vicino che caricano fusti di benzina. Eppure le ragazzine del ginnasio e delle magistrali su e giù per il viale in bicicletta, come ogni giorno del settembre, prima che aprano le scuole, risate e sguardi dei compagni seduti sulle panchine; e qualche coppia giù per le rive del Gesso e della Stura, da laggiù tutto come prima e come sempre, le case e i campanili di Cuneo, le montagne e il cielo limpido e fermo sull'esercito battuto che si scioglie.

La IV armata, decine di migliaia di uomini bene armati, viene dalla Francia, risale le valli del Roya e dell'Ubaye, supera il colle di Tenda e della Maddalena e poi giù come una frana, ognuno a casa sua, a cominciare dai generali. Ma c'è chi non vuole crederci, c'è chi ha combattuto in Albania o in Russia e non può credere che il generale De Castiglione fugga con gli altri. Così si sparge la notizia che il generale con la divisione Pusteria si è sistemato a difesa vicino al colle di Tenda, è per questo che Galimberti, Bianco e Scamuzzi vanno, per conto degli antifascisti, al comando di zona: per chiedere di essere aggregati alla Pusteria, per combattere con ciò che resta dell'esercito. È l'antifascismo dei professionisti, degli avvocati, dei professori, degli ingegneri, dei migliori borghesi che credono ancora nei valori borghesi, che tentano di salvare i legami di classe. Antifascisti al cento percento, ma uomini d'ordine che pensano in termini di esercito, di autorità, di gerarchia. Non si è nati per niente nel vecchio Piemonte legittimista, è difficile nel vecchio Piemonte tagliare il cordone ombelicale che unisce anche questa generazione alle tradizioni e ai pregiudizi. Perciò Galimberti e i suoi amici provano ancora al comando di zona. Qui il generale li riceve. Sta interrogando dei carristi tedeschi fermati sulla strada di Mondovì con il loro carro, diretti ad Albenga.

Il generale parla in tedesco, si compiace di parlare in tedesco davanti a Galimberti e ai suoi amici, che imparino come si fa con i borghesi: "Spiacente, ma non potete transitare in questa zona". "Ja, capire, ma noi avere ordini arrivare Albenga." "Già, capisco, gli ordini sono ordini, aspettate un momento." Prende un foglietto intestato dal comando di zona, scrive e timbra: "I soldati germanici latori del presente sono autorizzati da codesto comando di zona a interrompere il viaggio e a tornare indietro". Escono i due soldati germanici e, come Galimberti fa per parlare, il generale: "Avvocato, la prego, come vede ho un sacco di grane per i militari, non posso perdere tempo con voi borghesi. Cosa, vorreste che vi consegnassi delle armi? Ma avvocato, vi rendete conto della gravità...".

Noi in caserma, dietro i portoni chiusi, ad aspettare i tedeschi, ognuno che immagina la scena, un carro armato che sfonda la carraia, le ss che si piazzano agli angoli del cortile, noi impacchettati, proprio nella nostra caserma e nella nostra città. Forse sono già a Savigliano, forse stanno occupando i ponti sulla Stura e sul Gesso e noi chiusi in un cortile, Nuto Revelli e quelli della Russia vicino al corpo di guardia, i prima nomina nel cortile, di fianco ai lavatoi, il Nardo Dunchi chissà dove, con la sua carretta di armi ed esplosivo, il cappello storto e il pizzo al vento. I soldati si affollano alle finestre. "Voi, lassù, dentro, dentro!" urlano gli ufficiali comandanti di compagnia, ma non si muovono, già sull'orlo della ribellione, minacce e bestemmie che vengono giù, anche gavette e paglia, brutta aria nella caserma del 2° e nessuno si accorge che Dalmastro e Soria e gli altri amici che Galimberti ha in caserma stanno calando mitragliatori, moschetti e munizioni dalle finestre dell'armeria, quelli fuori che fanno la spola fra la caserma e l'ufficio di Galimberti, via dalla scrivania le carte e i codici per lasciar posto ai nastri della Fiat, ai mitragliatori e, meraviglia, a un parabellum russo.

La guerra per bande, composte e comandate da borghesi, nasce così, per il rifiuto dei militari. E ci credono anche gli antifascisti che le formano, Galimberti e Livio Bianco ce l'hanno ancora su con il generale che non ha voluto e con il colonnello che ha detto di no. Poi la lezione della guerra partigiana chiarirà le cose: la guerra partigiana deve essere una guerra di borghesi, diciamo di cittadini.

Passano altre ore, ai nostri orologi è già sera, ma il cielo è il medesimo, limpido e fermo, sull'incubo di quella colonna tedesca che si avvicina; tutti fermi ad aspettarla come in quei sogni in cui vorresti scappare ma non puoi, chiusi nel cortile, più nessuna notizia del signor colonnello, forse ha già tagliato la corda per la porticina del circolo ufficiali, eppure qualcuno c'è nel suo ufficio, quello che si affaccia a una finestra per un attimo sembra il suo attendente. "Avrà dimenticato il vaso dei gerani," dice un prima nomina, ma gli altri non fanno in tempo a ridere, hanno sentito in quel cielo limpido e fermo un ronzio, come di un trapano lontano. E poi il ronzio si avvicina, si sgrana in rumori distinti di motore a scoppio, diventa sempre più forte, qualcosa che ci rotola addosso ed ecco sbucare sopra di noi, nel cielo che si vede dal cortile, una "Cicogna" con la croce tedesca. Vola bassa e lenta, si vede l'osservatore sporgere fuori a guardare, si vede il pilota, i tedeschi, degli uomini. Ora fuori e dentro la caserma l'attesa è finita, come sette altre volte nei secoli, l'attesa per Cuneo è finita; che allora dai bastioni si vedesse apparire il nemico sulle rive della Stura, cavalli e bandiere lontani o che oggi arrivi una "Cicogna" è la stessa cosa. Diverso purtroppo il modo di accogliere uno, il nemico, comincia male l'ottavo assedio di Cuneo, niente soldati sugli spalti e cannonieri agli ordini del "Barun Litrun". Ma gli ultimi reparti dell'esercito che si sciolgono, precipitosamente, le reclute del 2° alpini che scendono nel cortile e premono sui portoni, li sfondano, vanno via abbandonando armi e munizioni. Il signor colonnello sparisce; Nuto Revelli e quelli della Russia con delle facce pallide e lunghe dinanzi allo sfacelo. Ma tristi anche i borghesi, anche gli antifascisti, tristi come dice Livio Bianco: "È uno degli spettacoli più tristi e umilianti a cui potessi assistere, questo di una magnifica unità in perfetta efficienza che si sfascia senza nemmeno aver sparato un colpo, di centinaia di uomini che in disordine affannoso si precipitano fuori dalla caserma con il terrore di non fare in tempo ad arrivare a casa. Mai come ora capisco che cosa è e cosa vuol dire l'onore militare e la dignità nazionale; queste parole che spesso ci sono parse insopportabilmente convenzionali e guaste dalla retorica ora ci svelano la loro sostanza dolorosamente umana, attraverso la pena che ci stringe il cuore e la vergogna che ci brucia. Ed è un motivo in più, per noi, di passare decisamente all'azione".

I dodici borghesi amici di Galimberti salgono a Valdieri, i nove ufficiali di complemento amici di Dalmastro salgono in Valgrana. Un saluto a casa prima di partire. Le madri: "Che peccato, la divisa nuova. Su, prendi ancora una maglia. Ma non puoi stare a casa? Sì, sì, non arrabbiarti". Sui ponti della Stura ci saranno già i tedeschi, si passa sulle pianche, le passerelle, la spuma dell'acqua rasente le scarpe, su per la ripa verso Caraglio, la ragazza di una cascina che dice a sua madre: "Guardali i coraggiosi che scappano", uno di noi che si ferma a cristonare gli altri che gli dicono di lasciar perdere. Vicino a Caraglio, nei castagneti si vedono polvere e fumo, un reggimento di artiglieria alpina sta disfacendosi, i soldati caricano la roba sui muli e se ne vanno, un tenentino che corre a puntargli la pistola addosso: "Fermi disgraziati, lasciate i muli, ladri" e quelli che ridono, artiglieri alpini grandi e grossi di parlata veneta: "Mondo boia, tenente va' a cuccia che la naja è finita", qualcuno che lo guarda, è un istante, potrebbe ammazzarlo. E il tenentino torna vicino al fuoco in mezzo all'accampamento, si siede vicino alla marmitta dove continua a cuocere lo spezzatino, sta con la testa fra le mani, non ha capito perché stanno succedendo 'ste cose, non capisce perché noi raccogliamo armi e munizioni. "Voi cosa fate? Avete un ordine?" "Si va in montagna, vieni con noi," lui non risponde, si siede vicino alla marmitta, tiene la testa fra le mani. Quando il carro è carico uno di noi dà una manata sul sedere del mulo, "Alè Garibaldi" e si sale in Valgrana.

La guerra per bande, come la chiamava il marchese d'Ormea, nasce così, perché dei cittadini capiscono che è venuta l'ora di battersi, e provarsi a dirlo ai militari. Pietro Bellino ha provato con il colonnello Palazzi, un ufficiale di primo ordine, e Palazzi gli ha detto che lui "non ha mai comandato e non comanderà mai delle formazioni irregolari". Un'altra penna bianca ha fatto sapere a Galimberti che lui "non è un avventuriero". E cinque giorni dopo va a consegnarsi ai tedeschi. E allora basta con le penne bianche, con i colonnelli e con i generali, domani togliamo la divisa anche noi, tutti in borghese per la guerra dei borghesi. Arriviamo a San Pietro Monterosso dove ci raggiunge Dalmastro con una camionetta carica di armi e di viveri. Proseguiamo di notte fino alla borgata di Frise. Prima di buttarci a dormire sulla paglia delle stalle una sigaretta, dei puntini rossi nel buio fondo: "Cosa credi che ci vorrà, una settimana, prima che sbarchino a Genova?". "Forse anche due," dice Dalmastro, "comunque fra un mese dovrebbe essere finita."

Così nascono le prime bande Giustizia e Libertà in provincia di Cuneo. Il passaggio dei fuggiaschi della IV armata dura ancora qualche giorno, poi nelle valli tornano la solitudine e il silenzio. Ci si conta: una trentina con Mauri in val Casotto; alcune centinaia a Boves con Ignazio Vian, Dunchi e Aceto, ma non più di cinquanta disposti a restare; una trentina con Galimberti e Dalmastro; quaranta garibaldini con Barbato in val Po e poi le terre remote, le valli di un altro pianeta, lontanissimi lungo tutto l'arco alpino sino al Friuli, i piccoli nuclei partigiani di cui non sapremo nulla, per mesi, forse mille uomini su tutte le Alpi in settembre. [...]

Come guerra la guerra partigiana è una guerra facile: ti hanno buttato in acqua e nuoti. Certo i mesi ti faranno esperto, ma la faccenda non cambierà poi molto, sulle montagne del Cuneese come su quelle dell'Algeria: camminare, sparare, perdere tutto, ricominciare. Ma come esperienza di cittadini la guerra partigiana è una grande esperienza, la più grande che si possa fare, ciascuno libero dinanzi alla sua coscienza, per tutti la lunga e difficile ricerca di una coscienza politica.

Da "Il Giorno" del 10 agosto 1963

La lezione del terrore: Attila a Boves

"Salimmo di corsa sulle colline del Giguttin e vedemmo il paese in un mare di fuoco. Impossibile! Incredibile! Dire l'impressione di sgomento, di disperazione che era nei nostri occhi non si può. Forse dovrei paragonarla ai sentimenti e alle tragedie cosiddette classiche o storiche." Così Bartolomeo Giuliano (che scrisse questa memoria), Renato Aimo il maestro e i contadini in armi sulle colline di Boves scoprirono, in quel settembre, che anche il loro villaggio poteva essere folgorato da una sciagura mitica. Era un settembre "buono per i funghi"; il padrone del caffè Cernaia imbottigliava il dolcetto arrivato da Dogliani; nella calzoleria Borello si preparavano gli zoccoli per i giorni di fango e di neve. Le cose di sempre. Che altro poteva attendersi un villaggio come Boves anche se in Italia c'è una guerra finita che continuava? Invece si videro uomini bruciati vivi, figli uccisi sotto gli occhi delle madri, vecchi ammalati che si trascinavano tra le fiamme, come se una piccola Ilio ardesse ai piedi della Bisalta, otto chilometri da Cuneo, nel vecchio Piemonte.
Che impareggiabili registi erano i tedeschi! Dove giungevano, in qualsiasi parte dell'Europa, un villaggio vissuto per secoli nel suo quieto sogno di alberi, di fontane, di negozi e di vicende minime, poteva esprimere in poche ore, in una luce accecante, tutte le possibilità umane del soffrire. Bastava un sergente delle ss per farlo salire nei cieli alti della tragedia. Con Boves si ebbero più riguardi. Di lei si occupò personalmente un maggiore, il maggiore delle ss Peiper.

46

Questo Peiper occupa Cuneo il 12 settembre con cinquecento ss armate di carri, autoblindo, cannoni e le seghe di Hitler, voglio dire quei fucili mitragliatori che vi tagliavano i nervi prima che le budella. Chi lo avvicina capisce subito che è un duro, un tedesco dalla testa fredda, ma nessuno, neppure il fascista uscito dalla sua tana, riconosce in lui un demone della distruzione.

È accaduto dappertutto nell'Europa occupata e accade anche a Cuneo e nel contado: la gente teme i tedeschi, ma si rifiuta di credere, fino all'ultimo, che certe cose siano ancora possibili, che esista una ferocia senza limiti e senza senso.

Lo spirito con cui affrontano Peiper e i suoi soldati può essere ardito, melodrammatico, pavido, diffidente, ma è sostanzialmente uno spirito ignaro. Essi non sanno che cosa li attende. Invece lui, il maggiore Peiper, aspetta solo un'occasione per insegnargli che cosa è la guerra razzista e totale.

Il maggiore, appena arrivato a Cuneo, non possiede delle informazioni precise sul nascente movimento partigiano. Se le possedesse colpirebbe per prime le bande politiche: quella di Livio Bianco e di Duccio Galimberti alla Madonna del Colletto; quella, pure giellista, di Detto Dalmastro che è in Valgrana; quella del comunista Barale che si trova a Sant'Antonio di Aradolo. Invece sceglie Boves dove si stanno raccogliendo, in una formazione apolitica, gli sbandati della IV armata e i valligiani.

Il 9 settembre, attorno a Boves, nelle frazioni di Castellar e di Rosbella, si muovono in una confusione indicibile circa duemila di questi ribelli. Il 16 ne rimangono sì e no cinquecento.

Sono divisi in tre gruppi; alla sinistra i valligiani di Renato Aimo e di Bartolomeo Giuliano; al centro Ignazio Vian con le sue guardie di frontiera; alla destra il tenente Renaudo. Il loro armamento è composto da fucili 91 e mitragliatrici Breda. Il gruppo di Ignazio Vian ha un cannone da 75. Colpi in dotazione: uno.

Peiper arriva a Boves il 16 settembre. Egli ha l'intenzione di fare un certo discorso ai bovesani, ma prima si presenta alla sua maniera. Fa piazzare una batteria da 81 sul piazzale della fornace regia e ordina il tiro su tutte le case in vista sui colli di Roccasetto, Moretto, Sant'Antonio e Castello.

Dentro ci abitano donne e bambini. La questione, per il maggiore Peiper però, è del tutto irrilevante. Lui da bravo ufficiale ss conosce le istruzioni per le donne "infestate dai ribelli".

Sospeso, dopo un'ora, il fuoco dell'artiglieria, il maggiore va sulla piazza del municipio e dice ai bovesani capitati per forza o per disgrazia: "Se non volete essere fucilati, andate in montagna da quei ragazzi e dite loro che la smettano. Vengano giù, consegnino le armi e li lascerò liberi".

I tedeschi rientrano a Cuneo, qualcuno dei bovesani sale sulle colline per informare i partigiani, una "Cicogna", con la croce nera sulle ali, gira e rigira sulle pendici della Bisalta lanciando manifestini. Trascorrono nella calma il 17 e il 18 settembre. "Per quanto fossero giornate piene di sole," ricorda l'impiegato Stefano Pellegrino, "a noi parvero grigie e melanconiche."

Il giorno 19, sollecitata dal caso, la tragedia inizia il suo corso. Alle undici del mattino – è una domenica – la gente appena uscita dalla messa passeggia in piazza Italia e in pochi attimi tutto è deciso. Un'automobile scoperta con due soldati tedeschi si ferma all'angolo di corso Trieste. Deve avere una gomma a terra. Uno dei soldati sta scendendo quand'arriva il camion dei partigiani che viene ogni mattina per i rifornimenti.

I due tedeschi alzano le braccia. I partigiani li issano sull'autocarro che riparte fra gli applausi della folla. Poi la gente capisce. In un minuto piazze e strade sono deserte. Dopo un quarto d'ora arrivano da Cuneo le ss. Il paese è circondato. Il maggiore Peiper è salito in municipio e lì ha convocato il parroco don Giuseppe Bernardi e l'industriale Antonio Vassallo.

"Andate lassù e fateveli restituire," ordina Peiper.

"Se ci riusciamo risparmierà il paese?" chiede Vassallo.

"D'accordo," dice Peiper.

"Può metterlo per iscritto?" insiste Vassallo.

Peiper batte un pugno sul tavolo e urla: "Sporchi italiani traditori, ricordatevi che la parola di un tedesco vale più di cento vostre dichiarazioni scritte".

Il prete e l'industriale salgono a Castellar, in automobile, sventolando una bandiera bianca, e dopo quaranta minuti sono di ritorno con i due soldati tedeschi. Ignazio Vian li ha restituiti senza discutere, don Bernardi li consegna al maggiore Peiper, segue ciò che la gente, in ogni parte dell'Europa, si rifiuta di credere fino all'ultimo: la ferocia senza limiti e senza senso. L'incredulità, con i suoi occhi chiari, va incontro alla strage.

Ascoltate alcune testimonianze:

"Vedemmo le prime volute di fumo. Passò una donna gridando: 'Hanno ucciso Meo! Hanno ucciso Meo!'. Qualcuna di noi scappò, io rimasi alla fontana per finire di lavare".

"Avrebbero dovuto mantenere la parola e invece noi, da dentro la trattoria, sentimmo raffiche di mitraglia. Lì per lì si decise di tornare a casa, ma in quel momento entrò Beppe con la camicia insanguinata. 'Sparano su tutti,' disse."

"Erano vestiti di giallo e di marrone come i teli-tenda. Io ero con uno di Rosbella, gridarono qualcosa che non capimmo poi si misero a sparare. Il mio compagno ebbe un braccio stroncato al gomito."

"In piazza Italia un carro armato era fermo davanti all'osteria Cernaia. Vicino al carro, un giovane, lo riconoscemmo subito. Benvenuto Re, di diciassette anni. Visto che i soldati tedeschi si erano allontanati e parevano non interessarsi a lui lo esortammo a fuggire. Sorrise e rispose: 'Am faran pa gnent'. Alla sera vidi il suo cadavere sulla piazza."

"Ero in casa. Entrarono tre tedeschi, si misero a cospargere con un liquido i mobili del nostro piccolo salotto. 'Ma perché li rovinate?' dissi io. Uno mi colpì al ventre con un calcio. Dopo vidi tutto bruciare intorno a me."

Stupore e ancora stupore in tutti i testimoni. I bovesani – li scusi, maggiore Peiper – ignorano tutto della guerra razzista e totale. Ma adesso è qui lei a istruirli.

A un cenno del maggiore, don Giuseppe Bernardi e Antonio Vassallo vengono legati e caricati su una camionetta. "Fategli ammirare lo spettacolo a questi signori," dice Peiper. La camionetta percorre lentamente le strade di Boves perché il signor prevosto possa vedere i suoi parrocchiani uccisi e le loro case in fiamme. Al termine del giro li buttano giù, sul selciato, cospargono di benzina i loro abiti, danno fuoco e stanno lì a guardarli mentre bruciano vivi. Per le strade continua la carneficina casuale. Alle ss è stata data una razione abbondante di alcol. Sparano quando gli va, senza star lì a vedere chi sia la vittima, tanto "per dare un esempio", come dice il signor maggiore.

Mentre l'incendio di Boves dilaga, per due volte una colonna germanica tenta, sulle colline, di spezzare lo schieramento partigiano.

Al primo tentativo l'autoblindo che guida la colonna viene centrato dall'unico proiettile del pezzo da 75 che Ignazio Vian ha piazzato vicino al ponte del Sergent. E Vian, l'invasato, grida ordini a reparti inesistenti, finge di dirigere un poderoso schieramento e poi va al contrattacco con quelli che gli sono rimasti vicini, dieci o dodici ragazzi, armati di bombe a mano.

I tedeschi si ritirano. Ritornano un'ora dopo preceduti da tre carri armati e salgono lentamente fra i castagni sparando con i loro 88.

Quel pazzo meraviglioso di Ignazio Vian (lo impiccheranno a Torino nel luglio del '44) non si ritira dal blocco del Sergent.

"Li ho respinti una volta e li respingerò una seconda," grida forsennato a chi lo implora di arretrare. Poi ci sono il maestro Aimo, lo studente Giuliano e il sottotenente Renaudo che, senza essere degli eroi, tengono le loro posizioni con i pochi valligiani che gli sono rimasti vicino.

Tutti gli altri si sono sbandati, fuggono nei boschi verso Peveragno. Dei cinquecento schierati a mezzogiorno fra il Castellar e Rosbella ne restano, alle cinque della sera, meno di cento: non si fa alla guerra partigiana senza un'idea politica in testa.

Le ss potrebbero spazzar via i rimasti come niente, ma sta venendo sera e anche ai guerrieri teutonici la penombra dei boschi fa paura. La colonna da combattimento rientra a Boves alle diciotto. Poco dopo tutte le ss lasciano il paese e fanno ritorno a Cuneo.

I contadini in armi sulle colline vedono il cono di fumo che si alza nel cielo pallido e la luce rossastra che si allarga, in basso il maestro Aimo, lo studente Giuliano e gli altri paesani decidono di scendere per vedere che cosa è accaduto dei loro parenti e delle loro case. Mentre corrono per la strada del Malandrè incontrano il primo gruppo di fuggiaschi. I sopravvissuti cercano rifugio sulla montagna, nessun capanno gli sembra sicuro, qualcuno ha detto che i tedeschi risaliranno la valle per incendiare tutto.

Aimo corre dai suoi, ai Tetti Ariaou. Giuliano si avventura in paese. Ascoltate il suo racconto: "La cittadina pareva morta, non vidi che cinque, sei persone. Le fiamme erano sole a regnare sovrane, tutto divorando. Quasi ovunque si sarebbe potuto leggere il giornale benché fossero ormai le dieci. Le due piazze erano illuminate a giorno, ogni tanto qualche figura umana passava tra i bagliori. Davanti alla calzoleria Borello trovo un tale. Aveva una bottiglia in mano, doveva essere ubriaco. 'Mah!' diceva. 'Casa mia brucia e io sono qui. Mah! Beviamo ancora una volta'".

L'indomani 20 settembre si contano i morti (57 solo in paese) e le case bruciate (settecento famiglie senzatetto). I raccolti sono in gran parte bruciati: il fumo ha soffocato il bestiame nelle stalle, ci sono bestie che corrono nei boschi.

Arriva da Cuneo il viceprefetto fascista, trova il carabiniere Vota e lo manda a cercare qualcuno impiegato nel municipio. Il carabiniere torna con Stefano Pellegrino e con Antonio Barale.

"Perché non siete in ufficio?" chiede il viceprefetto, sostenuto. "Che cosa state facendo?"

"Io sono due giorni che faccio il pompiere," dice Pellegrino.

"Su, andiamo in ufficio," dice il viceprefetto, "sbrighiamoci."

"Quando arrivò al primo piano del municipio," si legge nella testimonianza del Pellegrino, "rimase male. Non c'era più nulla. Tutto era scomparso, tutto distrutto. Si vedevano solo le macchine da scrivere, contorte. Assicurai al viceprefetto che i registri dell'anagrafe erano stati messi tempestivamente in salvo. 'Va bene,' disse lui con le labbra che gli tremavano. 'Vuole venire al cimitero?' gli chiesi. 'No,' disse, 'pensate voi ai riconoscimenti.' Se ne andò di corsa. Si vedeva che anche lui era sconvolto. Forse non aveva creduto di assistere a tanta tragedia."

Io credo che quel viceprefetto, sebbene fascista, dovette essere l'ultimo uomo ignaro stupito della provincia di Cuneo. Perché i fatti di Boves furono risaputi da tutti, immediatamente, e tutti seppero che certe cose potevano accadere.

Non ho altro da dire salvo un dettaglio storico. L'ultimo giorno dell'anno le ss del maggiore Peiper tornarono a Boves e bruciarono un altro centinaio di case. Per ridare un esempio, si capisce. Dove sei adesso, maggiore Peiper?

Da "Il Giorno" del 17 settembre 1961

La storia partigiana deve ancora essere scritta, ma è già storia orale, raccontata la sera davanti ai fuochi nei distaccamenti, ed è – come l'*Iliade* – una storia di condottieri più che di fanterie, dei comandanti mitici che hanno segnato la carta partigiana più che il nome e il numero delle bande, delle brigate e delle divisioni. Il mondo partigiano è stato da subito diviso fra "quelli di Mauri", "quelli di Barbato", "quelli di Bianco" o di Dalmastro o di Bisagno o di Moscatelli. Senza gradi d'argento sulle maniche, senza greche sul cappello, i comandanti hanno dato il loro nome alle formazioni e al territorio, come era accaduto agli jugoslavi con Tito. Dei capi fondatori ed eroi si raccontavano le imprese in chiave leggendaria, le loro "fatiche di Ercole", i loro miracoli. Non a caso. Il partigianato aveva bisogno di uscire dall'anonimato e di avere i suoi campioni. L'8 settembre del '43, quando passai a casa mia a Cuneo prima di salire in montagna, mia madre la maestra mi salutava preoccupata: "Cosa farete lassù? Come resisterete?". C'era anche mia nonna, che aveva passato la vita seguendo il marito Giovanni Re maresciallo del regio esercito nei distretti militari. Lei era tranquilla e disse in piemontese: "E bin lasu ai saran i so cumandant". Aveva ragione, i comandanti partigiani erano pronti senza bisogno di accademie militari, formati dalla tradizione militare, merito – almeno questo – dei Savoia, dinastia montanara e guerriera.

Il casto Bisagno

Bruciano le case di Cichéro. Guardate il fumo nell'aria chiara della Liguria sconosciuta. Sempre montagna povera dai Giovi al Cento Croci, l'acqua verde in fondo alle gole, ogni valico che ripete il suo inganno, altra montagna povera. Nei villaggi di pietra manca il pane, da mesi. Il castagnaccio, quando si fredda, è viola e sudato sotto la crosta. Ma ora che brucia Cichéro certo lo vedrete passare con i suoi garibaldini. È alto, barba bionda, cammina senz'accorgersene, le donne non le guarda, dicono che è vergine. Eppure gli piacciono le donne delle canzoni. Suo fratello piccolo ha capito che è partigiano dalla sera che la porta dei genitori era socchiusa e il babbo diceva: "Ho saputo che lo chiamano Bisagno".

Il nome gliel'ha dato il Bini, un comunista: si sono incontrati a metà settembre, sono saliti in montagna i primi di ottobre sopra Cichéro, nel casone di Stecca, per dare l'allarme dal basso battono con un bastone sulla corda d'acciaio della "strafila". Nella banda ci sono altri comunisti, tre reduci dalla guerra di Spagna e gli operai fuggiti dai cantieri. Il Bisagno ha poco dietro le spalle: un nome vero qualsiasi, Gastaldi, un titolo di perito industriale, due anni nel Genio, ufficiale di complemento, un tedesco steso con un pugno nella caserma di Chiavari, undici fucili nascosti vicino al castello. Ma è diverso da tutti e deve comandare. Dentro ha un nocciolo di verità semplici, che nessuno riesce a spezzare; qualcosa di riservato e di puro. Molti lo ameranno, per molti sarà un amore deluso. Il Bisagno è alto e biondo, cammina sempre, parla poco.

La guerra partigiana rivela i caratteri antichi dell'italiano: ritornano i mistici, gli uomini di ventura e di parte, la guerra partigiana ha le sue vocazioni: il perito industriale che è chiamato Bisagno è nato per comandare partigiani. "Lo scegliemmo come capo," dirà il Bini, "perché rappresentava la ribellione spontanea e la salute morale del popolo." Ma forse non ci fu scelta, Bisagno doveva comandare perché era diverso da tutti: sicuro di sé, un coraggio da stato di grazia, una resistenza fisica incredibile, uno e ottantasette di altezza, occhi chiari e la castità come un puro cristallo e come un tormento. Una notte che gli uomini dormono nella baracca sui sacchi di foglie lui dice al Marzo che si è acceso una sigaretta: "Se uno vuole una moglie pura dev'essere puro, non è vero?". "Certo," dice Marzo, "ma adesso dormi, ne parliamo domani." Marzo è un altro comunista che gli sta vicino.

I rapporti fra Bisagno e i comunisti sono strani, fin dal principio: la stessa guerra con prospettive che divergono, lo stesso rigore con imperativi dissimili, gli stessi simboli con significati dissimili. Un inganno, se questo è un inganno, reciproco; una spiegazione e una rottura sempre eluse; tutti in qualche modo partecipi della apostasia del secolo: c'è un'ombra di rimpianto cristiano nel comunismo del Bini, c'è una simpatia rivoluzionaria nel cattolicesimo del Bisagno. "Allora portava anche lui il fazzoletto rosso e ascoltava le storie del partito, come i bambini una favola," ricorda il Marzo. "Lui credeva che il fazzoletto rosso e il nome di Garibaldi significassero solo unione nella resistenza," ricordano Scrivia e gli altri.

Bisagno cammina sulle montagne povere della Liguria sconosciuta e arriva sempre dove si combatte. Forse per istinto, forse per cercare, a suo modo, una chiarificazione. È a Ferriere di Lumarzo nella primavera del '44 per l'attacco alla caserma fascista. Sono le sei del pomeriggio, i militi asserragliati al primo piano. Un'ora di sparatorie inutili, poi si muove il Bisagno: con una bomba a mano frantuma una finestra, si fa sotto e lancia un tubo di tritolo. I compagni lo coprono con il fuoco. Ma passa troppo tempo, la miccia deve essersi spenta, Bisagno attraversa di corsa la strada, si issa sul davanzale, scompare. Ecco la sua ombra, il suo corpo che volteggia, l'esplosione, l'edificio squarciato nella polvere che sale dalle macerie. "Era rimasto un pezzo di miccia corto così," dice il Bisagno, "ma non ne avevo altra." Lasciano i feriti e i morti, portano in montagna i prigionieri.

In montagna di nuovo la vita di banda, l'organizzazione, le discussioni serali, la pratica di un'austerità che sembra conciliare le dottrine opposte: il moralismo razionale del Bini sovrapposto a quello religioso del Bisagno, la "scuola di Cichéro" come un legame comune. Così il marxista e il cattolico creano un esercito stracciato e puritano. Il partigiano che è sorpreso a corteggiare una donna viene cacciato; chi ruba una sigaretta – "Odoragli la bocca ai tuoi uomini" – legato al palo per due ore al giorno, tutta la settimana.

La terra è povera, i contadini anche. Bisagno divide il territorio in sei zone. Ogni giorno un partigiano, il Battista, ne batte una per la questua. Passa con la gerla nelle case dei contadini, gli danno quel che possono, lui cammina dieci ore senza toccare cibo, non importa se da solo nel bosco, "l'è mi che me vedu". Mangiano prima gli uomini e poi il comandante e il commissario. Il piacere della povertà, nel comunista, sfiora il francescanesimo; qualcuno può scambiare il francescanesimo del Bisagno per azione politica. La castità del Bini è "una reazione al gallismo fascista", quella del Bisagno, invece, una ricerca dell'assoluto, ma gli uomini non vedono la differenza, per loro sono un po' fanatici, tutti e due. Le carte del gioco sono ancora confuse, i contrasti mascherati, di certo vi è solo una cosa: quando si combatte è Bisagno che comanda.

Da "Il Giorno" del 9 maggio 1962

Mauri il monarchico

Nella grande Langa da Mondovì fin quasi ad Asti ci sono molte cose da conoscere, uomini leggenda, angelici e diabolici, solari e misteriosi. Comincio dal maggiore Mauri [Enrico Martini], comandante delle tre divisioni autonome, con il fazzoletto azzurro, savoiardo. È una specie di Re Sole del partigianato, regna su una provincia che va dal Tanaro al colle di Cadibona, profonda sessanta chilometri e larga trenta, con centinaia di comuni, fabbriche, persino un campo di aviazione a Cortemilia. "Deve arrivare il principe Umberto," si dice fra i partigiani. "Aspettiamo un battaglione di paracadutisti inglesi." Prendo [il mio aiutante] Ercole e vado a far visita al Re Sole che ha il comando in una villa a Clavesana sulla parete precipite di tufo a picco sul Tanaro.

Non è un comando partigiano, è la scenografia di un comando partigiano. Si attraversa il Tanaro su un pontone tirato da una fune metallica nel mirino delle mitragliatrici piazzate in un fortino, sull'altra riva. Scendi e gli uomini di Mauri con il fazzoletto azzurro nemmeno ti salutano, loro non salutano i sudditi. Sbucano fuori da cavernotti situati vicino al sentiero a scala scavato nel tufo. Vorresti chiedergli perché mai i tedeschi e i fascisti dovrebbero passare per quel camminamento da monte Athos quando possono arrivare in camion per la provinciale da Mondovì, ma alla corte del Re Sole non si fanno domande, qui la restaurazione del vecchio Stato impone gerarchie, discipline e messinscene che noi di Giustizia e Libertà abbiamo cancellato con accanimento giacobino, niente alzabandiera, niente gradi sulle giacche, niente saluti militari, niente signorsì, niente stati maggiori. E invece il comandante Mauri va in giro per la Langa accompagnato da un ammiraglio in divisa, da colonnelli e maggiori non in divisa ma vestiti come i *gentlemen farmers* che accompagnavano a caccia il re nella tenuta di Pollenzo. Una compagnia di signori, come si dice fra aristocratici piemontesi, "ben per ben", coraggiosa ma un po' cogliona in mezzo alla quale passa rapido il sorriso da faina, ironico, dell'avvocato Verzone, il liberale che è diventato la mente politica del Re Sole, non, per carità, il commissario politico, nome che fa inorridire gli autonomi, ma comunque uno che riesce a far entrare nel cranio di Mauri che questa è una guerra diversa dalle altre, che è come un laboratorio della politica che si farà a guerra finita, che bisogna conoscere anche gli altri, anche i repubblicani di Giustizia e Libertà, anche i garibaldini. Deve essere stato certamente Verzone a convincerlo a riceverci.

Gli uomini con il fazzoletto azzurro ci guidano alla villa e ci fanno salire in un salone del primo piano con il soffitto affrescato con fanciulle dalle chiome d'oro che ci buttano fiori dall'alto ed Ercole Cantamessa, minatore nelle cave di cemento di Casale, si fa dei suoi risolini ironici che io capisco: "Guardali come si trattano questi signori". Facciamo anticamera, dieci, venti, trenta minuti poi la porta si spalanca e il Re Sole appare seguito da due levrieri. È alto, biondo e bellastro, di un bello molle; ha una fascia azzurra sulla fronte, una grande giacca di pelle bianca, pantaloni di velluto marrone, stivali marroni. Ci guarda e parla come faceva il re quando passava in rivista i reparti: "Di dove è lei? Di che classe? Alpino? Del 2°? Ha conosciuto il colonnello Balocco?".

Da *Il provinciale*, 1991

Il leggendario Barbato

Si parlava di Barbato [Pompeo Colajanni], sempre, tutte le sere, come di personaggio leggendario. Su al Pian del Re in val Po era rimasto circondato dai tedeschi in un rifugio con una ventina di partigiani, giovanissimi, impauriti. Ma lui si era messo a parlargli, come solo Barbato sa parlare, e alla fine erano tutti dei cuor di leone. Pensavo a Barbato come a un Orlando paladino, alto e possente. Finalmente arrivò. Era un bell'ometto con un po' di pelata e dei baffetti ben tagliati. Come mi vide mi abbracciò e mi stampò due bacioni sulle guance. Notai che era ben rasato, con la camicia e i pantaloni stirati di fresco. Entrammo al Leon d'Oro [di Sampeyre in val Varaita] dove erano arrivati tutti i comandanti di banda, i nostri [di GL] e i loro [garibaldini], per metterci d'accordo sulle zone d'influenza. Era la prima volta che vedevo i comandanti garibaldini della bassa valle, tutti un po' "Viva Mexico", specie Santabarbara, uno di Verzuolo dalla forza mostruosa che, dicevano, aveva strozzato un tedesco tenendolo per il collo sollevato da terra. Aveva una barba incolta e si sarebbe detto che non si lavava da un mese. Ma Barbato, che si era messo a spiegarmi le richieste dei comandanti garibaldini, a un certo punto, come in uno slancio lirico, fece: "Perché, caro Giorgio, quel gentiluomo che risponde al nome di Santabarbara...". Un bicchiere cadde sul pavimento e andò in frantumi; Santabarbara, per lo stupore, lo aveva lasciato cadere, guardava Barbato per capire se diceva sul serio.

Barbato stava nella Resistenza come nel Risorgimento dei martiri di Belfiore, della rosa di Maroncelli, del quadrato di Villafranca. Il suo Partito comunista mandava rose alle signore, faceva il baciamano, passava disinvolto dalle solfare ai saloni dell'Hotel Palme di Palermo, dai comizi a Portella della Ginestra ai ricevimenti delle ambasciate. Nemmeno Barbato ebbe grande fortuna in un partito a cui somigliava pochissimo, lo fecero per qualche mese sottosegretario alla Difesa e poi tornò a Palermo dove lo trovavo ogni volta che scendevo per un servizio. Mi guardava con i suoi occhi di fuoco, mi abbracciava e mi stampava due bacioni sulle guance.

Nei garibaldini c'erano anche i comunisti veri, i credenti, come Pietro Comollo, operaio torinese dell'Ordine nuovo, guardia del corpo di Gramsci. Un uomo bellissimo, con un viso affilato, pallido, con un'angelica anzi evangelica melanconia, la melanconia di chi ti offre le chiavi del paradiso e se le vede rifiutare. Una sera che arrivammo in una baracca in cui c'era un solo letto e gli dissi di dormirci non ci fu verso, "Non me la sento," diceva, "non voglio privilegi, con tutta la gente che soffre". E diceva sul serio, era come un frate penitente, come un asceta. Se gli parlavo male del comunismo, di Stalin, dell'Urss faceva proprio come quei preti che stanno fra i bestemmiatori e più quelli le tirano giù più fanno gli occhi di divino amore accesi, il sorriso sempre più fraterno. Non rispondeva con parole o argomenti ma con sospiri, con sguardi come pensasse: "Ah buon dio del comunismo, cosa mi tocca sentire, ma credimi, anche Giorgio ha dentro qualcosa di buono, ne sono certo, diventerà un compagno, andrà anche lui a Mosca e si chinerà a baciare il suolo della Piazza Rossa e piangerà guardando le stelle rosse del Cremlino come feci io, nel '28, fuggendo dal fascismo". Perché c'erano i comunisti come Togliatti che sapevano, vedevano ma tacevano per sopravvivere e comandare, i comunisti come Pajetta che sapevano, vedevano ma lo negavano per non ammettere di aver sbagliato e i comunisti come Pietro che non sapevano, non vedevano e quando proprio erano costretti a sapere e a vedere si inebriavano di masochismo, si dicevano che soffrire per il comunismo, subire ferocie e ingiustizie dal comunismo era la massima delle gioie e la più alta delle arcane prove della sua verità.

Da *Il provinciale*, 1991

Livio e Duccio

Quanti eravamo [nel dicembre del '43]? Una cinquantina, male armati, e la notte nazista era ancora fonda, ma la fazione, la lotta per il potere non badano ai numeri e non disarmano. Livio [Dante Livio Bianco] sa che l'avventura partigiana può anche finir male e che comunque non sarà decisiva per la sua vita, per la sua professione, ma non può dire di no al suo orgoglio. È nato piccolo borghese ma ha ambizioni aristocratiche, come segnate nel suo bellissimo viso affilato, nei suoi occhi, nei suoi gesti. Non sopporta semplicemente che possa esserci in banda qualcuno che gli contende o nega il primato. Duccio [Galimberti] è più politico, guarda più lontano e diverso, ha di sé una grande stima ma ma non è mosso dall'invidia, evita lo scontro diretto, preferisce quello indiretto dell'azione, cammina sempre, organizza sempre, scrive e combatte, tira fuori riserve incredibili di energie. E Livio più si sente debordare, sorpassare da quella vitalità, più si chiude nei silenzi e nelle trame della fazione, anche nelle cose minime, lega a sé gli uomini che gli somigliano, coltiva i rapporti con Giorgio Agosti, il commissario politico delle GL piemontesi, e gli altri amici della élite antifascista che stanno a Torino. Lo scontro di fazione non è scoperto perché gli "ometti" pensano ad altro, a salvare la pelle, a trasportare pesi, a trovare armi, a scendere in pianura per le scorrerie.

Nel gennaio del '44 lo scontro sembra risolto: Duccio, ferito a una gamba, scende in pianura e poi va a Torino e diventa il comandante militare delle GL piemontesi mentre Livio resta in montagna e mal sopporta le nostre colonizzazioni, il nostro voler essere un'altra cosa dalle sue bande. Ma la fazione continua. Giorgio Agosti, legatissimo a Livio, lo tiene informato, i due si scrivono spesso coltivando uno spirito di fazione che forse è fine a se stesso, una specie di partita politica e intellettuale che senza violare la solidarietà partigiana la percorre come un filo nascosto. La fazione come un figlio illegittimo, come una passione inconfessabile che più sa di essere sproporzionata e più cresce. Giorgio scrive a Livio quel che vuol sentirsi dire: Duccio è coraggioso, bravo, attivo ma diverso, un po' monumento di se stesso, non cooptabile dalla élite antifascista torinese, uno che corre per conto suo. E basta un suo successo per rinfocolare le gelosie e i rancori, come la volta che Detto prepara per la gloria di Duccio l'incontro con i *maquisards* francesi a Barcelonnette.

Ero anch'io della partita. Saliamo al col Sautron dove ci aspetta Costanzo Picco, quello che metteva le stellette d'argento sugli sci quando eravamo ragazzi, è stato lui a stabilire i contatti. Un'ora di riposo nel bivacco distrutto dalla guerra, facendo fuoco con le sue assi, poi giù a Larche e di nuovo su per evitare il fondovalle pattugliato dai tedeschi, su e giù per ventiquattro ore e quando arriviamo nella villetta dove ci aspettano i francesi io cado fulminato dal sonno, mi risvegliano che è già l'ora di ripartire e guardo Duccio fresco e ilare per aver messo un altro gradino alla scala della sua ambizione. Ma era una scala che stava per finire. Catturato e ucciso in primavera, Duccio ci lasciava per sempre, ma neppure di fronte alla sua tomba la fazione si acquietava, anzi cresceva e veniva allo scoperto. [...]

Con Livio si arrivò allo scontro diretto nel municipio di Monforte. A Monforte c'era un segretario comunale giellista, certo Sacco, un intellettuale completamente sedotto da Livio, il cui piano era di creare una divisione per metterci al comando suo fratello Alberto. Il punto di appoggio nelle Langhe doveva essere una banda giellista che esisteva in loco comandata da un certo Libero. Ma io arrivo con le mie bande prima di Alberto, cerco subito Libero, lo rifornisco di armi, lo incorporo nelle mie formazioni. Livio piomba a Monforte, ci incontriamo nell'aula consiliare in municipio, con i banchi a semicerchio, lui sembra Robespierre in un processo rivoluzionario, si alza a parlare, pallido, teso, e forse io mi diverto a farlo impazzire di rabbia perché resisto alla sua arroganza, sono più calmo di lui, sorrido quando grida prima di andarsene: "Chi ha più filo farà più tela".

Di filo ne aveva più lui, solo più tardi sono venuto a sapere, dal carteggio fra Livio e Giorgio Agosti pubblicato a Torino, le sue insistenze rabbiose, diffamatrici, calunniose per ottenere il nostro trasferimento, fino alla lettera di Agosti del 17 febbraio '45 a Livio: "Avrai già letto le lettere ufficiali e immagino che come al solito tutti saranno scontenti. Ma come tu sai bisognava risolvere la questione in un modo o nell'altro. Abbiamo sacrificato in pieno Giorgio e Aurelio".

Da *Il provinciale*, 1991

La bella estate del '44

Nella bella estate del '44 non solo ci sentivamo in stato di grazia ma di vittoria. La sensazione di quei giorni era quella di volare, non di camminare, di volare verso i paesi della bassa valle, verso la pianura. All'annuncio che gli Alleati sono sbarcati in Normandia le bande lasciano gli accampamenti di alta montagna e scendono. Siamo in marcia sulla strada militare che dalla Varaita porta sino alla pianura di Caraglio e di Verzuolo e arriva di lontano un rombo possente che riempie il cielo. Guardiamo le montagne, la valle per capire da dove arrivi quel rombo di alluvione, di valanga, arriva dal cielo in cui già guizzano come saette d'argento i caccia americani, avanguardie e protezione della grande armata dei Liberator, i bombardieri che vanno in pieno giorno a bombardare le città della Ruhr, uno spettacolo che toglie il fiato, un fiume di luci, forse seicento bombardieri a onde senza fine, per noi, "i nostri", come quando arriva nei film del West la cavalleria dell'Unione.

Si scende a occupare i paesi della bassa valle e in ognuno si cerca subito la costellazione del potere locale, il parroco, il farmacista, il colonnello in pensione, i notabili. E il parroco ascolta le buone intenzioni d'ordine dei partigiani, anche dei comunisti e sorride come a dire vedremo, vedremo, e il colonnello in pensione a cui affidiamo il comando della polizia civica ci sta, dà disposizioni ai vigili, e il medico condotto gira tranquillo per le frazioni, il postino distribuisce le lettere, sui ponti che abbiamo fatto saltare gettiamo tronchi di pini e terra finché ci passa un carro tirato dai buoi e poi i camion. Ogni giorno arrivano nuove reclute dalla pianura, le bande si gonfiano, si moltiplicano, tutti vengono colti da una furia, da una gioia fortificatoria, si costruiscono casematte in cemento armato, si stendono reticolati, come se fosse possibile difendere una zona partigiana aggirabile da ogni parte. E Barbato ha già ribattezzato un mio ufficiale che fortifica un colle sotto Sampeyre "Miguel el fortificador".

Nasce una rete di trasporti e di comunicazioni: dalle

centrali elettriche che hanno una loro rete telefonica privata si può telefonare di valle in valle anche alle direzioni di Torino e di Genova, chiedere notizie di come vanno le cose nelle grandi città. A volte risponde un tedesco, levati da lì crucco maledetto, torna a casa tua. Le strade militari ci sono, basta sgomberare una frana, spostare un macigno e si può percorrere la repubblica partigiana alpina, si va in motocicletta dalla Varaita alla Maira, in auto dalla Maira alla Stura, per il colle del Mulo, fino a Demonte dove c'è il gran comando unificato delle divisioni alpine Giustizia e Libertà, un viaggio nell'euforia, nel gioco, nelle stagioni e negli amori del mondo partigiano. Il rombo della mia Guzzi percorre le pinete, ferma nel loro lavoro i contadini che falciano i prati alti, entra in un banco di nebbia che sarebbe più giusto chiamarlo "niula bassa", nuvola bassa come dicono i valdostani, spande nell'aria pura l'odore acre del petrolio agricolo che abbiamo passato per giorni nei filtri di carbone e di stracci, si mescola alle resine delle pinete, ai prati fioriti.

A Stroppo, primo paese della Maira, ci sono i guastatori di Rino che giocano con la dinamite e il tritolo. I contadini non ci fanno più caso, non si girano neppure agli scoppi. A Marmora c'è l'ospedale da campo e negli alberghi ci sono per una irripetibile, indimenticabile vacanza di guerra le giovani nobildonne di Dronero, si sente parlare di cocktail e di passeggiata *en charrette*, si annusano i profumi, si scoprono legami sentimentali. Ora salgo in auto al colle del Mulo, quota 2300, passo tra le file dei partigiani che lavorano al riassetto della strada e nel pomeriggio sono a Demonte. Nella stazione è in partenza per la bassa valle il tram, sul tender della locomotiva hanno piazzato un cannone anticarro, mitragliatrici sui tetti delle carrozze, che bello giocare alla guerra, a me sembra di essere tornato ai giorni della fanciullezza quando coprivamo con le assi una bealera e ci facevamo passare sopra una cassetta della pasta con sotto dei pattini a rotelle. Una giornata d'oro. Quanti giorni ci volevano per fare a piedi tutta quella strada per le montagne? Che sensazione di forza, di libertà, di potere!

Davvero in quei giorni ci sentivamo i padroni del mondo. Attorno al comando c'era come un porto di mare, si rivedevano amici, dopo mesi, si scoprivano partigiani che mai si sarebbe creduto, anche dei piedi piatti, anche dei fifoni, come rigenerati dalla grande avventura.

Al ritorno in Varaita mi compaiono davanti in carne e ossa, come usciti da un sogno, gli americani. La Francia del Sud è già stata liberata nella Provenza e nel Delfinato, un'avanguardia americana è arrivata a Guillestre e ora manda da noi un reparto di guastatori con armi ed esplosivi a dorso di mulo. Lo comanda il tenente Taylor, uno del Texas alto e rubicondo che non sa una parola d'italiano, ma c'è il tenente Veneziani, un italo-americano di New York che fa da interprete. Ci rendiamo subito conto che sarà difficile capirci. Loro sono qui per fare la guerra ai tedeschi e farla quando capita, come capita; dovremo spiegargli che a noi interessa durare, tenere buoni rapporti con la gente, tenere in piedi le formazioni. Noi non potremo svalicare a Guillestre, dovremo stare qui quando arriverà la risposta tedesca alla penetrazione alleata. E la risposta non si fa attendere, un grande rastrellamento ci fa risalire nei distaccamenti d'alta montagna, il tenente Veneziani che mi raggiunge per telefono alla stazione alta della centrale di Sampeyre mi chiede se difenderemo Sampeyre e gli dico di no, gli spiego perché no, noi non possiamo resistere in fondovalle ai carri armati. "Tornate a Guillestre prima che sia troppo tardi." "Buona fortuna," dice lui. "Spero di rivederla, Veneziani," dico io.

Da *Il provinciale*, 1991

Una battaglia dell'estate: in val Chisone

Nella val Chisone ci sono gli autonomi di Marcellin detto Butler, circa mille uomini. Il fianco destro è ben coperto, giellisti e garibaldini presidiano la valle del Pellice; è il fianco sinistro, la valle Susa, il più vulnerabile. Marcellin ha servito negli alpini come sergente, altri del suo stato maggiore sono montanari che nell'esercito non avevano gradi: quasi a rappresentare nel campionario della guerra partigiana il militarismo autodidatta, del soldato che sa sbrogliarsela da solo, che spesso ha fatto meglio dell'ufficialità uscita dalle scuole di guerra. L'armamento è imponente, unico nella Resistenza italiana: dieci pezzi di artiglieria da montagna, oltre i mortai da 81 e le mitragliatrici pesanti.

Le prime avvisaglie del rastrellamento sono del 20 luglio: il nemico concentra truppe nella valle Susa e all'imbocco della Chisone. E Marcellin scrive nel suo diario: "Dall'attento esame della situazione si può facilmente comprendere come il nemico stia preparando un energico piano per il nostro annientamento. È necessario prepararsi a resistere uno contro dieci: non c'è altra via. Sciogliersi varrebbe a dichiarare la nostra debolezza. E poi dove riparerebbero mille uomini? Siamo tutti concordi nel resistere".

E il 24: "Il laccio si stringe attorno a noi. I nemici prendono posizioni strategiche". I nemici sono la divisione tedesca di granatieri cui danno man forte il battaglione fascista di paracadutisti Nembo, un battaglione di bersaglieri, reparti delle SS italiane e uno dei primi battaglioni OP [Ordine pubblico], specializzati nella guerriglia. La preparazione è lenta e metodica: i tedeschi mandano truppe al passo del Monginevro e con la collaborazione dei presidi che hanno in Francia si preparano a chiudere ogni via di ritirata ai ribelli. La battaglia della val Chisone si preannuncia come un fatto di guerra normale, fra eserciti regolari, le vedette del battaglione partigiano Monte Assietta seguono i lavori di fortificazione e di sbaraccamento che una compagnia del Genio germanica compie sul tratto che corre sulla displuviale fra la Chisone e la Susa; e a loro volta i partigiani scavano trincee, preparano camminamenti.

Il 30 luglio le avanguardie dei granatieri si avvicinano a Villaretto, difesa da due plotoni della 228ª compagnia. Dal comando scende a dare un'occhiata il colonnello Tullio Giordana, ufficiale di complemento, direttore della "Gazzetta del Popolo" nei quarantacinque giorni di Badoglio: un galantuomo. Arriva alla postazione più avanzata e raccomanda al mitragliere Dario di non sprecare le munizioni, di lasciarli venire sotto. "Era quasi un ragazzo," ricorderà, "con una barbetta rada che le ditate di polvere prolungavano fino alle tempie. E come in quel momento il nemico tirava con un cannoncino sul nostro caposaldo di destra mi disse: 'Là è mio fratello'. Fu l'ultima volta che lo vidi."

Il tedesco manda avanti altre forze e allora, secondo gli ordini, il battaglione Monte Albergian si ritira dal forte di Fenestrelle, con quei muri a feritoia che salgono la montagna fra gli abeti e le rocce scure. Il 31 compaiono i carri armati: dieci sulla strada del fondovalle, due che risalgono per qualche centinaio di metri la strada militare. Individuata la linea di difesa partigiana, il comando tedesco chiede l'intervento degli Stukas. I bombardieri in picchiata scaricano bombe sulla montagna, si accende una battaglia strana dove le armi della Blitzkrieg si accompagnano a quelle di antiche guerre: i partigiani fanno rotolare massi sui carri nemici come Andrea Hofer sulle fanterie di Napoleone Bonaparte. Il primo agosto è investito tutto il fronte verso la valle Susa: le colonne nazi salgono alla conquista del Genevris e del Triplex, alle artiglierie germaniche rispondono i pezzi da 149 partigiani, all'aviazione con la croce uncinata si oppone l'inglese: due squadriglie di cacciabombardieri decollati dalla Corsica su richiesta della missione alleata si alternano nei mitragliamenti e negli avvistamenti delle schiere che convergono sul colle del Sestrière, o bombardano i ponti a Ulzio e a Pinerolo.

Anche questa è guerra partigiana, ma come distinguerla ormai dalla guerra "grossa"?

"Il giorno tre," annota Marcellin nel suo diario, "è cominciato l'attacco in fondovalle dei garibaldini di Barbato e dei GL di Prearo che tentano di alleggerire la pressione contro di noi. Il morale del nemico, da informazioni giunteci da Perosa, è basso. Certi reparti fascisti rifiutano di tornare in linea, dicono che qui è peggio che in Croazia. Un capitano tedesco ha dichiarato che qui non si ha a che fare con dei ribelli che sparacchiano, ma con dei veri soldati che combattono in modo esemplare." La guerra popolare esalta le virtù degli umili e dà corpo alle loro fantasie: il sergente Marcellin ha il linguaggio e i gesti di un generale alpino della leggenda, nei primi giorni di combattimento ha fatto restituire ai tedeschi la salma di un loro ufficiale in una bara avvolta nel tricolore con un nastro e la scritta: "La brigata val Chisone a un alpino tedesco". Ci pensano i tedeschi a riportare Marcellin alle crudeli regole della guerra partigiana: loro, se prendono prigioniero un partigiano, lo fucilano o lo impiccano. [...]

Marcellin va al comando in val Troncea e vi trova il maestro Serafino Griot, commissario prefettizio di Pragelato, ambasciatore del nemico. "Cosa vogliono?" chiede Marcellin. "La resa. Però garantiscono la vita salva a tutti. Se non vi arrendete, dicono, distruggono la valle. Comunque vogliono trattare." Marcellin discute a voce bassa con Serafino e con Giordana, poi si siede a scrivere la risposta che Griot porterà al tedesco:

Esercito di liberazione nazionale. Brigata Val Chisone. Sede, il 10 agosto 1944. Al Waffen Grenadier Brigadier SS. À votre invitation de parlementer je réponds: il est parfaitement inutile de prendre cette invitation pour les motifs suivants: 1) Vos propos de déposer les armes sont inacceptables. 2) En admettant même leur acceptabilité le manque absolu de foi à la parole donnée démontré par vous en d'autres occasions nous l'empêcherait. Je précise nous n'ignorons aucun des vos mouvements d'encerclement. Nos montagnes sont à nous.

Marcellin dice a Griot: "Portagli questo e digli che se bruciano le case noi uccidiamo i tedeschi che catturiamo". Mentre Griot scende a Pragelato, il comando partigiano discute la situazione. La difesa rigida non ha più senso, le munizioni sono alla fine, bisogna uscire dalla trappola. Nella notte, a piccoli gruppi, i partigiani cercano scampo in Francia. L'accordo è di ritrovarsi il 28 agosto alle grange Planes, nell'alta valle Argentera.

Comincia una sanguinosa caccia in alta montagna che si protrae per due settimane. Si cammina e si combatte. Una banda sta senza toccare cibo per tre giorni; un'altra trova una capra, la macella, carne cruda e midollo vengono divorati dagli uomini affamati. Il grosso riesce a superare il colle Mayt e a riparare in Francia, ma otto partigiani muoiono di stenti e di freddo al col di Thures. Fra essi, un russo di cui non si conosce il nome; mi è rimasta al collo la placca di riconoscimento del lager tedesco: Stalag 303059. Alla bergerie di Valloncrò è rimasta una vecchia guardiana di pecore; vede i partigiani e gli corre incontro gridando: "Scapé, fioeui, scapé!". A rischio della vita: i tedeschi che stanno arrivando alla malga potrebbero ucciderla; pensano invece che abbia perso la testa per la paura. Le bande inseguite dalle colonne germaniche passano e ripassano il confine. Qualcuna trova asilo per qualche giorno nell'alta val Varaita, ospite dei giellisti. "Facce stravolte dalle fatiche, bruciate dal sole dei tremila. Ma taciturni, pieni di riserbo," annota nel suo diario il comandante GL della Varaita. "Non chiedono niente. Accettano ciò che gli diamo come se fossero a disagio, appena possono ripartono."

Il 10 settembre Marcellin rimette il suo comando in val Chisone, località Gran Dubbione. Dal primo allarme sono trascorsi cinquantadue giorni. È un partigiano solido, questo.

Da *Storia dell'Italia partigiana*, 1966

I cannoni della Littorio

Mentre la stessa forza che trascinava e muoveva i miei compagni mi faceva agire quasi automaticamente, l'uomo stramazzò a terra fra i piedi delle brande. Eravamo entrati con tanto slancio nella caserma nemica e in quella prima camerata, che nessuno riusciva a rendersi conto di quanto succedesse. I soldati fascisti, svegliati nel cuore della notte, stavano con le mani in alto, incretiniti, ridicoli, così svestiti. Uno di loro aveva tentato di prendere la sua arma. Giaceva col cranio spezzato da un calcio di fucile (bisognava evitare di sparare per non dare l'allarme [ai tedeschi di una

caserma vicina]). Ci fu una pausa sospesa davanti a quel
morto, ma poi, non si sa come, uno zaino rotolò sopra il
cadavere rompendo il silenzio. Tutto si mosse di nuovo e la
forza ci riprese in suo potere. Ricordo la carrellata rapida
per quel corridoio profondo che ci veniva incontro. Luci si
accendevano, e io passando scorgevo squarci di vita, episodi che rimangono nella mia mente vivi ancor oggi: in una
stanza tre ufficiali, coricati, guardavano con occhi sbarrati le armi puntate contro di loro; in un'altra corpi aggrovi-
gliati; in fondo, un uomo che fuggiva. Al piano superiore
dormivano l'ufficiale tedesco e il comandante della compagnia. Due nostri guastatori entrarono a valanga usando
le armi come mazze. Il tedesco, un uomo di grande corpo-
ratura, scivolò pesantemente da un lato, poi brancolando
riuscì a sollevarsi: alla mano destra portava, legata, una piccola rivoltella. Sparò un colpo che si incastrò a lato nella
parete. Ormai non si poteva più esitare, una raffica di Thompson lo crivellò. Gli ufficiali fascisti si arresero e a mani legate furono fatti discendere al piano inferiore, passando fra
i loro soldati che, ammassati come un gregge, li guardavano, muti e intontiti. Quando la porta si chiuse alle spalle
dei comandanti catturati, sembrò a noi di vedere nei visi dei
soldati qualche cosa di nuovo: un timido sorriso, domande
appena accennate. Essi avevano davanti finalmente i banditi della montagna, i traditori della patria, i venduti al nemico. Ne avevano visto qualcuno forse prima di allora, stracciato e livido, passare prigioniero, così stracciato e livido
da apparire colpevole. Ma questi erano diversi, armati, forti, pieni di vitalità. Non visi crudeli, ma umani, non occhi
freddi, non esseri di pietra, ma uomini... uomini a cui forse si poteva spiegare la fatalità, la sofferenza, l'inganno che
li aveva costretti a indossare quella divisa, spiegare che quegli ufficiali li tenevano col terrore. Capivamo questi pensieri. Uno dei nostri gridò: "La naja fascista è finita per voi,
svegliatevi, prendete le armi, i pezzi, i camion, bisogna salire in montagna". La pazzia riprese. Quei disgraziati, mentre ancora non si era spento il clamore confuso sorto dopo
le parole, si misero a correre: caricavano la loro roba, get-

tavano gli zaini sui camion, attaccavano i pezzi. Noi guardavamo con le armi pronte. Due ore di lavoro caotico e cinque camion con quattro cannoni anticarro furono pronti a partire.

La colonna mosse lasciando dietro di sé, in quelle stanze devastate, cadaveri inzuppati di sangue; il fuoco che avevamo appiccato s'attorceva intorno ai castelli di legno divampando fra i pagliericci.

Ero sul primo autocarro e l'aria gelida della notte disperdeva la nebbia dell'esaltazione che nasce dalla forza scatenata. Sapevo che per raggiungere la nostra valle era necessario forzare il blocco nemico. Quale decisione bisognava prendere? Esitante, incerto, rinunziai a pensare; i camion andavano avanti. Alle porte del paese presidiato feci cenno di fermare. I miei compagni guardavano, nervosi; gli altri, invece, erano calmi e sicuri. Per loro noi rappresentavamo "la forza che non si può fermare", erano disposti a seguirci in ogni cosa. Quella fiducia ingenua mi diede coraggio. Chiamai un sergente che avevo notato fra i più volenterosi. "Sai la parola d'ordine?" "Signorsì," rispose. "Vai avanti con una motocicletta. Di' a quelli del blocco che la compagnia sale a fare un rastrellamento." Partì senza esitare, quasi lieto di poter fare anche lui qualche cosa. Ci mescolammo fra i soldati in divisa. "Se qualcuno parla, fatelo fuori," feci passare la voce. In realtà se qualcuno parlava eravamo noi a essere fatti fuori, ma eravamo entrati nel gioco e bisognava anche bluffare. Al blocco una luce vivida si era accesa. Dopo un'attesa che parve eterna, l'autista del primo camion rimise in moto la macchina; i reticolati si erano aperti. Scorsi gli uomini di guardia seguire il nostro passaggio e udii una voce poco convinta gridare: "Auguri". Nessuno rispose, proprio com'era normale. Noi imboccammo la nostra valle.

Da *Partigiani della montagna*, 1945

L'insurrezione

C'è anche l'epilogo di quei venti mesi, la fine, la bella primavera del '45, la gran gioia del 25 aprile. Diciamo per cominciare che quel 25 aprile era una stupenda giornata e che la montagna di Dronero era fiorita. La radio trasmette l'ordine di insurrezione generale, scendiamo di corsa dalla Margherita e alle case del Vallone crepita una sparatoria, vediamo il vecchio Demaria, quello che è tornato dal Canada allo scoppio della guerra, che stringe alla gola uno dei briganti neri che stavano nella prigione della borgata. Sono fuggiti e si è aperta la caccia: uno è già steso sulla ripa in mezzo ai fiori, un altro corre come un leprotto, le pallottole gli zampillano ora a destra ora a sinistra, le donne del Vallone urlano quando va giù. Noi continuiamo a correre verso Dronero. Alla Rua del Pra c'è la prima banda in marcia verso la centrale elettrica di San Damiano, a noi basta la squadra comando per andare a vedere cosa succede a Dronero. Alberto ci aspetta prima del paese. "Andiamo a casa dei Lombardi," dice, "vengano anche Steve e i garibaldini."

I Lombardi, la grande famiglia potente e virtuosa che va per tutte le strade che conducono al potere, uno generale degli alpini, uno gesuita predicatore famoso, un altro presidente degli industriali. Il parroco di Dronero sta trattando la resa con i fascisti e i tedeschi trincerati nella cittadina, noi aspettiamo e scende la notte. Sembra un dramma di Ibsen: i padroni di casa seduti con dignità e calma nelle poltrone del salotto, i figli e i nipoti curiosi che fanno capolino dalla porta, Steve che mi guarda e forse pensa ancora al formaggio che gli ho rubato sotto il Rastcias e l'operaio comunista Moretta che inizia la sua recita morale: "Ehi, giellista, sai cosa ha fatto il compagno Moretta quando il partito gli ha detto di salire in montagna? Si è fatto togliere i denti d'oro e li ha dati alla sua compagna perché non aveva altro da lasciarle". Dio santo, proprio il compagno Moretta doveva portarsi dietro Steve, questo rompiballe. "Ehi, giellista, lo sai cos'è un giellista per un comunista? È come due peli dei suoi coglioni."

Ma non è finita, il compagno Moretta le sue soddisfazioni di operaio comunista entrato con il mitra nella casa dei signori Lombardi vuole togliersele tutte. Così finge un gran sonno e comincia il suo spogliarello sotto gli occhi dei Lombardi, anche della signora. Si spoglia con lentezza studiata, prima il giubbotto, poi il fazzoletto rosso, poi la camicia e rimane per un po' così con la canottiera bianca e i pantaloni. Alberto, che è parente dei Lombardi, viene da me e mormora: "Non potresti farlo smettere?". Passo la domanda a Steve, ma lui scuote il capo. Intanto il compagno Moretta sta sfilandosi i pantaloni, li piega, li mette su una sedia, si corica. Su una cosa ci siamo sbagliati, Alberto, Steve e io: nel pensare che i Lombardi siano seccati, scandalizzati. Anche Moretta e le sue mutande sono un sentiero per cui si può arrivare in alto nella nuova Italia. Guardano impassibili lo spogliarello e quando finalmente si corica sul pavimento, la testa appoggiata a uno zainetto, chiedono: "Possiamo offrire un caffè?".

Di caffè ne faranno molti, fino al mattino quando arriva il parroco a dirci che il comandante della Monterosa e i suoi ufficiali ci aspettano in municipio per trattare. Dronero è ancora circondata dal filo spinato, entriamo in quattro guidati dal parroco. Alla fontana coperta stanno i fascisti con la mitragliatrice puntata. E se questi sparano? Il parroco è grande e corpulento, la sua mole nera procede tranquilla, noi dietro. Indoviniamo gli occhi della gente dietro le persiane chiuse, solo una donna anziana corre verso Alberto e lo abbraccia come la nutrice che riconosce Ulisse. Saliamo le scale del municipio e come entriamo nella sala cade un silenzio di gelo. Gli ufficiali fascisti sono seduti negli scranni dei consiglieri a semicerchio, il generale Molinari a un tavolo davanti a loro. Anche questo è teatro, c'è sempre nella vita un bisogno teatrale che passa per politica.

Il parroco ci fa segno di sedere al tavolo di fronte al generale. Come poso sul tavolo il Thompson vedo davanti a me due baffoni noti, ma sì, è proprio lui, Soria, il segretario del Guf Torino, quello che ci mandava a far le gare di sci e stava nella fotografia in mezzo a noi quel giorno che vincemmo la staffetta a Madonna di Campiglio. Ora tra i fascisti mi guarda e a me viene da sorridere. "Ciau Soria." "Ciau Bocca." Un mormorio non sai se di stupore o di sollievo passa fra gli ufficiali fascisti. Allora si può trattare.

Il generale esita, vorrebbe avere notizie da Caraglio dove c'è un battaglione della Monterosa, insiste, ma si sente un brusio che sale dalla piazza e poi si alza un canto che non distinguo. Mi avvicino alla finestra dove c'è Soria. "Sono i vostri che cantano?" "Non direi," dice lui, "cantano *Bandiera rossa*." Finisce così, gli alpini della Monterosa fascisti per sbaglio o necessità hanno deciso di aprire i reticolati senza aspettare le decisioni dei comandanti. E tu generale Molinari stai contento così, che hai salvato la pelle.

Da *Il provinciale*, 1991

Lo champagne di casa Agnelli

Ricordo che tre giorni dopo [la liberazione di Dronero] entro [a casa mia a Cuneo] e ci trovo Grio, il medico della nostra divisione, un Pellegrino dei Pellegrino che hanno villa a Madonna dell'Olmo. È già tutto combinato: dobbiamo portare a Torino sull'autoambulanza del Grio il moroso di nostra cugina Teresina, un fascista della Littorio, "però bravo" assicura mia madre. Non resta che partire. Lui che è già in borghese ci aspetta in casa della Teresina: lo corichiamo sulla lettiga senza dire una parola. I posti di blocco ci fanno passare, a Torino fermiamo davanti alla stazione di Porta Nuova e gli diamo il largo, senza una parola, vai con Dio anche tu. Io devo portare una lettera di Detto a Peccei, il direttore generale Fiat che è dei nostri ma anche della Fiat, tanto è vero che ha piazzato il comando di Giustizia e Libertà nella villa del senatore Agnelli.

L'atrio e il piano terreno sono pieni di partigiani. Qualcuno mi fa scendere nella cantina dove c'è Leo Chiosso che suona la chitarra, il Chiosso che faceva il regista a Bassano al corso allievi ufficiali per la rivista teatrale dove io ero il giornalista dell'età della pietra, ed entravo in scena con un'ardesia gridando: "Pietra sera! Pietra sera!". Leo sta vicino alla rastrelliera degli champagne millésimé di casa Agnelli, mi offre un bicchiere di Dom Pérignon. Dormiamo in casa Agnelli. Un po' ciucco apro per sbaglio la porta della stanza dove sta la segretaria del senatore. È a letto, con tutti i bigodini in testa. "Se non se ne va," dice impettita, "chiamo il comandante." "Il comandante sono io," sbiascico. Fa solo un gesto imperioso: via. E io via. Con le segretarie Fiat non si scherza.

La villa del senatore è vicina al Po, su cui ogni tanto passa il cadavere di un cecchino fascista, uno dei briganti neri che ancora non si arrendono perché sanno che saranno fucilati. Si spara ancora e corre la voce: "Ce n'è uno su un tetto di piazza Vittorio". "Ce ne sono alla Gran Madre." Allora le auto partigiane, adesso tutti hanno automobili, partono sgommando per la sparatoria. Sono nell'atrio quando sento il fruscio delle corde dell'ascensore. Ne esce un vecchio signore in abito scuro, con canna. È il senatore Agnelli. Mi viene incontro e chiede: "Posso uscire a fare due passi?". "Non le conviene senatore, stanno ancora sparando." Ci pensa su poi si gira, torna all'ascensore, in un fruscio di corde metalliche risale nella sua stanza. Il professor Valletta sta per tornare a Mirafiori scortato dai paracadutisti inglesi.

Da *Il provinciale*, 1991

Capitolo III

LA REPUBBLICA DI SALÒ

Ritorniamo al 25 luglio del 1943, all'arresto di Mussolini. Le sue prigioni nelle isole e poi sul Gran Sasso sono a conoscenza dei tedeschi. Li informano i Ciano: siamo a un intrigo rinascimentale, tradimenti, congiure, veleni. Il traditore Galeazzo Ciano e sua moglie Edda, figlia di Mussolini, conoscono gli spostamenti del prigioniero. Edda ricorderà che si incontrava con l'ammiraglio Bigliardi, comandante delle operazioni navali per trasferire il Duce a Ponza e alla Maddalena. A lei premeva liberare suo padre, a Ciano di poter fuggire in Spagna su un aereo offerto da Himmler, il capo delle ss. Mussolini viene liberato dall'ultima prigione sul Gran Sasso dal maggiore Skorzeny con rischi mortali. Skorzeny, che ha voluto riservarsi il merito delle operazioni, è salito con il Duce su un minuscolo Fieseler Storch monomotore che è riuscito a stento a sollevarsi dal pendio. "Per un momento," ricorderà Mussolini, "fui in preda al terrore. E sì che sarebbe bastato aspettare due ore per veder arrivare la colonna dei paracadutisti guidati dal maggiore Mors." Per il resto l'operazione è stata facile: i carabinieri di guardia avevano l'ordine di "usare la massima prudenza". L'intrigo aveva coinvolto anche il prefetto Senise, uomo del re e di Badoglio, un primo ordine di "sparare a vista in caso di evasione" era stato annullato. I carabinieri non sparano, anzi salutano con la mano il fuggiasco e dell'intrigo fa parte anche il re in fuga: gli andava bene che Mussolini venisse liberato. Dopo vent'anni di complicità non gli sembrava opportuno ucciderlo o consegnarlo ai vincitori. In serata Mussolini è a Vienna con sua moglie Rachele. Il loro colloquio notturno torna alla semplicità del linguaggio contadino: "Credevo di non rivederti più. Ora cosa hai intenzione di fare?". "Devo parlare con Hitler, ma sono deciso a non abbandonare l'alleanza." "Credi che ne valga la pena?"

Rimangono svegli fino a tarda notte a sentire la radio. La fedeltà all'alleanza con i tedeschi ha un durissimo prezzo.

Le annessioni naziste

Il fatto di gran lunga più grave dell'occupazione nazista è l'annessione di otto province: Bolzano, Trento e Belluno, unite nel Voralpenland, passano agli ordini amministrativi del Tirolo e del suo Gauleiter Franz Hofer; Udine, Gorizia, Trieste, Pola e Fiume sono incorporate nell'Adriatisches Kustenland e unite alla Stiria il cui Gauleiter è Friedrich Rainer: operazioni preparate sin dall'agosto del '43 dai due uffici politici, di Innsbruck e di Klagenfurt; Rainer voleva addirittura procedere già il 26 luglio, con la forza.

Per farsi un'idea di Franz Hofer e dei suoi metodi si ricordi che l'8 settembre, all'annuncio dell'armistizio, ha fatto irruzione armato di mitra nel consolato italiano di Innsbruck per impadronirsi "della cassaforte contenente il materiale crittografico e dell'armadio corazzato contenente l'archivio segreto", come riferisce un nostro impiegato. Quando occorre violento, ma se è il caso bonario, Hofer appare il 17 settembre a Trento per tenere un discorsetto ai notabili riuniti nella Banca di Trento e Bolzano: "Vi garantisco ordine e benessere. Voi prenderete ordini esclusivamente da me e non dai militari". Nomina commissario di Trento, al posto del prefetto cacciato su due piedi, un avvocato di settantadue anni, Alfonso De Bertolini, noto austriacante già commissario al comune nella Prima guerra mondiale, uomo fidato il cui primo messaggio alla popolazione non lascia dubbi: "La popolazione collabori onestamente in modo che sia raggiunta la vittoria finale delle armi germaniche. Solo così potrà un giorno, nelle migliorate condizioni di vita, raccogliere i compensi per i sacrifici ora sopportati". Hofer ha poteri di vita e di morte. Nomina e revoca i commissari comunali, annette immediatamente alla provincia di Bolzano i comuni di Anterivo, Bronzolo, Cortaccio, Egna, Magrè, Montagna, Ora, Salorno, Termeno, Trodena, Valdagno di Trento; la Corte d'appello di Trento non è più sottoposta a quella di Venezia; il confine passa alla galleria di Limone sul Garda.

Friedrich Rainer non è da meno anche se attenderà il 15 ottobre per rendere nota la costituzione dell'Adriatisches Kustenland. Cacciato il prefetto di Trieste, insedia, d'autorità, Bruno Coceani, vicepresidente dell'Unione industriali, dandogli per consulente il barone Wolsegger che ha studiato e lavorato a Trieste. "I nostri due Gauleiter austriaci," riconosce Goebbels, "sono sicuramente veri maestri nell'accampare rivendicazioni territoriali." Altre due province, quella di Lubiana e quella di Zara, vengono annesse, con l'assenso tedesco, da Ante Pavelić, il primo ministro del regno croato; il prefetto di Lubiana è il generale Leon Rupnik.

I ministri di Hitler sanno che le annessioni uccidono sul nascere la Repubblica di Mussolini; Ribbentrop, che ne è il patrono, come ministro degli Esteri cerca di opporsi, lo stesso Goebbels capisce che la comparsa di Hofer a Trento "è come il panno rosso davanti al toro". Eppure i due Gauleiter hanno via libera. Uno che può aiutarci a capire la contraddizione hitleriana è il primo console Eithel Moellhausen: "Non bisogna dimenticare," osserva, "che anche i dittatori più assoluti sono condizionati dalle forze politiche". Nel settembre del '43 il Partito nazista preme su Hitler tramite i Gauleiter Hofer e Rainer. Gli argomenti non mancano; le popolazioni delle province sono formalmente italiane, ma quelle di lingua tedesca e slava sono fieramente antitaliane; se si vuole che collaborino bisogna metterle sotto la bandiera tedesca. Poi ci sono i generali, i quali dicono: se queste province devono essere il bastione meridionale del Reich, bisogna che siano politicamente sicure.

A questo punto Hitler prende una decisione politica, autorizza una semiannessione: a Mussolini può dire che si tratta di una misura provvisoria, ai Gauleiter lascia capire che ha accettato il loro punto di vista. "Noi dell'ambasciata," continua Moellhausen, "eravamo decisamente contrari. Che sarebbe successo a fine guerra? Faccio una pura ipotesi. Se la Germania avesse vinto, l'annessione sarebbe stata probabilmente definitiva, ma, credo, compensata, per renderla accettabile, con la cessione di territori francesi o coloniali all'Italia. Fra noi, almeno, se ne parlava." Se ne parla anche al quartier generale e Goebbels riassume l'opinione prevalente: "Dobbiamo non solo riavere il Tirolo meridionale, ma portare la linea di confine a sud delle Venezie. Tutto ciò che un tempo era austriaco deve ritornare nelle nostre mani".

Da *La Repubblica di Mussolini*, 1977

Nei venti mesi in cui dura la Repubblica di Mussolini il contributo militare fascista all'alleanza sarà per i tedeschi più di peso che di vantaggio.

L'ultimo esercito

Le quattro divisioni che si addestrano in Germania sono l'*ultima spes* mussoliniana per dare alla Repubblica un minimo di credibilità, di peso politico. È una vicenda singolare, questa, dell'ultimo esercito di Salò: i tedeschi non sanno cosa farsene, la composizione dei reparti è eterogenea, un terzo sono veterani usciti dai campi di prigionia, due terzi giovani di leva e volontari; stretti i tempi, scarse le comunicazioni e le informazioni sulla Repubblica; eppure l'ultimo esercito è il migliore della Repubblica ed è l'ultima prova fornita da una tecnocrazia militare, la nazista, che perde la guerra, ma dopo aver creato la macchina bellica più efficiente che si sia mai vista. Organici e addestramento sono tedeschi: ogni divisione ha due reggimenti di fanteria su tre battaglioni; un reggimento di artiglieria, un battaglione pionieri, un gruppo esplorante più altri reparti che ne fanno un'unità autonoma. La forza organica è di 16.000 uomini che salgono a 20.000 per la divisione alpina Monterosa.

Le cronache dai campi di addestramento sembrano arrivare da un altro pianeta: la sveglia alle cinque d'estate e alle sei d'inverno. "Buongiorno camerati," dice l'istruttore. "Buongiorno il tenente," rispondono i soldati. Si canta alla tedesca: uno in testa dà il la, intona la prima strofa, poi, su ogni passo sinistro, conta, uno due tre quattro e al quinto, sempre sul sinistro, tutti attaccano.

Le zone di addestramento sono vaste duecento chilometri quadrati, vi si possono simulare scontri a fuoco. "Dal mattino alle cinque," scrive nel suo diario un ufficiale della Monterosa, "andiamo diritti fino alle sette di sera e molte volte oltre, specialmente chi durante la giornata non ha pienamente soddisfatto le esigenze degli istruttori [...]. L'addestramento è lungo perché curato nei più piccoli particolari con una costanza che impressiona." In data 1° aprile l'inviato del "Corriere della Sera", G.G. Pellegrini, racconta: "Oggi ad affiancare un nostro reparto a un reparto germanico non sarebbe facile distinguerli".

Da *La Repubblica di Mussolini*, 1977

Le quattro divisioni resteranno nelle retrovie, i tedeschi non le useranno al fronte.

Fallito il ritorno alle armi, il dittatore al tramonto punta sulla carta politica della socializzazione.

La legge e i retroscena

La legge dice che in tutte le imprese, siano private o pubbliche, "la gestione è socializzata". Gli organi di gestione dell'impresa sono: il capo dell'impresa, l'assemblea, il consiglio di amministrazione o di gestione e il collegio sindacale. Chi nomina il capo dell'impresa? Lo nomina l'assemblea se si tratta di società per azioni, i soci se si tratta di impresa a capitale sociale e il ministro dell'Economia di concerto con il ministro delle Finanze su designazione dell'Istituto di gestione e finanziamento, se si tratta di imprese statali. Ma come vota l'assemblea? L'assemblea nomina nelle società per azioni un consiglio che per la metà è composto dai rappresentanti degli operai e per metà dai rappresentanti dei soci, cioè del capitale. In caso di parità il capo dell'impresa ha il voto decisivo. In pratica il capo dell'impresa privata è sempre un imprenditore designato dai soci e in quelle dello Stato un manager designato dal ministero dell'Economia.

Da *La Repubblica di Mussolini*, 1977

Ci si chiede perché il Mussolini di Salò abbia voluto con la socializzazione tornare, se non al socialismo, al movimentismo sociale delle origini, certo non gradito agli alleati tedeschi e al capitalismo legato all'avventura nazista. Forse la prima ragione è stata quella di tornare al gioco miracoloso delle parole di cui è stato maestro, di fare almeno a parole ciò che non poteva più fare con i fatti: vendicarsi del capitalismo italiano traditore del "grigio Pirelli e dell'infido Agnelli". E con le parole tornare protagonista, minacciare le sue vendette, confondere le carte, promettere una rinascita, raccogliere simpatie proletarie, far capire che il fascismo è stato sconfitto per colpa degli industriali attenti solo ai loro profitti. Un giornalista fascista, Concetto Pettinato, direttore della "Stampa" di Torino, ha scritto un articolo che è scoppiato come una bomba fra seguaci e nemici della Repubblica con il titolo "Se ci sei batti un colpo", fatti vivo, dimostra di esserci ancora, di non essere un fantoccio dei tedeschi. E il Mussolini giornalista ha inventato la socializzazione, che nessuno sa bene cosa sia ma che può voler dire tante cose: una minaccia alla monarchia rifugiata al Sud e agli Alleati che stanno vincendo la guerra, se non mi offrite una via di scampo semino di mine sociali la Pianura padana e vi faccio ritrovare una società ingovernabile.

La moda socialista

Nell'isola di Salò, distaccata dalla realtà, la moda socialista infiamma i cuori di alcuni e l'ipocrisia di altri. "Tutti parlano di socializzazione," osserva Dolfin, "tutti dicono che un po' di socialismo nel sangue lo abbiamo sempre conservato. I tedeschi sono scontenti, osservano quanto stiamo facendo come se ci divertissimo a un gioco che ci distrae da cose più serie."

"Noi giovani," afferma Giorgio Almirante, "eravamo entusiasti della socializzazione. Eravamo saliti al Nord sapendo di giocarci la pelle, decisi a non accettare il tradimento di Badoglio e del potere economico. Credevamo nella socializzazione come nel mezzo per colmare il distacco che si era creato nel regime fra il partito e il popolo, per il fallimento delle corporazioni." Nicola Bombacci, un ex comunista, vive la sua ora di notorietà. Ha aperto un piccolo ufficio a Maderno, il Duce lo riceve spesso; se i gerarchi gli chiedono scherzosamente: "Comunista?" risponde sorridendo: "Se volete". Ma è un comunista che si trova a suo agio a Salò e che scrive sul "Corriere della Sera": "È Roma e non Mosca che continuando a percorrere con metodo graduale e umano la traiettoria segnata dalla storia darà all'Europa la nuova epoca, quella del trionfo del lavoro". Il sindacalista Galanti, più lucido, osserva che la parola socialismo viene usata nei più diversi significati: per alcuni significa fare del sindacalismo di Stato; per altri è un suono vuoto, un tema propagandistico, vedi l'Amicucci direttore del "Corriere", che inventa una "New York corporation", foglio o agenzia inesistente, per dire che "l'intera massa operaia mondiale potrebbe diventare fascista". Persino il Grottanelli, un dirigente della Pirelli arrivato al fascismo nella Repubblica, si lascia prendere dall'entusiasmo socialistico e scrive ai colleghi: "Anche i sorpassatissimi liberali si mimetizzeranno all'occorrenza e di socializzazione, comunque, tutti parleranno sulle orme fasciste e tenteranno applicazioni per la necessità profonda delle cose, per la moda delle idee. Il polline dei nuovi tempi è pregnante di intromissioni statali in tutti i campi dell'attività".

Toccherà a Mussolini in questa euforia ricordare che sempre di fascismo si tratta: "Torniamo alla parola che vi sta a cuore, socialismo," dice a Manunta. "La parola può e deve circolare. Ma a un patto: essa non serva a far passare merci di contrabbando e a indulgere a nostalgie marxiste. Parliamo di un linguaggio socialista nostro, cioè fascista." [...]

Per il filosofo reazionario Julius Evola la socializzazione mussoliniana non può essere che patologia: "Quasi come nei casi psicanalitici, di una regressione dovuta a trauma, lo shock che ebbe Mussolini per il tradimento del sovrano fece riemergere in lui le tendenze socialiste e repubblicane del primo periodo". Del resto Angelo Tarchi, il padre della socializzazione, è così poco socialista che indicherà con apprensione "le infiltrazioni socialcomuniste" e avvertirà Mussolini che la politica sociale del fascismo "sta slittando paurosamente verso il comunismo".

Da *La Repubblica di Mussolini*, 1977

L'insurrezione generale parte il 25 aprile del 1945. Mussolini lascia la prefettura di Milano.

La morte di Mussolini

Fra poche ore Milano sarà nelle mani dei partigiani. E i fascisti riuniti nel cortile e gli altri trincerati a piazza San Sepolcro aspettano ordini. Nel cortile c'è Asvero Gravelli, sottocapo di stato maggiore della Guardia nazionale repubblicana. Si è tolto la giacca da ufficiale e ha gridato: "Non esistono più gradi, ritorniamo a indossare solo la camicia nera come vent'anni fa. Chi non si batte sarà sommerso". Arriva Vittorio Mussolini per proporre al padre la fuga in Spagna: "Papà, all'aeroporto di Ghedi ci sono degli S79. Piloti e benzina sono a disposizione". "Nessuno ti ha pregato di interessarti alla mia persona," è la brusca risposta. Il Duce scrive le ultime due lettere, una per Silvestri, l'altra per Miglioli, entrambi del "ponte" [ultimo tentativo dei socialisti guidati da Bonfantini di ottenere la resa senza combattere]. Sono le venti. "Duce, tutto è pronto," dice Pavolini. "Bene Pavolini, andiamo." Tra i fascisti, nel cortile, c'è Borsani, il cieco: "Duce, non partite, non versate altro sangue. Recatevi dall'arcivescovo". "Caro Borsani, venite anche voi, tutto non è ancora finito," ribatte Mussolini. "Sì, Duce, non è ancora tutto finito. Dobbiamo ancora morire."

Appena il corteo delle macchine ha voltato per corso Venezia, è lo squagliamento generale, nella prefettura rimangono poche persone e non si vedono ancora i partigiani. L'insurrezione milanese è lenta a partire, il Cln ha preferito tenere gli operai nelle fabbriche, di guardia agli impianti, e il movimento cittadino è debole. Il centro di Milano resta così in parte occupato dai fascisti di Costa in piazza San Sepolcro, e in parte deserto; solo in periferia le squadre partigiane cominciano a occupare gli uffici e a mettere sbarramenti. Costa dirà che i fascisti trincerati in piazza San Sepolcro erano 4000 poiché ai 2400 della brigata nera Resega si erano aggiunti i fuggiaschi delle altre brigate, 300 di quella di Modena. Sono essi alle dieci di sera a sterminare una squadra partigiana arrivata in auto dall'Oltrepò pavese e finita proprio contro i cavalli di frisia fascisti.

A quell'ora c'è un ultimo scambio di telefonate fra Pavolini e Diamanti. Il generale informa il segretario del partito di essersi accordato con il Cln per la resa. "Se vuoi che le brigate nere si salvino," dice, "fai togliere subito ai fascisti le camicie nere e i distintivi, digli che indossino camicie grigio-verde, che mettano le stellette e passino ai miei ordini." Pavolini urla: "Gli ordini li deve dare solo il Duce, lo avete dimenticato? Lo avete fin troppo dimenticato. Che schifo".

Nel fuggifuggi generale qualcuno non dimentica di intascare soldi: nel pomeriggio del 25 Renato Ricci ha firmato un assegno di un miliardo per la Gil, la Gioventù italiana del Littorio; altri quattro miliardi sono stati versati a gerarchi dal Banco di Novara; spariscono dalle casse del ministero della Marina 106.000 franchi svizzeri e 5000 franchi-oro acquistati per aiutare gli internati in Giappone, Romania, Spagna; restano in quella del dottor Gerbaulet, consigliere di governo presso il comando tedesco, 114.000 franchi svizzeri e 4150 franchi-oro.

La strada fra Milano e Como è presidiata dai militi della Muti e Mussolini non incontra ostacoli; ma il camioncino con i bagagli e parte dell'archivio si guasta, viene saccheggiato da una squadra partigiana e recuperato solo a tarda notte. Il caos alla prefettura di Como è totale: il Duce e i ministri pranzano con il prefetto in un salone, ma per le stanze e le scale è un bivacco di gente disperata che aspetta non si sa cosa. Arriva anche Rachele per una brevissima visita che poi negherà, forse per ragioni sentimentali, forse perché Mussolini ha poi finito la sua vita con la Petacci.

Nel corso della notte arrivano a Como gli uomini di Colombo e di Costa: ci sono nella città sei o settemila fascisti armati, potrebbero facilmente trincerarsi e aspettare l'arrivo degli Alleati; oppure raggiungere la Valtellina via lago o formare una colonna di automezzi. Ma questa volta è Mussolini con il suo seguito di ministri a tradire i suoi: egli scioglie i suoi fedeli dal giuramento e li abbandona a se stessi; cerca di piantare in asso anche i tedeschi partendo alle tre del mattino, e sarà ritrovato dalle ss solo nel pomeriggio, a Grandola, in una valle laterale in prossimità del confine svizzero.

Giorgio Almirante spiega così il marasma fascista: "Il nostro sistema era verticistico, si basava sul capo e in quegli ultimi giorni Mussolini aveva rinunciato a dare ordini, aveva perso la volontà di vivere. Mancando il capo carismatico gli altri non avevano l'autorità per sostituirlo". Mussolini seguito dai suoi ministri va a Grandola: alle 14, mentre sono a pranzo in un'osteria, radio Milano caduta in mano ai partigiani trasmette la condanna a morte dei governanti fascisti firmata dal comandante del Cvl [Corpo volontari della libertà], il generale Raffaele Cadorna. Mussolini fa delle riflessioni peregrine sull'ingratitudine del generale: "Con tutto quello che ho fatto per riabilitare la memoria di suo padre". Alle 15 Buffarini e Tarchi vanno a gettarsi nelle mani dei partigiani: scendono in auto a Porlezza contando sui passaporti diplomatici falsi – quello di Buffarini è intestato all'avvocato Alfredo Cignani – ma sono riconosciuti e incarcerati.

Nella notte fra il 26 e il 27, Mussolini avrebbe fatto un ultimo tentativo per raggiungere la frontiera per la montagna, ma non ne abbiamo alcuna prova sicura. Sappiamo che il mattino del 27, sceso a Menaggio, vi incontra la Claretta Petacci che è riuscita a raggiungerlo grazie ai tedeschi. Passa una colonna tedesca forte di duecento uomini, che si dirige sulla Valtellina per la via Regina; i gerarchi fascisti si uniscono. Ma a Musso c'è un blocco partigiano; Mussolini, che ha cercato di nascondersi usando un cappotto e un elmetto tedesco, viene riconosciuto e arrestato; la Petacci insiste per rimanere con lui. Li portano in una casa di contadini a Giulino di Mezzegra, dove saranno raggiunti e giustiziati il 28 dall'inviato del Cvl, il comunista Walter Audisio. Muoiono fucilati sul lungolago di Dongo: Pavolini, Zerbino, Mezzasoma, Romano, Liverani, Porta, Coppola, Daquanno, Stefani, Nudi, Casalinuovo, Calistri, Utimperghe e un fratello della Petacci.

Si è discusso a lungo sull'esecuzione di Mussolini, su chi abbia dato l'ordine e su chi l'abbia veramente eseguita.

La testimonianza di Fermo Solari, che allora divideva con Longo la responsabilità del comando, ci sembra definitiva: "Ero al comando quando telefonarono da Musso che il Duce era prigioniero. Longo uscì per dare degli ordini e poi mi disse: 'Ho trovato solo Audisio, ho mandato su lui perché ce lo porti a Milano'. Longo mandò Audisio perché era un funzionario del Cvl, ma gli mise alle costole l'uomo del partito, Lampredi. Quando si seppe che Mussolini e i gerarchi erano stati fucilati noi ci adattammo al fatto compiuto che, del resto, approvavamo in pieno". Il giorno seguente Mussolini, la Petacci e i gerarchi uccisi vengono esposti in piazzale Loreto nel luogo di un eccidio di ostaggi: atto rivoluzionario su cui si farà dell'inutile moralismo.

Da *La Repubblica di Mussolini*, 1977

Capitolo IV

ITALIA A PEZZI MA VIVA

Nella primavera del '45 si può finalmente procedere a un esame dei danni di guerra. Che cosa è danno di guerra? Ciò che un bene è costato? Il prezzo che avrebbe attualmente sul mercato? Ciò che costerebbe oggi rifabbricarlo? O ancora: il tempo che ci vorrà per riottenerlo? E per i beni non ricostruibili, come le opere d'arte? L'impoverimento della terra che non ha ricevuto fertilizzanti? La mancata manutenzione del macchinario? Si oscillò tra due cifre, lontane solo in apparenza: una di 150 miliardi di lire del 1938 con una perdita del 30 percento del patrimonio nazionale. Ma gli economisti, che si limitano ai danni concreti nei settori principali, dicono: 70 miliardi per l'industria e i trasporti, 3 nelle abitazioni, 16 nell'agricoltura, 10 in settori vari per un totale di circa 100 miliardi che rappresentavano il 20 percento del patrimonio nazionale.

Il quadro generale dell'industria e dell'agricoltura si presentava in questo modo: la produzione automobilistica si limitava a poche migliaia di vetture, perché tutte le fabbriche dovevano essere rimesse in sesto; la produzione delle macchine utensili era meno compromessa: si poteva, nel giro di un anno, superare le 15.000 tonnellate delle macchine prodotte nel 1938. Gravissima invece la condizione dei cantieri navali, ridotti a un terzo della loro capacità produttiva. Per i tessili e per la chimica c'era un solo problema: quello di ottenere dagli alleati americani e inglesi le materie prime necessarie. In agricoltura la produzione era scesa al 65 percento dell'anteguerra. Mancavano il grano, i grassi, gli zuccheri.

Il sacco dell'Italia

La Repubblica è sopravvissuta consumando le riserve e solo il tempo corto della sua esistenza ha salvato il paese da una dilapidazione irreparabile. I tagli più gravi avvengono nel patrimonio zootecnico: da 2.127.000 vacche contate nell'Italia settentrionale nel 1942 si scende a 1.605.500 nel '45. La razzia tedesca e la macellazione clandestina colpiscono in modo diverso, spesso casuale: un informatore fascista segnala che "la quota del 30 percento di bestiame dedicato alla macelleria dal ministero è stata applicata senza tener conto della distinzione fra vacche da latte e da allevamento per carne. L'errore è costato alla provincia di Brescia una diminuzione di 10.000 vacche da latte in un anno".

Ci sono province relativamente risparmiate, altre duramente taglieggiate. Fra le meno toccate Aosta, dove si passa da 58.959 bovini a 50.965; o Mantova, da 121.186 a 93.368; o Milano, da 151.973 a 124.415; altre invece sono severamente punite, e non a caso, essendo province partigiane: Cuneo, da 123.822 a 65.572; Novara, da 56.855 a 35.285; Reggio Emilia, da 101.690 a 65.204.

Al consumo delle riserve si accompagna in molte province il declino della produzione agricola dovuto alla mancanza di concimi, di disinfestanti, di manodopera. Dei 40.000 ettari coltivati a bietola per zucchero nel 1940 ne restano 23.000, di cui 5000 improduttivi per la siccità. Così il riso, per la mancanza di disinfestanti: il consumo crolla dai 25.000 quintali nella provincia di Vercelli a 10.000; quello della benzina agricola da 20.000 quintali a 1136. In tutta la Pianura padana si passa da 167.481 ettari coltivati a riso nel '41 a 127.000, con produzione dimezzata.

La macellazione delle mucche da latte provoca la diminuzione di latte e di formaggio: formaggio grana, da 600.000

quintali anteguerra a 220.000; latte la metà; scompare il pesce, dai 30.573 quintali ai 3858 del '44 ai 54 quintali del febbraio '45 e ai 26 del marzo. La frutta scende da 1.132.426
quintali del '38 ai 183.834 del '44. Si creano diversità locali per il blocco delle comunicazioni: il Piemonte non ha olio,
la Liguria non ha burro, un chilo di burro costa a Genova
alla borsa nera 1000 lire, mentre a Modena lo si vende a
100. [...]
   Le somme della finanza repubblicana le tirerà a guerra
finita Sergio Zangirolami. Esercizio 1943-44: entrate
37.900.000.000, uscite 213.167.000.000, disavanzo
175.267.000.000; 1944-45: entrate 26.000.000.000, uscite
207.263.000.000, disavanzo 182.630.000.000. Rispetto al-
l'intera finanza italiana il disavanzo della Repubblica rappresenta nel 1943-44 l'87 percento e nell'anno seguente il
60,42 percento. Ai tedeschi vengono pagati 81 miliardi il primo anno e 93,75 il secondo. La stampa della carta moneta
non copre tutto il disavanzo poiché la Repubblica ha i mezzi coercitivi sufficienti per farsi finanziare dalle banche, cioè
dal pubblico risparmio. Stampa 110 miliardi e 181 milioni
e lascia i debiti in eredità ai governi che seguiranno.

Da *La Repubblica di Mussolini*, 1977

   L'Italia dell'immediato dopoguerra è un paese a pezzi
ma vivo. La guerra partigiana non è stata decisiva nella Liberazione, ma ha guadagnato il biglietto di ritorno alla democrazia e al consesso delle nazioni civili. Gli italiani che
hanno combattuto per essere liberi non hanno complessi
di inferiorità verso i liberatori, pensano di essersi meritati
il diritto a decidere del loro futuro, pensano di poter risolvere i problemi di un paese che è devastato ma vivo. Un paese in cui la guerra ha fatto saltare i vecchi equilibri e le bar-
riere che sembravano eterne fra città e campagne, fra Nord
e Sud. L'Italia è sempre un paese "lungo", di granducati, di
storie e di linguaggi diversi, ma gli italiani adesso sono pronti a cogliere l'ora delle grandi trasformazioni: il tempo dei

migranti all'estero continua, ma è arrivato anche quello delle migrazioni interne, la fuga dalle campagne, l'urbanizzazione. Il tempo dei provinciali che vanno in cerca di fortuna nelle grandi città.

Il provinciale va in città

Mi chiesero se avevo delle ambizioni politiche, se desideravo una carica pubblica, una candidatura alle elezioni. No, niente politica. Avevo tenuto un comizio a Busca, un mese dopo la Liberazione, un comizio per il Partito d'Azione, io e Aurelio Verra al balcone del municipio, sotto in piazza un centinaio di contadini e di bottegai. "Siamo per la nazionalizzazione delle grandi industrie e la libera iniziativa per le medie e piccole." Quelli della piazza, commercianti in faggio da ardere, formaggiai, contadini ci guardavano in silenzio, senza capire, senza protestare. No, la politica, il rapporto con la gente, non facevano per me. Dissi che preferivo fare il giornalista e mi trovarono un posto a "GL", Giustizia e Libertà, l'edizione torinese dell'"Italia libera", organo del Partito d'Azione che si stampava a Milano.

Torino la conoscevo dai giorni dell'università, ma allora andavo e venivo ogni giorno da Cuneo. Viverci con poche lire non era divertente. La prima stanza a me e a Detto che lavorava al partito ce l'affittò per due settimane un compagno: i vetri erano rotti, i letti senza lenzuola e federe, il frigorifero scassato. Stava dalle parti del Lingotto e l'aria che entrava dalla finestra sapeva di vernice e di ruggine. Quando finì l'ospitalità giravamo per pensioni rumorose, alberghucci sporchi e mangiavamo a prezzo fisso da Mariano, un ex croupier preso dalla passione della politica che lavorava pure lui al partito, sezione operaia. Era un cocainomane, ma convinto che il Partito d'Azione sarebbe stato "l'ala marciante del proletariato", lo ripeteva spesso mentre teneva d'occhio che non consumassimo molto olio o non andassimo oltre le due pagnottine del forfait. Faceva cucina una sua amante sbiadita e scocciata, la compagnia cambiava di continuo, arrivavano amici e conoscenti che Mariano ci presentava senza scendere nei particolari, ma dei loro affari, borsa nera o rappresentanze o altro, non parlavano, parlavano tutti di politica, di cosa doveva fare Ferruccio Parri, il mitico "Maurizio" presidente del Consiglio a Roma, del vento del Nord.

Eppure c'era qualcosa di eccitante, di corroborante in quella Torino: in un paese a pezzi, sconfitto, occupato dagli inglesi e dagli americani, il partigianato aveva lasciato una forte certezza di contare, di essere un paese sovrano in cui noi, i comunisti, i monarchici, i padroni, gli operai, ci saremmo giocati il nostro destino. Gli americani e gli inglesi c'erano, con dei carri armati grandi come una casa, ma noi non ci sentivamo provincia dell'impero e credo che la vitalità indomita, trascinante di quella Italia dovette sorprendere anche i vincitori, che dopo qualche mese erano già spettatori disattenti, un po' infastiditi dalle nostre violente fazioni e un po' intimiditi da quella nostra ottimista, veemente, sicura certezza di venire fuori dalle rovine, di uscire indenni dalla sconfitta.

I popoli hanno vicende biologiche, quando crescono non c'è mazzata in testa che possa fermarli. O forse questo vale per i giovani, forse gli anziani, i deboli in quella Torino disastrata la vedevano grigia. A me tutto andava bene: il sabato tornavo a Cuneo. Viaggiavamo sui carri merci, gelidi d'inverno, seduti su panche di legno, ma fumavo Camel e al caffè Lagrange di Porta Nuova potevo permettermi tramezzini al tonno e ai carciofini. E risparmiavo pure, da allora non avrei mai smesso di risparmiare.

Da *Il provinciale*, 1991

La grande occasione di GL fu il ritorno dei prigionieri dalla Russia nel giugno del '45.

I sopravvissuti di Russia

A "GL" nel giugno del '45 arrivò la notizia che era tornato in Italia il primo gruppo di reduci dalla Russia, notizia quasi incredibile, un miracolo. Nessuno credeva più che fosse possibile tornare dalla fame e dal gelo della Russia, dai campi di concentramento di un paese dove anche chi ci era nato faceva la fame. Dissi a Venturi [il direttore] di mandarmi a cercarli, e lui mi disse di sì. Il treno arrivava fino a Milano, più in là i ponti erano saltati, le strade interrotte dalle bombe, ma la vaga notizia diceva che i sopravvissuti erano arrivati a Merano, e io credevo a quella notizia come credevo che Ulisse fosse tornato a Itaca, come lo credé suo figlio sulla voce che era stato visto nella vicina isola dei Feaci. Non c'erano treni tra Milano e Verona, c'erano i camion dei vincitori americani e inglesi. Non facevano servizio di linea, facevano i vincitori, ma non ti respingevano. Li aspettavi in un abitato, a una curva, li rincorrevi e quelli che erano sopra ti tiravano su. A ogni fiume si doveva traghettare, non c'era più un ponte in piedi. I vinti, i tedeschi, i prigionieri di guerra, lavoravano a riattare le linee del telefono, piantavano pali, dipanavano matasse di filo metallico, lavoravano e camminavano svelti e un po' rigidi, senza guardare noi che passavamo, come gente di un altro mondo. Da Brescia si riprendeva la strada fino a Verona, ma capitava che il camion dei vincitori svoltasse per gli affari suoi dalla via per la valle dell'Adige, che si dirigesse su Mantova o Belluno, e allora dovevi urlare e battere pugni sulla cabina di guida, e se non bastava saltare giù mentre andava e poi tornare di corsa, ansimando, sulla via per Bolzano. Fra Brescia e Peschiera sembrava di essere in un girone dantesco, con i dannati della sconfitta alla loro punizione. La loro divisa non era più grigio acciaio, ma grigio terra, grigio discarica. Strappati i gradi, le mostrine, i distintivi, le fronde di quercia, le aquile, sembravano loro, questa volta, un esercito di *Untermenschen*, di sottouomini. Ma in una cosa facevano ancora paura: nessuno stava stravaccato o con le mani in mano, nessuno chiacchierava col vicino, tutti cupamente, seriamente, attendevano al loro lavoro, non alzavano gli occhi dal loro lavoro neppure al nostro passaggio, non rispondevano agli urli, agli insulti.

Dopo Verona, nella valle dell'Adige era un macello: ponti saltati, strade interrotte. Con la rabbia in corpo del cronista che rincorre lo scoop partivo all'assalto dei camion. Fra Egna e Caldaro la statale era coperta da una frana, bisognava proseguire per strade di campagna; passò un carro carico di mele guidato da uno che aveva il grembiule di tela blu e il cappello tirolese. Bloccò il carro, si fermò a guardarmi con la frusta impugnata, poi vidi che mandava giù qualcosa: il rospo della sconfitta. Deglutiva a fatica. Si rimise calmo, lasciò che salissi, e andava per i frutteti del Sudtirolo senza parlare. I reduci, i sopravvissuti c'erano per davvero a Merano, e li trovai proprio nell'ospedale che stava vicino alla caserma degli alpini dove avevo fatto il corso di allievo ufficiale, vicino all'ippodromo, vicino all'Adige che lì è rettilineo e incanalato: un'autostrada grigio-metallica che d'inverno gela, dove noi allievi dovevamo correre sugli argini a torso nudo, d'inverno, anche il giorno dell'iniezione antitetanica.

I reduci, i sopravvissuti, alcune centinaia, erano sfiniti e increduli della loro sopravvivenza, la sola cosa onesta da fare era di lasciarli stare nei loro letti, per la loro quarantena, nel loro stupore per essere in vita. Ma il mestiere del cronista è quello della caccia alla notizia, di sapere a ogni costo cosa avviene nel mondo, e di fissarlo in qualche modo su una pagina bianca in caratteri di stampa. Nella vita di un cronista c'è un periodo che non si chiude mai, in cui deve strappare una confessione all'assassino, una confidenza al traditore, un'ammissione all'adultero o alla spia, di cui devi carpire la fiducia. Ma il cronista deve anche capire, come lo capì il grande inquisitore Antonio Di Pietro, che anche i malvagi, anche i delinquenti, hanno bisogno di amore e di amicizia. Il cronista deve ingannarli, ma capirli. Per anni nel mestiere di cronista ho mentito ai parenti dell'assassinato, del tradito, del morto sulla strada, per avere il tempo di rubare una sua fotografia: ce n'era sempre una sul comò nella loro stanza da letto. Come cronista dovevo essere cinico anche con i sopravvissuti, trarre il massimo di vantaggio giornalistico dalla loro penosa condizione di essere tra i pochi salvatisi per miracolo dalla grande strage. Ma il cronista che ha trovato la notizia esclusiva non può lasciarsela sfuggire, come il seguio la lepre, come i cani un lupo, e io quella notizia dei reduci dovevo farla arrivare comunque ai lettori del mio piccolo e povero giornale. Erano sfiniti, spaventati, i reduci, avevano bisogno di riposo, di medicine e di oblio, ma dovevo farmi dare i loro nomi, i loro indirizzi e mi consolavo pensando che anche questa poteva essere una buona medicina, parlare di sé e degli altri che avevano conosciuto: i morti in battaglia, quelli visti in campo di concentramento, forse ancora vivi e che stavano per tornare. I telefoni non funzionavano, per milioni di persone una cattiva cosa, per me una fortuna, un'occasione unica. Nessuno poteva rubarmi il servizio. In due giorni rientrai a Torino con i miei appunti di nomi e d'indirizzi e "GL" li pubblicò aggiungendo un altro cinismo del mestiere: li centellinò per sei o sette giorni, e per altrettanti fummo il giornale più venduto del Piemonte.

Da *È la stampa, bellezza!*, 2008

Forse il 25 aprile, se non fossero arrivati gli americani, il professor Valletta sarebbe finito in un forno, ma gli americani c'erano, Valletta sapeva che c'erano e che sarebbero arrivati. E infatti il Togliatti di ritorno da Mosca aveva dato agli operai la parola d'ordine di lavorare, di ricostruire. I capi del comunismo torinese Negarville e Roveda su una cosa certamente concordavano con il professore: "salvaguardare la compagine lavorativa della Fiat", concentrazione di cervelli, di tecniche, cultura del lavoro, isola moderna, la sola autorizzata in Italia a colloquiare con i Krupp e la Banca Morgan, con i Ford o con i Rockefeller, Stato nello Stato, una cosa che al pauperista autodidatta Mussolini era risultata ostica. "Torino porca città," lo avevano sentito mormorare dopo la fredda accoglienza del Lingotto per la sua visita del Decennale. Difficile per un romagnolo entrare nelle ipocrisie morali di Torino, nelle sue ambiguità edificanti, nel produttivismo mistico della Fiat, nell'affarismo spirituale degli Agnelli, nel fatto che agli occhi piemontesi il senatore Agnelli e i suoi eredi, il professor Valletta e i direttori, instancabili divoratori di capitali e di aziende, potevano però sentirsi parte di una "cooperativa del lavoro dello spirito", come aveva detto il professore la volta che nel '21, durante l'occupazione delle fabbriche, esortò Giovanni Agnelli a restare al suo posto perché "vi è un dovere da compiere, un dovere civico che voi, sorretto dalla vostra coscienza e dal plauso di tutti gli azionisti, non solo, ma del paese, compirete".

Il provinciale che ero ascoltava voci diverse, sfiorava fazioni diverse in quella Torino delle cose serie, importanti, dure che emergevano nel suo confuso giovanilismo e il professore cominciava ad apparirvi al centro degli enigmi e delle tradizioni. Perché Vittorio Valletta era il potere, ma un potere sorretto da un consenso generale, anche dei comunisti, in fondo. Il suo doppio gioco nei venti mesi dell'occupazione tedesca era stato opportunistico, mirato alla difesa dell'azienda, ma in questa difesa c'era una protezione degli operai, un ostacolo alle deportazioni, la continuità del primato industriale di Torino. A noi Valletta piaceva anche fisicamente, era uno dei nostri "cit e cativ", piccoli e cattivi, che muovono le cose, trascinano gli uomini ed era anche, come si diceva, "nerchiuto", come riconosceva ammirata, anche dopo i suoi settant'anni, la sua *maîtresse-en-titre* che c'era, contava, ma non appariva a corte come la Bela Rosin.

Conobbi a Torino l'aristocrazia disoccupata senza corte, ma ancora provvista di coraggio e di capitali, e la borghesia composita, ma omogenea nei valori, dei tecnici, degli ingegneri, dei capi officina o "cavajer" nati con la Rivoluzione industriale, i "giacchetta nera" con i baffetti a punta, impomatati, un tocco per ungere le dita e sentire meglio il tornio. Ho visto una fotografia dei due Agnelli, il senatore Giovanni, il fondatore, e suo figlio Edoardo, che attendono insieme a Valletta, tutti in tight, di essere ricevuti da Mussolini per la presentazione della Balilla. Giovanni Agnelli, già ufficiale di cavalleria, eretto e imperioso come un kaiser, Edoardo un po' ciondolante, ironico e snob e poi il "cit e cativ" in una giacca stretta, impaziente, con lampi negli occhi da "bagonghi" elettrico che pensa: ma che facciamo qui in giornata lavorativa vestiti da carnevale?

In altre città la retorica del lavoro Fiat era ridicola o incomprensibile ma a Torino no, la sua aneddotica un po' surreale circolava con simpatia e identificazione: "Ingegnere, vediamoci in ufficio il giorno di Natale, così possiamo parlare tranquilli". "Lo sa che Durando si è sposato? Ma quella lo sta rovinando, li hanno visti l'altra sera a teatro." Il linguaggio aziendale e cittadino era militare, la direzione era chiamata "lo stato maggiore" o anche "la mano a sei dita": Valletta più i cinque direttori generali. E anche quel linguaggio era un collante, un denominatore comune fra i due ceppi, l'aristocratico e il borghese tecnico che guidavano la rivoluzione produttiva, qualcosa di simile al sistema svizzero dove si è dirigenti di aziende o di banche solo se si è almeno colonnelli dell'esercito. Quando Valletta propone di far entrare il giovane Gianni Agnelli nella direzione ritiene doveroso e normale ricordare i suoi meriti militari, le campagne di Russia e Tunisia, come legittimazione della sua ascesa al trono. E nelle case dell'aristocrazia come della borghesia tecnica quando si parlava di esercito e di guerra tornava immancabile la sentenza piemontese, anche sulle labbra del playboy Gianni Agnelli: "I bei fiöi van fè el suldà, i macacu restu a cà", i bei giovanotti vanno soldati, le scartine restano a casa.

L'uomo dell'energia: Enrico Mattei

Sono le sei del mattino e la stazione è quella di Como. Un tipo sui quaranta, alto, magro, sta salendo sul treno per

Milano. Sul marciapiede c'è un milite fascista che tiene al guinzaglio un cane lupo. Il cane latra furiosamente contro il viaggiatore e il milite fatica a trattenerlo. Ora che il treno parte, il viaggiatore è al finestrino. Sono le sei del mattino del 5 marzo '45. Un partigiano ha salvato la pelle. Si fa chiamare Monti, l'Italia è il mondo, lo conosceranno come Enrico Mattei. Io voglio parlarne come di un partigiano fedele. Vi ricordate gli anni fra il '48 e il '50? Defenestrato Parri, silurato Riccardo Lombardi, pensionato Mauri, morto Galimberti, chiusi nel fronte comunista Longo e Moscatelli, sembrava che fosse rimasto in Italia un solo capo partigiano nominabile: Enrico Mattei.

Ogni giorno portava le reazioni dei giornali benpensanti, la sua relazione di arresti, di processi e diffamazioni antipartigiani. Passati i giorni della grande paura, la destra economica e la borghesia qualunquistica celebravano la loro restaurazione: agli amici di Longanesi piaceva l'apologia cinica del fascismo; agli arlecchini capitati nella Resistenza all'ultimo momento piaceva il passaggio, anzi il ritorno, nel coro reazionario e lodavano il sottoproletariato monarchico del Sud, i notabili borbonici e la cara Italia patriarcale degli spaghetti e della "napoletana". Ma quel partigiano chiamato Mattei, niente da fare, bisognava sopportarlo, lui e la sua idea fissa di un'Italia dinamica e moderna.

Erano gli anni del processo ai comitati di Liberazione e delle prime rivalutazioni "storiche" sui rotocalchi. Nella prefazione alla *Résistance italienne* Parri scriveva: "E i compagni delusi, incerti, scoraggiati ci domandano: perché abbiamo combattuto? Perché sono caduti i nostri compagni?".

Ma quell'Enrico Mattei teneva duro, non ripudiava gli amici, i ricordi e le speranze della guerra partigiana, resisteva alla ingenerosa restaurazione. A noi una sua fotografia sul giornale, una sua intervista alla radio facevano uno strano effetto, ci ricordavano quell'Italia che sembrava così lontana, quella della canzone tedesca: "Dove il Duce governa senza il popolo e senza forza / e dove i partigiani non danno pace".

Certo Mattei non è ricco. È stato un uomo d'affari, è abile e spericolato, ma ha sbagliato il "New York Times" a giudicarlo solo come "quel terribile soldato di ventura". Enrico Mattei non era un soldato di ventura, ma un soldato del popolo come lo sono stati i partigiani. E aveva le idee partigiane di un mondo nuovo e più giusto. Certuni hanno rimproverato a Enrico Mattei di aver fatto delle scelte politiche che coincidevano con gli interessi economici dell'azienda di Stato da lui diretta. Senza capire che coincidevano proprio perché erano giuste.

Il 25 aprile di quest'anno [1962] ero a Udine per un'inchiesta. Quella mattina, saputo che Mattei avrebbe parlato in piazza, andai ad ascoltarlo. Sulle prime il discorso mi parve stentato e persino inopportuno per i continui riferimenti ai problemi produttivi che non abbandonava mai; ma quando venne a parlare dell'Oas e del neofascismo, dell'Algeria e dei movimenti di Liberazione, capii che la sua ira e la sua commozione erano autentiche, che appartenèvano a quell'antifascismo congeniale che un uomo libero porta in sé e che è più importante di tutti gli affari del mondo.

Enrico Mattei – ora possiamo dirlo, non è vero? – è stato un partigiano vero anche nel disinteresse. Nonostante tutte le calunnie, la nostra era stata una guerra senza arricchiti e senza profittatori; e Mattei, amministratore della Sussistenza, ne era uscito con le mani pulite. Poi è stato con le mani pulite anche quando, secondo l'immagine iperbolica del "Financial Times", è diventato "il sovrano assoluto di un impero industriale edificato senza possedere una sola azione delle società che lo compongono".

Era un uomo "pulito" e timido. Uno di quei timidi che chiedono ai loro collaboratori dodici, quattordici ore di lavoro, entusiasta, che sanno dedicare un'intera esistenza a un progetto ambizioso. Come partigiano autentico, cioè come uomo di parte, Mattei ha avuto molti seguaci ma anche più nemici. La fede in certe idee ("il Vangelo secondo Mattei," dicevano i suoi amici) lo rendeva insopportabile ai conservatori trasformisti. C'era qualcosa in lui di violento, di puro, di fazioso e di onesto che lo proponeva all'ammirazione sconfinata come all'odio implacabile. Certo gli uomini come Mattei non possono essere la regola e guai se lo fossero. Ma non guasterebbe se la loro specie fosse un po' più numerosa, se ci fossero più caratteracci come il suo in un paese ancora troppo servile e che tira a campare.

Le "prime donne" del giornalismo benpensante potevano anche trovare Enrico Mattei freddo, arido e poco simpatico. Certo non furono risparmiati gli sforzi per creargli una fama da "fanatico" spesso esiziale nell'Italia scettica e qualunquistica. Ciononostante Mattei era e resterà un personaggio popolare. Perché anche la sua leggenda aveva quell'impronta popolare che fu propria della guerra partigiana.

Enrico Mattei non possedeva forse la ponderatezza del legislatore, la sottigliezza dell'intellettuale, la prudenza del grande burocrate. Ma era un uomo di coraggio che "aveva il debole di creare lavoro" e che metteva in questo compito tesori di energia e anche, se occorreva, una collera generosa. Forzando questi tratti, i giornali di tutto il mondo avevano creato e diffuso la sua leggenda non perché avesse, come diceva "Fortune", "la più elaborata macchina di relazioni umane che esista al mondo", ma perché era un grosso personaggio davvero, perché la povera gente riconosceva in lui uno di quegli italiani che hanno fame di lavoro e sete di giustizia e capiva il suo linguaggio.

"Quando si è più poveri degli altri," diceva, "bisogna essere più rapidi e avere più pazienza. In Tunisia siamo arrivati di corsa, con altre nazioni negoziamo magari per anni." Si stupiranno i conservatori se questo linguaggio è più comprensibile del loro fumoso liberismo?

Enrico Mattei rimane per sedici anni alla ribalta, ma i suoi gesti non sono mai o quasi mai ovvi e giudicabili sul metro dell'amministrazione comune. Nei primi anni, quando l'offensiva delle compagnie americane si fa più minacciosa, si diffonde la voce che ha richiamato i suoi partigiani per mettere in difesa i pozzi. Poi si parlerà del Mattei che, di notte, guida le squadre che gettano i metanodotti superando ogni intralcio burocratico; o del Mattei che organizza le squadre per portare in salvo gli impianti del Sinai, durante la guerra di Suez.

E dicano pure, i suoi nemici, che anche questo mito è stato costruito dagli specialisti, scientificamente fabbricato dagli uffici stampa. Perché fra tanti miti della vanità imbecille e futile può ben restare il mito di uno che "aveva il debole di creare lavoro".

Da "Il Giorno" del 29 ottobre 1962
(due giorni dopo la morte di Mattei)

L'Italia del dopoguerra ha scelto la ricostruzione a tre punte: automobile, gomme, benzina e la affida ai tre "tolkac", trainatori, Valletta, Pirelli e Mattei. Le fabbriche che produrranno le auto, le gomme, la benzina hanno bisogno di braccia affidabili. I parroci dell'Italia povera hanno il compito di selezionare i lavoratori disciplinati, la grande migrazione verso il Nord. Le campagne italiane si spopolano, un'economia per millenni fondata sull'agricoltura si trasforma.

La fuga dalla campagna

Si dice che i lupi torneranno sulle colline. Ma lupi o non lupi, ci saranno brughiere, calanchi, giovani boschi e solitudine sulle colline dell'Italia contadina da cui gli uomini fuggono, ogni minuto uno che volta le spalle alla sua terra. L'anno scorso sono fuggiti in quattrocentomila; dal '53 al '63 se ne sono andati un milione e mezzo, è accaduto in altri paesi di più antica civiltà industriale, però mai con tanto affanno e disordine. Perché nel nostro esodo si ritrovano tutte le ragionevoli ragioni degli esodi contadini, ma in più una oscura inquietudine, un rifiuto della terra che a volte assume forme schizofreniche. In certe province tradizionalmente agricole, come in quella di Cuneo, per esempio, il capitale viene investito in ogni intrapresa salvo che nelle industrie che trasformano i prodotti agricoli, quasi si fosse deciso di rifiutare qualsiasi attività in qualche modo legata alla terra, da cui si fugge.

Gabbiano Quercitorta, Quercitortina, Torrette, Tetti Sergent, La Rosina: ogni podere abbandonato, il suo nome ancora per qualche anno, poi quattro muri diroccati sui colli del Senese, sull'Appennino, sul Monferrato. Al Nord muore la sterile civiltà alpina, in cinquant'anni le valli del Piemonte hanno perso cinquanta abitanti su cento, in certe valli del Cuneese lo spopolamento è del 90 percento. Nei grandi villaggi del Sud si chiudono le casine riservate ai "don" e ai "galantuomini", i loro figli cambiano mestiere, lasciano le fattorie e vanno in città. Nella provincia di Campobasso su cento figli di proprietari agricoli solo otto rimangono in campagna. Dalla Calabria sono fuggiti in trecentomila. In certi villaggi i proprietari di oliveti hanno dovuto reclutare gli zingari per la raccolta delle olive, non più le trattative salariali con i sindacati, ma con i capi tribù. E paghe altissime, tali da convincere dei nomadi a fermarsi e a lavorare. Problemi nuovi per gli uomini politici: alcuni aspiranti deputati hanno dovuto farsi la campagna elettorale del '63 a Düsseldorf, Essen, Mannheim, nelle "cantine" degli emigrati.

Il contadino fugge dalle colline e l'industria ridisegna la pianura. Lo si vede a occhio volando da Roma a Milano: montagne e colline più nude e poi la macchia verde argentea dei pioppi che si allarga nella pianura, il docile popolo dei pioppi governato da pochi contadini operai. Non è più il paesaggio di dieci anni fa e non è più la politica: i duecentomila braccianti del Ferrarese si sono ridotti a quarantamila. L'ultimo sciopero è stato nel settembre del '62. E si sapeva che era proprio l'ultimo: corteo, canti protestatari, rimandati di fila in fila, un po' di commozione fra i vecchi sindacalisti. A volte il mondo contadino, dice Federico Orlando, sembra un palcoscenico malandato su cui qualcuno si ostina a ripetere delle vecchie battute.

È l'ultimo sciopero, quello delle mondine vercellesi, nel giugno del '63. Negli ultimi dieci anni le mondine sono scese da 330.000 a 70.000; nella fattoria di Veneria di Lignana lavoravano al tempo di *Riso amaro* ottocento mondine, oggi se ne trovano centocinquanta; fra qualche anno anche questa specie forse sarà scomparsa con buona pace dei moralisti che proponevano sulla rivista "Il Riso" di "dotare le mondine di tute perché la donna ha delle eccedenze, soprattutto nel bacino, nel seno e nelle gambe". E i proprietari, si era nel '56, facevano i conti e risultava che ogni anno avrebbero dovuto spendere in tute moralistiche circa mezzo miliardo. Ora questi proprietari, mancando le mondine, han dovuto aguzzare l'ingegno o ricorrere alla tecnica: spargono con gli elicotteri il "diserbante", una sostanza chimica che monda la risaia dalle male erbe; oppure ricorrono al "gioco delle acque", alzano il livello in modo che spunti fuori il riso ma che soffochino le erbe. E continuano a ridurre le colture, in molte risaie ora si piantano i pioppi, nei campi della Lomellina va spegnendosi il grido del sorvegliante: "Pianté ben tosan", piantate bene ragazze.

La grande fuga che spopola le campagne e porta nelle città le moltitudini povere che nessuno indirizza, accoglie, sistema salvo poi stupirsi che votino comunista. "Non restano neanche se li leghi." "Gli davo la buona entrata, gli davo i prodotti per un anno, gli davo il bagno e se ne sono andati." "Ma cercate di ragionare, in fabbrica farete una vita da cani, gli ho detto, eppure se ne sono andati." "Chi rimane quassù? Rimangono i vecchi, signore." Ma in fondo alle testimonianze così semplici sulla grande fuga c'è sempre come una domanda inappagata, uno stupore. Perché si capiscono tutte le ragionevoli ragioni dell'esodo, ma è difficile capire, a volte, l'ansia collettiva che spinge i contadini verso chi sa quale destino.

"Ti sei fatto la moto giù in città?" "No, l'avrei fatta se fossi rimasto qui in campagna, laggiù nei primi anni la vita è dura." "Sì, in città si vive male, ma è sempre meglio che in campagna. In campagna vedi il sole che sorge e il sole che tramonta, ma non ti accorgi neppure che la terra cammina."

A volte si è tentati di pensare a una inquietudine cosmica. Sarà letteratura, ma certe frenesie, certe angosce collettive sembrano rispondere a un richiamo arcano. Alcune cascine dell'alta Langa sono state abbandonate come fuggendo una catastrofe, portando via solo l'essenziale. In una hanno lasciato un libro aperto sulla tavola e le fotografie dei vecchi sulle pareti verde-azzurro come il solfato di rame che si dava nella vigna. E i treni serali della circumvesuviana sono presi d'assalto da folle di contadini, che corrono verso Napoli, ore di sonno perse, la fatica più dura, pur di trovarsi in mezzo alle luci e alla gente, o fuori dal silenzio e dal buio della campagna.

Più di duemila poderi abbandonati nel Senese; seicentomila ettari sull'Appennino tosco-romagnolo; quattrocentomila cascine abbandonate nelle valli del Cuneese, un villaggio come Briga Alta che dai 2790 abitanti di anteguerra scende a meno di trecento. Poi la fuga panica dalle campagne alte del Forlivese: 541 poderi abbandonati nel '56, nel '57 sono 885, salgono a 1123 nel '61 e a 1500 oggi. Perché? Se si interroga la maestra di Teodorano (Romagna) lei dice che la colpa è dei comunisti "che hanno montato la testa ai contadini". Ma i contadini fuggono anche dai Bagni di Lucca e dalle terre venete dove il voto cattolico è la maggioranza assoluta. Se si sale a Trezzo o a Mango d'Alba, nel basso Piemonte, i contadini dicono che se ne vanno "per via che non c'è l'acqua o le altre comodità". Ma poi si scopre che i contadini fuggono anche dalle campagne di pianura, ricche e comode. Per esempio le due province più fertili della Lombardia, quelle di Mantova e di Cremona, sono le sole nella regione ad aver registrato una diminuzione di abitanti negli ultimi dieci anni: Mantova meno ventimila, Cremona meno ventottomila. In certe campagne romagnole i mezzadri hanno abbandonato dei campi che rendevano trecentomila lire l'anno per unità lavorativa, mentre con lo stesso reddito campa una intera famiglia, nel Sud. Ma se quella famiglia abbandona la sua terra non è detto che si trasferisca nel podere abbandonato di Romagna. Se può va anche lei in città.

Da *La scoperta dell'Italia*, 1963

Si fuggiva dalle campagne perché la vita è molto faticosa e il contatto con le bestie rende bestiale anche l'uomo. Il selvatico, il bestiale, c'è in tutte le campagne, anche in quelle ricche. Sarai anche il proprietario del terreno, ma come dicono i contadini di Viterbo: "L'Altissimo di sopra ci manda la tempesta / l'altissimo di sotto ci toglie quel che resta / e noi fra due altissimi / restiamo poverissimi".

Poveri, legati alla terra tutta la settimana e anche costretti a integrare il reddito con altre attività, un altro lavoro. Molte famiglie ripartiscono i compiti fra i membri, qualcuno nei campi qualcuno in fabbrica, la peggio l'hanno sempre quelli che restano nei campi: alla madre che lavora in campagna in casa toccano 4403 ore lavorative all'anno, dodici al giorno; al padre che lavora solo nei campi 3457; al figlio operaio 1652.

Nelle campagne si può ancora assistere a un linciaggio.

Il linciaggio

Il Denti si chinò su quella roba nera, carne e stracci, raggomitolata contro la legnaia. "Ehi socio," disse, "'ndem, che fa freddo. Stavolta le hai prese, eh? Su, alzati, va' a dormire."

L'uomo appoggiato alla legnaia non rispose. Gemeva piano e tossiva per il sangue che gli riempiva la bocca. Il cortile era buio come un pozzo, il Denti non poteva vedere né la faccia né il sangue di quel tale, un girovago, mezzo scemo. "Se ti piace star lì," disse dopo un po', "stacci."

Uscì sulla strada e vide che c'era ancora luce nell'osteria Mombelli. Saluto gli amici, pensò, e mi faccio l'ultima staffettina di bianco. Ma l'osteria era vuota, non si vedeva neppure l'Attilio dietro il bancone. Tutti spariti gli amici, il Guido, il Giancarlo, il Francesco; forse il ronzio che andava perdendosi nel buio della campagna era la motoretta del Taverna. Attraversò la borgata, le venti case che formano Ca' de Quinzani, e in giro non c'era più nessuno benché fosse domenica e non ancora mezzanotte: tutti scomparsi quelli che per più di un'ora avevano seguito, urlando e tirando calci, il pestaggio del girovago che aveva "fatto dei versi" alla Pompea. Così il Denti se ne andò a dormire, un po' sbronzo. Intanto l'uomo caduto vicino alla legnaia era morto e Attilio telefonava ai carabinieri di Pieve Delmona per avvertire che c'era stato "un incidente". Un incidente che si chiama linciaggio.

Ca' de Quinzani, la borgata del linciaggio, è a dodici chilometri da Cremona. Si prende la provinciale per Mantova e poi a destra in mezzo ai campi, con l'acqua verde dei fossati a pelo della strada, gelsi e ceppaie sulle sponde, i buoi a coppie che tirano i carri del letame perché "Fiat o mica Fiat, adesso i trattori non camminano nella fanga".

L'unica strada della borgata (l'osteria Mombelli al principio, il circolo Enal alla fine) sarà lunga cento metri e vi si affacciano le finestre di tutte le case. Il linciaggio si svolse per almeno un'ora in questi cento metri, ma adesso nessuno di quelli rimasti in paese ha visto o sentito. Otto sono in prigione, tutti gli altri temono il castigo, ogni forestiero, per loro, è uno della legge.

Il fiduciario del circolo Enal non parla. Ce l'ha con i giornalisti perché hanno "disonorato il nome del nostro circolo". Il linciaggio? Lui di quella faccenda non si è neppure accorto.

Allora si va nell'osteria Mombelli, verso mezzogiorno, quando ci vengono, per farsi un calice, padroni e braccianti. Quelli con il basco nero, i maglioni con la cerniera lampo, i calzoni della tuta dentro gli stivaloni di gomma sono i "bergamini", mungitori e sorveglianti del bestiame. Appena entrati ordinano un calice di bianco e vanno a sedersi sulle panche di legno, contro la parete dove c'è l'elenco dei giochi proibiti. I proprietari stanno intorno al tavolo, vicino alla stufa. Attilio passa dagli uni agli altri con il bottiglione del bianco e riempie i calici finché versano.

"Come è andata quella faccenda di domenica sera?"

I "bergamini" guardano i proprietari e tacciono. "Chi lo

sa," dice uno dei padroni, "io alle nove ero già a letto. E poi non si capisce. Qui come vede siamo gente alla buona, tutti fratelli, non è vero?"

I "bergamini" non rispondono, guardano i padroni senza guardarli, di traverso, ogni tanto qualcuno entra o esce senza salutare.

Proviamo dai parroci di Gadesco, di Pieve Delmona, di Longardore, che sono le borgate circostanti. Uno è con i muratori che chiudono la crepa apertasi nella volta della chiesa, l'altro è fuori in motocicletta, impermeabile nero e stivaloni di gomma, il terzo sta recitando il breviario in una stanzetta che è una ghiacciaia.

I preti parlano. Sono giovani decisi, attaccano il discorso senza far tante storie, con una punta di astio per voi che venite dalla città e che non avete un'idea di ciò che è la vita nelle campagne:

"Che ne sapete voi cittadini? Via in macchina su un'autostrada, via su un treno rapido, la campagna è del verde che passa e poi siete convinti che la Pianura padana, almeno lei, sia ricca e chi ci abiti gente civile. Ebbene le cose non stanno proprio in questa maniera: il pane non manca nelle campagne, ma si è immersi in una vita bestiale e primitiva. Proprio così: vino e bestie, vino e letame per tutti i giorni dell'anno. Il pane non manca, nelle nostre campagne e rispetto ai contadini meridionali i nostri, in fatto di guadagni, saranno anche dei privilegiati, ma come uomini, come cristiani, meglio non parlarne. Se una vacca partorisce il padrone manda a chiamare due veterinari, se gli dicono, di notte, che una contadina ha le doglie chiude le finestre e torna a letto. Inutile stare a discutere di chi sia la colpa: fra padroni e braccianti qui c'è un odio che si taglia con il coltello. Prima, con il fascismo, lo sapete, non c'era niente da fare, poi è cominciata la lotta per le rivendicazioni, sindacati rossi e sindacati bianchi, il capolega e il parroco a disputarsi delle anime sorde e diffidenti. Si fa la processione del Corpus Domini e tutti dietro, arriva un capo comunista e tutti in piazza senza credere né al prete né al compagno. E

110

in che dovrebbero credere? A dieci, a undici anni, legge o non legge, piantano la scuola e cominciano a lavorare, il poco che hanno imparato lo dimenticano, nessuno sa parlare l'italiano, metà sono analfabeti, gli altri è come se lo fossero, la media dei guadagni è sulle 25.000 lire al mese, solo i 'bergamini' più abili arrivano a quaranta. Chi può scappa in città. In pochi anni da Pieve Delmona se ne sono andati 400 su 1500; altrettanti da Gadesco, Longardore e Ca' de Quinzani. Chi rimane ce l'ha con tutti: con il prete, con il capolega, con il padrone, con la vita. L'altro mondo, quello delle città, non è più una cosa sconosciuta, la televisione lo porta nelle osterie di campagna e ne presenta gli aspetti più gradevoli. Chi non può evadere accumula rancori e scontentezza. Voi direte: tutto ciò non spiega il linciaggio di un girovago mezzo scemo. Però spiega come il linciaggio sia ancora possibile da queste parti.

"Il desiderio represso di violenza, il bisogno di uno sfogo collettivo possono prendere fuoco per i motivi più diversi. Può essere quello politico: le risse sanguinose ai tempi delle leghe bianche e la ferocia della guerra civile. O quello della giustizia: a Belforte viene linciato un guardiacaccia che ha sparato contro un camionista. Oppure si uccide a furor di popolo in nome dell'onore, come a Ca' de Quinzani. E figuratevi quale onore femminile poteva essere minacciato da quel povero diavolo di Renzo, lo scemo".

Il nome, Renzo Bottoli, è già qualcosa, visto che di lui non rimane altro. Documenti non ne aveva, nessuna fotografia. Conosciuto da tutti, non aveva un solo amico: era un girovago, mezzo scemo.

"Com'era Renzo?"

"Era alto e magro," dicono, "tirava un po' una gamba, mica cattivo ma un po' sbirolato, con i capelli lunghi lunghi da Gesù Cristo. Mica cattivo sapete, ma di lavorare come noi non gli andava, per quello si è perso poco." Così si parlerà di lui nelle veglie, per anni, fra la pietà e il disprezzo, mezzo martire mezzo diavolo. Eppure, per quel che ne sappiamo, anche Renzo, lo scemo, faceva il doppio gioco come gli altri: un po' in canonica, un po' alla cooperativa proletaria, cinquanta lire dal prete e un pezzo di pane dal capolega. Solo che lui non lavorava e non aveva padrone e questa proprio liscia non potevano passargliela, perciò carità e schiaffi, un bicchiere di vino e una pedata.

Che fece Renzo lo scemo la mattina della domenica 6 marzo, ultimo giorno della sua vita?

Nessuno se ne ricorda. Forse dormiva in un fienile a Malagnino, forse si era cacciato nell'angolo di una stalla a Longardore o magari pedalava sulla sua bicicletta cigolante chi sa su quale strada della Bassa. Comunque eccolo, nel pomeriggio, a Pieve Delmona. Arriva già un po' bevuto alle 17. Il parroco sta insegnando il catechismo e Renzo entra nella sala parrocchiale gridando: "Ehi, me manda el to amis, el padre Pio". E agita un'immagine del frate di Pietralcina. Due giovanotti dell'Azione cattolica lo trascinano via di peso, ma il parroco bonario gli grida dietro: "Torna quando ho finito e non bere più".

Trascorre una mezz'ora e intanto il Renzo si fa tre calici di rosso allo spaccio dell'Enal, offerti da Francesco Trombini, il banconiere, che lo conosce da anni. Poi fa una visita all'osteria di Carlo Monticelli ma lì c'è un tale con il vino cattivo che lo prende a calci, il Renzo le busca e tace, è uno scemo, ma forse ha capito che il prezzo della sua libertà è di prenderle e star zitto.

Ora il parroco ha finito il catechismo e lo aspetta sulla porta della canonica per dargli un po' di pane e cento lire. Il Renzo, come sempre, si fa sei o sette segni di croce e intanto dice ridendo: "Reverendo, lo sa che siamo della stessa leva? 1918, classe della vittoria". Renzo torna da Monticelli e si beve le cento lire. Alle 19 eccolo che se ne va un po' a zig zag sulla sua bicicletta verso Gadesco.

Don Rino, il parroco di Gadesco, non è in canonica, sua sorella Maria apre la porta e riconosce il girovago.

"Sono don Primo Mazzolari," farfuglia Renzo ubriaco. "Ma cosa dici?" "Mi manda don Primo Mazzolari," corregge lui. "Dis nen stupidade," dice Maria, "don Primo l'è mort."

"Mi manda el Bulugnin," biascica Renzo. "Oh, per carità," dice Maria rendendosi conto con orrore che il Renzo parla del vescovo monsignor Bolognini. Così gli porta un bicchiere di vino e lui se lo beve stando seduto sui gradini finché il fittabile della canonica non lo spinge via.

Da Gadesco a Ca' de Quinzani c'è un chilometro, in bicicletta si può percorrere in quattro o cinque minuti, ma i girovaghi non hanno fretta, se gli viene sonno si buttano in un fienile o anche per terra quando il vino li scalda.

Renzo arriva a Ca' de Quinzani alle 20.45, un'ora dopo che è scomparso da Gadesco: il freddo non lo ha snebbiato, lui vede nero e rosso come gli sbronzi, tutto gli sembra facile e nessuno gli fa paura. Passa davanti all'osteria dell'Attilio, ma non si ferma perché c'è troppa gente sulla porta, infila l'unica strada della borgata, si ferma davanti a una finestra illuminata e bussa ai vetri. Intanto si apre una porticina lì vicino ed esce una ragazza. Il Renzo è uno scemo, ma anche a lui piacciono le ragazze. Gli vien voglia di prenderla per un braccio (se poi è vero ciò che si racconta), fa un passo, ma ubriaco come è perde l'equilibrio e cade su una motoretta appoggiata al marciapiede. La ragazza spaventata attraversa di corsa la strada ed entra nel negozio di sua zia, distante dieci metri, tabacchi e alimentari. Renzo dopo un po' la segue nel negozio, ma la ragazza è nel retrobottega, al banco c'è sua zia. "Voglio del pane," dice Renzo. Gli danno una pagnotta. "Voglio..." e poi non sa spiegare cosa. Per fortuna arriva in negozio Giancarlo Bresciani, un fabbro di Longardore. "Andem, Renzo," dice spingendolo alla porta. Poi si ferma per pagargli la pagnotta. "La Pompea ha preso una gran paura," dice la zia della ragazza, "quello lì le è corso dietro." Il Bresciani ride. "Ma l'è cativ?" chiede la zia. "Ma no, l'è 'n puverett," dice Giancarlo.

Viene fuori dal retrobottega la Pompea Masseroni, ha sedici anni e studia a Cremona. Si fa accompagnare al circolo dell'Enal, distante cinquanta metri, dove sua madre sta vedendo la televisione. La Pompea arriva tutta pallida, la madre le chiede cosa è successo, lei beve un bicchierino di grappa e racconta dell'uomo che le ha fatto paura. "Guarda, l'è quel lì," dice indicando il Renzo che è entrato nella prima stanzetta del circolo. Ci sono lì intorno dei giovanotti che ascoltano, il Francesco Taverna, il Sergio Braga, lo Stefano Denti e anche il Giancarlo Bresciani, quello che dice che il Renzo "l'è 'n puverett".

Il Renzo, abbia o non abbia visto la ragazza, esce. "Gli darei una cannellata," dice uno dei giovanotti che si avvia alla porta seguito dagli altri. Fuori il Taverna vede la sua motoretta rovesciata sul selciato. "L'è sta lu." Allora il Taverna, che è un pugile dilettante, corre sul Renzo e lo stende con due pugni. Tutti quelli che sono dentro l'Enal escono a vedere, le voci passano di bocca in bocca: "È saltato addosso alla Pompea". "È andato a minacciare sua zia." "Voleva della roba senza pagare." "Io lo conosco, è uno che fa i versi a tutte le donne, si nasconde dietro le siepi e poi gli salta addosso."

Il Renzo sta risollevandosi a fatica. "Purcaciun," grida qualcuno. "Mandatelo via," urla una donna. Gli sono di nuovo addosso tutti quanti. Il procuratore di Cremona lo sa bene: rinvierà a giudizio gli otto che hanno confessato, ma è l'intera borgata che ha partecipato al linciaggio. A calci, a pugni, a spinte il Renzo arriva davanti all'osteria dell'Attilio, inciampa nei gradini, cade sul pavimento.

"Buttatelo fuori," gridano il Taverna e gli altri. Attilio non si muove. Allora entrano, pigliano il Renzo per le braccia e per i piedi e lo sbattono in strada. È da un'ora e passa che lo pestano e la gente comincia a squagliarsela, restano solo otto o nove giovanotti, quasi tutti di altre borgate. Passa un contadino in bicicletta e si ferma per dire: "Ma lasciatelo stare, è un cristiano anche lui". "Vattene," gli dicono, "se no, ce n'è anche per te."

A calci, a pugni, a spinte il Renzo fa trecento metri sulla strada per Malagnino e poi lo lasciano lì per terra, mentre invoca aiuto e si fa il segno della croce.

Passano alcuni contadini in bicicletta, sentono le sue invocazioni, ma non si fermano. "È quel porcaccione," dicono, "quel girovago." Renzo riesce a rimettersi in piedi, vede una luce, cammina nella sua direzione senza capire che sta tornando a Ca' de Quinzani. Cinque dei picchiatori stanno bevendo nell'osteria dell'Attilio. Vedono comparire la maschera livida e sanguinante del Renzo e si precipitano a dargli l'ultima passata trascinandolo nel cortile dell'osteria, vicino alla legnaia. "Cosa fate," dice Renzo, "non vedete che mi uccidete?" Il medico, che il giorno seguente farà l'autopsia del girovago linciato, troverà il cuore, il fegato e i polmoni sani: il Renzo è morto proprio solo per le percosse. Linciato perché, sembra, aveva fatto "un verso" alla Pompea, la figlia dell'idraulico, quella che studia a Cremona.

Da "L'Europeo" del marzo 1960

Capitolo V

MIRACOLO ALL'ITALIANA

Negli anni della ricostruzione e della crescita economica che passeranno sotto il nome di miracolo all'italiana, le diversità regionali sembrano attenuarsi, il paese fatto di tanti paesi, di tante storie, di tanti sangui sembra per la prima volta trovare una sua conformità nella civiltà dei consumi. E tutto avviene a ritmo serrato. Ogni anno a primavera il ministero del Tesoro comunica i dati del bilancio, le cifre si allungano, le percentuali salgono, i miliardi si moltiplicano, le antenne televisive ramificano sui tetti e guai a chi segnala gli eccessi o gli errori: è un menagramo che ostacola, ritarda il tempo felice dell'abbondanza tanto atteso. Ma agli occhi di uno storico quali sono i caratteri di questo frenetico tempo? Il primo e più visibile è un diffondersi di un'indifferenza morale, una caduta dell'etica, dei valori civili. Manca un'ideologia del benessere che arriva, una prospettiva sociale, tutti sembrano vivere alla giornata presi dal carpe diem, in un limbo che va riempiendosi di macchine, macchinette e giocattoli, in una società così presa dal fare che non si preoccupa più di darsi dei fini, delle gerarchie. Alla diversità delle tradizioni succede la facilità del conformismo.

"Grazie alle macchine," dice il sociologo Robert Paine, "chiunque potrà fare, acquistare, vedere le cose che tutti acquistano, fanno, vedono." Non per lodare il tempo antico carico di sofferenze e di privazioni, ma per constatare i prezzi che si devono pagare al nuovo. Ma pochi sanno vedere, pochissimi denunciano. Un altro aspetto del miracolo è la sua confusione, le sue contraddizioni, la sua farraginosità: si va dall'industrialismo fordista della Fiat superorganizzato al produttivismo confusionario dei magliai di Carpi o dei calzaturieri di Vigevano. Non è facile capire quale sia il protagonista del miracolo, se il supermanager alla Valletta o alla Mattei, o i padroncini delle fabbrichette. Si va dal liberismo delle grandi aziende che competono con il mondo, alla fioritura delle "boite" aperte da operai intraprendenti che creano una nuova forma unica al mondo di capitalismo, quello caro soprattutto al comunismo emiliano, il capitalismo diretto dai comunisti. Il miracolo all'italiana ha degli aspetti unici. In certe province è un miracolo di padroncini che danno ai loro operai paghe giapponesi, in altre, specie al Sud, un miracolo che viene vissuto prima di esserci, con desideri, modelli, costumi che la televisione distribuisce anche ai poveri. Le mie cronache del miracolo quando apparvero sui giornali suscitarono le ire dei benpensanti e degli ipocriti che mi accusavano di "sputare nel piatto in cui mangiavo". Me lo dissero anche la sera in cui, invitato da un famoso chirurgo di Milano, la cena fu servita in piatti d'oro.

Il miracolo più all'italiana, paradossale, colorito, contraddittorio, giornalistico fu quello emiliano che così poteva definirsi: il capitalismo buono è quello diretto dai comunisti. Arrivavano a vederlo da ogni parte del mondo avanzato e Renato Zangheri, il sindaco comunista di Bologna, non mancava di invitare giornalisti e sociologi al Cantunzein, un ottimo ristorante dove si dimostrava che la rivoluzione industriale dei comunisti era anche per l'alta ristorazione.

Ma anche a Carpi l'accoglienza era cordiale e saporita.

I magliai di Carpi

"Tortellini burro e oro?" "Yes, please." "Al signore ci facciamo un bel misto di lingua, cotechino e zampone?" "Ja, bitte."

120

E gli iperborei si ingozzano, povere anime, pur di compiacere gli interpreti dal robusto appetito cui hanno affidato la loro sopravvivenza: o mangiare o perdersi in questa cittadina che fornisce al mondo le maglie made in Italy.

Dunque ristoranti affollati, un'ora per trovare un tavolo, ancora mezza per attaccare e, intanto, un'occhiata al giornale e l'altra alle biondone placide e alle brune proterve, egualmente distribuite fra soci del Rotary e del Lions in viaggio d'affari. Il carrello dei bolliti è più lucido e grande del primo Sputnik, gli iperborei, con interprete vorace, lo vedono avanzare, povere anime, rintronate dalla cagnara che li circonda prima, durante e dopo i pasti.

Ne arrivano ogni giorno di stranieri. Un'automobile li depone, fra centinaia di automobili, nella piazza del Castello, davanti al Portico Lungo, cinquantadue arcate sotto le facciate di cotto, colori e armonia antichi, in mezzo alla piana di terra scura con filari spogli di viti, e nebbie leggere lungo i fossi. I forestieri si fermano attoniti, ma già gli affari li chiamano e appena fuori dalla intatta perfezione della piazza c'è la turpe mescolanza: il "vilein", il villino un po' tirolese di un magliaio a due passi da una chiesa longobarda, edifici bramanteschi e torri estensi circondati dai dadi rosa-azzurro delle fabbriche, centinaia di fabbrichette con il nome dell'azienda sopra il tetto: Clorinda, Miriam, ccc, Lucy, Giba, Noemi, Effegi, Globus, Marilin, Magic. I nomi delle mogli o delle figlie. È un miraggio da paesano della Bassa, una combinazione di iniziali.

Sono fabbrichette strane, stazioni finali di montaggio, magari senza una macchina e con poche operaie, ma capaci di fornire quantità inverosimili di maglie. Più che fabbriche, luoghi di recapito, di smistamento per le lavoranti a domicilio, ma sì, quelle lunghe file di donne in bicicletta con i fagotti appoggiati sul manubrio, matasse di lana se rincasano, maglie se vanno in azienda.

Nelle aziende si rifinisce il lavoro e si commercia. Così bisogna accordarsi con i "maièr", i magliai, quei tipi cordialoni, forse troppo, vestiti all'ultima moda, con facce color terra e sangue come quelle di un Adamo celtico, appena impastato. Se si può è meglio trattare con le loro donne che sono le vere direttrici dell'azienda. Di solito sulla cinquantina e alla buona, parlano come l'Adalgisa dieci parole in semilingua e dieci in dialetto: "Glielo dica un po' al mister che ci ho mille puloverini al bacio". "Mo sta' tenta, Tisbe, 'sta roba l'è fiapa [molle], sagomé mel." "Yes, mister, mille puloverini pronti prima del suo bel vichénd."

Il mister combina, saluta e continua il suo giro d'affari nell'incredibile cittadina scoperta "somewhere in the Po Valley": donazioni di Lotario e circoli comunisti, libera iniziativa frenetica in ogni ceto e *Bandiera rossa* intonata dalla corale, ponti levatoi e Thunderbolt ultimo modello, maglie, camicie, lambrusco e busti di Lenin tra fiori di plastica, sotto i quali si può rievocare, commossi, il riformismo del Bertesi. Il melodramma nel sangue, la Ferrari dodici cilindri in piazza, un'amante a Correggio, il popolo lavoratore che "dice no al fazismo" e i "milioun" e magari i miliardi di tutti 'sti fenomeni che dieci anni fa avevano la bancarella in strada e le toppe nel sedere e adesso guardano il mondo da padroni. Se Carpi non esistesse bisognerebbe inventarla. Per spiegare ai posteri ciò che ha potuto essere il "miracolo" all'italiana.

L'anno scorso [1961] Carpi ha esportato maglie per 18 miliardi e altrettanti ne ha collocati sul mercato interno. Poi ci sono la camiceria e le industrie meccaniche. Se stiamo alla maglieria questa è la terza città d'Europa e la prima d'Italia: suoi il 50 percento della produzione industriale e il 60 delle esportazioni.

Qualcuno stenta a crederlo: dieci anni fa qui si era a zero, 1800 mondine andavano a cercar lavoro nelle risaie piemontesi, la miseria dei braccianti era un brutto peso, per tutti.

E poi il miracolo, che come tutti i miracoli è un po' misterioso, tanto che ognuno ve lo racconta a modo suo e ogni categoria lo rivendica. Chi volesse evitare ogni critica dovrebbe ricordare tutto e tutti, da Nicolò il Biondo che scopre la lavorazione del truciolo nel Quattrocento al commendator Crotti che dà i filati a credito in questo dopoguerra. Comunque sia, negli anni cinquanta, invece della rivoluzione dei rossi arriva quella dei "maièr".

Cominciano le ambulanti: la maglieria va a ruba e ne ordinano quantità sempre maggiori a chi lavora a domicilio. Il giro si allarga, rapidamente: l'industriale dei filati si trasforma in banchiere, gli ambulanti in imprenditori, le contadine in artigiane, i reduci dai lager tedeschi in interpreti e commessi viaggiatori. Insomma, è andata così e siamo a 250 aziende per cui lavorano 40.000 donne con 20.000 macchine, da Castelfranco Veneto a San Benedetto del Tronto.

Un reticolo di maglieriste, cucitrici, ricamatrici, stiratrici, campioniste che copre intere regioni; un formicaio laborioso, fagotti di lana che passano da un cortile all'altro, da questa a quella cascina, il rumore leggero delle macchine dall'alba al tramonto (quante cambiali per pagarle!), i braccianti che buttano la vanga e si improvvisano stiratori abilissimi, il benessere che mette la febbre addosso a tutti.

Le macchine costano, anche mezzo milione, e ce ne vuole a pagarle, ma intanto entrano in tasca tra le millecinque e le duemila lire giornaliere che prima te le sognavi e la ruota gira sempre più in fretta, presto i redditi familiari dei contadini-artigiani superano decisamente le 100.000 lire mensili, sicché si può pensare alla casa, mille alloggi nuovi ogni anno in un comune di 45.000 anime.

Se ascolti l'Ovidio Gualdi, il magliaio aulico, il futuro è una certezza: "Qui l'è un vulcano che esplode, cinquanta campionari nuovi ogni tre mesi e gli stranieri il nostro gusto non ce l'avranno mai, l'è propi acsè, perché o la va o la spacca, capita la prassi?".

E magari l'Ovidio ha ragione, il gusto delle ambulanti carpigiane improvvisatesi direttrici di maglieria sarà misteriosamente superiore a quello degli inglesi, francesi e scandinavi che se ne occupano da generazioni. Eppure mi è rimasto un piccolo dubbio, che questo, detto fra noi, sia anche e soprattutto un miracolo alla giapponese, manodopera sottopagata e orari incredibili in un paese civile.

Bravi i padroncini, coraggiosi, dinamici a "o la va o la spacca", come dice l'Ovidio. Ma come industriali gli va piuttosto facile, direi. Per cominciare, quasi tutti avviano le aziende senza spendere una lira in macchine perché alle macchine ci pensano, a rate, le lavoranti a domicilio. Bisogna formare le maestranze? Niente paura, la gente ha l'abilità artigiana nel sangue dai tempi di Nicolò il Biondo, le madri insegnano il mestiere alle figlie e a tredici anni quelle sono già maglieriste provette. Un bel sistema, le lavoranti a domicilio. Non si pagano previdenza, contributi e tutto il resto che fa il 35 percento di un salario industriale. I sindacati? Ma dai che lo sanno anche loro: o mangi questa minestra o salti dalla finestra. A farla breve, su con la vita. Le Clorinde, Miriam, Noemi, Lucy, Tisbe dirigono le aziende, ma i loro mariti, per diritto virile, se le intestano. Le donne sempre al lavoro, gli uomini al caffè Dorando dove, tra urli e muggiti, impari che "la Juventus l'è 'na squèdra" o cogli al volo storie di donne, di pranzi, di bravate. In tutto il mondo, si sa, certe cose c'è gusto a farle solo se si raccontano. Qui anche a non farle pur di raccontarle. Qui tutto è possibile e nulla è certo, verità e invenzione, vitalità e mitomania, estroversione emiliana e gusto per il novellino popolaresco si mescolano. E una chiacchiera al caffè ti fa evadere dalla Bassa più di qualunque auto supercompressa. "Noi qui viviamo all'americana, capito? I soldi più li fai circolare e più ne hai." Giusto Ovidio, "l'è propi acsè".

Si calcola che i padroncini guadagnino dal 5 al 10 percento del fatturato. Dunque i profitti individuali annui dovrebbero stare fra i 10 e i 300 milioni. Comunque, appena possono, tutti spendono. All'americana.

L'estate scorsa, a Rimini, uno dei padroncini ha bruciato un milione di benzina in venti giorni, gli amici potevano scorrazzare a piacere, dall'alba al tramonto, sui suoi tre motoscafi. Ma il novellino carpigiano ha per tema preferito i night di Modena e di Bologna dove le *entraîneuses* dovrebbero percepire un'indennità per manate al fondo della schiena.

Dunque un padroncino arriva nel night, si accaparra una femmina e ordina un mambo previa mancia di lire 10.000 all'orchestra. E mambo sia. Seguono altro mambo e altre 10.000. Alla terza richiesta gli orchestrali magari ci starebbero ancora, ma i clienti protestano. Allora che ti fa il carpigiano? Consumazioni gratis per tutti, 300.000 all'orchestra e mambi, fino all'alba. Questa è vita.

Uno, dice, preferisce i balli paesani dove butta in aria biglietti da mille e amichevolmente prende a calci nel sedere chi si china a raccoglierli. Le macchine americane c'è chi le prenota tutte purché siano di un tipo inedito a Carpi e dintorni. "In venti mesi," mi diceva un impresario edile, "mio nipote avrà cambiato venti macchine." Eppure io temo che non ce l'abbia fatta a spodestare "Mistero", così soprannominato perché torna da ogni viaggio d'affari con macchinoni mai visti nel creato.

Appena è primavera si fanno le scommesse motoristiche. Per esempio a chi va più in fretta da Carpi a Parigi: siluri d'argento che sfrecciano sui colli di Borgogna per gli allori del caffè Dorando. Di ville con piscina ne esiste una sola, ma già a Modena, diciotto chilometri distante, si parla di dieci e a Bologna sono cinquanta. Però, senza piscina, di ville ce ne sono, a centinaia, in un quartiere che chiamano i "Parioli di Carpi". Nelle sere della buona stagione diresti che vi si tiene una mostra del lampadario, migliaia di luci accese per testimoniare la ricchezza.

"Se i soldi avessero gli occhi," dice un detto popolare, "non volterebbero mai dalla parte dei ladri." Ma 'sti detti popolari non ne indovinano una che è una, i soldi gli occhi ce li hanno, eccome, e corrono, come le donne, da chi li cerca e desidera, con passione esclusiva. E i padroncini amano certamente il denaro, magari alla maniera guascona. "Ma cosa vuole che sia Prato vicino a noi? È come una peschiera vicino al mare." "Ma cosa si credono a Modena quei morti di fame? Che io ci metta sulla carta intestata Carpi provincia di Modena? Ma possono crepare, noi qui, tutti quanti, ci scriviamo Carpi in Emilia." E c'è il caso limite. Un tale, molto noto, che entra al caffè Dorando il giorno in cui hanno pubblicato il ruolo delle imposte di famiglia e grida: "Il Crotti sarà il capolista, ma intendiamoci bene, se non vi fa schifo, chi guadagna di più a Carpi l'è il sottoscritto".

La piccola borghesia impiegatizia cerca di "snobbare" i padroncini, accusati, in versi liberi, di "acquistare la Treccani / che rende fino l'individuo / che la tiene per le mani". Ma io non ho poi visto quel grande abisso intellettuale fra i "ventisettisti", quelli dello stipendio al 27 del mese, e i "maièr", mi sembra che siano tutti d'accordo a esaurire con un mese di anticipo il teatro se arriva la Del Frate o a partecipare a *Campanile sera* innalzando striscioni con su scritto "Carpi è in orbita e s'ciao".

Voi direte che il Pci di Gramsci e Togliatti, dalle note tradizioni umanistiche, organizza mostre di pittura contemporanea e letture dell'inevitabile García Lorca, ma poi tutti quanti se la spassano leggendo "Al rampein", "La Ruscarola" o "Al Bidoun", fogli umoristici che si occupano in prevalenza delle bellezze locali, con lieve ironia: "Quando passi in bicicletta / con la gonna tanto stretta / le ginocchia belle tue / come gli occhi son da bue".

Se si bada ai libri più letti (*La monaca di Monza*, *L'amante di Lady Chatterley*, la *Biografia di Togliatti*, *I peccati di Peyton Place*) si nota un indirizzo erotico-politico che ritroveremo in altri aspetti della vita cittadina.

A Carpi i comunisti hanno la maggioranza assoluta e godono del generale rispetto. Sono simpatizzanti comunisti anche i padroncini che in fabbrica ti rifilano una multa se ritardi di un minuto e ignorano la commissione interna.

Ma non parlategli male del partito se no cambiano discorso o vi piantano. Forse perché qualche anno fa, quando erano ambulanti, avevano quasi tutti la tessera; forse perché l'ambiguo regime creatosi nel comune non gli dispiace.

"Sa, qui non è mica tanto facile parlar male dei comunisti," mi diceva un esponente del partito. E lo credo bene, sul solido barcone sono saltati un po' tutti: bordighiani, togliattiani, turatiani ed ex fascisti; gli eredi del riformismo cooperativistico e quelli del massimalismo suicida; braccianti non più braccianti, mezzadri, operaie borghesi e non pochi conservatori mascherati; un glorioso movimento sindacale che ha cinquantasei anni di vita, i partigiani rossi, l'antifascismo non meglio definito, gli impiegati del comune degli enti locali e forse un po' di mascolinità anticlericale.

A farla breve un regime con i suoi credenti e i suoi opportunisti, i suoi guerrieri e i suoi tira a campare: leninista di nome, socialdemocratico nei fatti, con un'efficacia, se volete, che i socialdemocratici veri non hanno mai avuto.

Io non saprei dire se questa posizione appartiene alla tattica del movimento operaio o se rappresenta un puro e semplice imborghesimento. Non è affare mio sentenziare in materia di politica. Ma se è lecito esprimere un giudizio estetico, dirò che questo pasticcio comunale-tortellinesco è piuttosto mediocre. Detesto la politica dialettale e non sopporto i tartarini che si sentono grandi perché sono nel grande partito.

Chiedevo a un esponente della Camera del lavoro: "Ma voi che gli raccontate a questi artigiani ferocemente individualisti sapendo bene che nel vostro Stato, come insegna la Russia, sarebbero destinati a scomparire?".

E lui, fiero come un capobanda: "Qui siamo a Carpi e la Russia non la copiamo".

"Ma, dico, questo crescente benessere non vi preoccupa? Non avvertite qualche mutamento di sostanza anche se i voti restano identici?"

"Noi siamo tranquillissimi, il benessere e il comunismo vanno perfettamente d'accordo."

Contenti loro contentissimo io, che dopotutto sono un borghese. E così si è stabilito il profittevole modus vivendi: gli artigiani, gli impiegati, certi professionisti che seguitano a votare per il partito e il partito che chiude uno o due occhi se c'è da scegliere fra il tornaconto personale e l'intransigenza dottrinale. Uno strano partito leninista, Dio lo protegga, che segue, spesso aiutandola, la formazione di una società che piacerebbe a Babbitt.

Siccome gli atteggiamenti massimalisti hanno fatto il loro tempo, dirigenti sindacali e piccoli imprenditori, funzionari del partito e placidi borghesi sono amiconi, vanno insieme a mangiare vocabolari di lasagne al forno, insieme evado nelle giornate festive. La domenica Carpi è deserta, proletari e capitalisti sono partiti con rombi laceranti per quel piacere contemporaneo che consiste nello scambiarsi di posto: tu mangi nel mio paese e io nel tuo, tu ti bagni nel mio torrente e io nel tuo ecc. Insomma la vita va facendosi uguale per tutti, anche per gli Athos, Amos, Leandro, Ivan, Ottobrino e Omero che sembravano destinati alle barricate.

Nasce anche a Carpi una società nuova in cui la tinta rossa è sempre più una tinta superficiale. I problemi politici stanno passando in secondo piano, quelli economici si impongono ai padroncini come alle loro lavoranti a domicilio. Vi ho detto che i padroncini erano quasi tutti degli ambulanti, se va bene, con la quinta elementare. Nei primi anni tenevano la contabilità su un notes, ma adesso sono corsi ai ripari dando la caccia al ragioniere. Una ragazza di Modena, diciannove anni, diplomata nel giugno scorso è stata assunta da un "maièr" in luglio a 30.000 lire mensili. A settembre il suo stipendio era di 50.000, al principio del '62 di 80.000. Altri diplomati vengono strappati a suon di bigliettoni dalle banche e dai pubblici uffici; gli allievi dell'istituto locale sono già tutti prenotati.

Qualcuno spera che l'attuale organizzazione produttiva possa resistere per molti anni. Altri, i più intelligenti, hanno capito che il passaggio alla fase industriale vera e propria è inevitabile. Gli americani fanno già delle ordinazioni di 10.000 capi per volta per 200 o 300.000 dollari e solo chi è attrezzato può farvi fronte. Perciò sono stati acquistati negli ultimi mesi quaranta telai Cotton che costano fra i venti e i quaranta milioni e fanno anche mille capi al giorno. Comunque chi vuole godersi lo spettacolo di una rivoluzione industriale in rapido e caotico svolgimento venga pure da queste parti. Ci sono alberghi moderni forniti di ogni comfort e interpreti di robusto appetito. E ci sono i padroncini, una specie interessante per molti aspetti, che presto cominceranno vicendevolmente a divorarsi.

Da "Il Giorno" del 1° marzo 1962

Il re del cemento

Passato l'Adda si entra nel principato alpestre papalino di Bergamo, dove tutti obbediscono al principe-vescovo, salvo alcuni parroci di campagna, vecchi e un po' matti. Costoro, se hanno una prima pietra da far benedire, evitano la Curia e vanno dal Giusepì, il fratello del papa [Giovanni XXIII]: "Mi so mia bigot," spiega il Giusepì, "ma i me porta i bloc". Così li mette nella valigia e li porta a Roma.

Simili "insubordinazioni", si intende, non turbano l'ordine sociale del principato e il suo progresso economico, non certo inferiore a quello della contigua Repubblica italiana. Negli ultimi tre anni la periferia cittadina si è arricchita di 250 fabbriche, altre vanno sorgendo, sicché direi che la definizione di Bergamo "mistica e sciistica", dovuta, pare, a un federale, ha fatto il suo tempo. Ora bisogna dire "mistica e industre". La prova è che Bergamo esporta tessuti, tubi di acciaio, sacchi di cemento e preti. Prodotti dal seminario locale e rifiniti dal Pio Istituto del Paradiso, vengono spediti nelle parrocchie "carenti" della Toscana e dell'Emilia.

Nel capoluogo i disoccupati sono quasi scomparsi: 2500 nel '59, forse 200 oggi, anziani o seminvalidi. C'è tanto lavoro che gli appalti del municipio sono disertati. Le ditte sono già impegnate per anni o non dispongono della manodopera specializzata, opere pubbliche per 3 miliardi attendono di essere messe in cantiere. Un imprenditore, l'ingegner De Bartolomeis, ha dovuto creare una scuola per avere gli operai che gli servono: intanto che sono scolari li paga mille lire al giorno.

I salari sono aumentati molto meno che i profitti, ma quanto basta perché tutti vogliono condizioni di vita migliori; 1000 stanze nuove nel '60, 1800 nel '61. Con il televisore, si capisce: 4000 apparecchi nel '57, 11.000 oggi. E poi un mezzo motorizzato ogni sette persone, consumi in continuo aumento, costo della vita pure. A farla breve, anche da queste parti è arrivato il famoso "miracolo". Però io ci andrei cauto. Dite pure che meno gramo, ma io, a certi segni, sento aria di depressione. L'anno scorso, per esempio, come risulta dall'imposta di famiglia, l'ingegner Carlo Pesenti ha guadagnato solo 35 milioni. Se un tipo che è amministratore delegato, direttore generale, presidente, vicepresidente e consigliere di almeno quaranta società guadagna 35 miserabili milioni, mi dite voi dove andremo a finire? È un caso doloroso, che fa pensare.

Questo ingegner Carlo Pesenti è un tale che di notte, e magari anche di giorno, sogna una palingenesi al cemento: prati, boschi, strade, case, stanze, letti, poltrone, suppellettili – speriamo ci risparmi le mutande – di cemento. Tempo fa egli ha acquistato una fabbrica di automobili. Chissà che, fra breve, non adoperi per le carrozzerie la prodigiosa mistura di calce, arena e ghiaia per cui delira. Si direbbe che gli piacciono, negli altri, i cervelli di cemento. A Bergamo si consiglia ai suoi aspiranti impiegati di rispondere sì a qualsiasi domanda dei test psicotecnici. "Il mare è giallo?" "Sì." "Gli asini volano?" "Come no!" E così via perché l'assentire è un buon metodo per fare carriera.

Poi dovrebbe essercene un altro, se è vero il seguente episodio. Dopo sette anni di onorato servizio un impiegato ottiene un aumento di lire 1853 lorde. L'ingegnere lo chiama e si informa paternamente: "Bravo, mi hanno detto del suo zelo, in che ufficio è?". "Ufficio personale, ingegnere." "Bene, ho cominciato anche io lì. Come vede è un ufficio in cui si fa carriera."

Indefinibile ingegnere: forse un umorista crudele del tipo Greenwich Village, forse un grande attore che predilige le maschere di Micene, età del bronzo. Già nel 1948 egli aveva sdegnosamente rifiutato un accertamento fiscale sui 18 milioni annui e ora ne respinge con fermezza uno da 100 milioni. Il comune di Bergamo mi perdoni, ma di fronte a simili accertamenti io mi sento davvero turbato. Perché infierire tanto contro uno che, dopotutto, controlla solo un centinaio di fabbriche valutate in Borsa sui 100 miliardi? Perché confondere la sua modesta persona con le anonime di cui è un modesto servitore?

Adesso l'ingegnere, pardon la Italcementi, ha offerto alla città, in occasione del suo centenario (della Italcementi, non dell'ingegnere), qualche cosa come cinque piscine, due coperte e tre scoperte. Secondo le consuetudini della ditta, l'offerta è stata del tipo prendere o lasciare. Il comune, si sa, avrebbe preferito una scuola professionale, una casa di cura e altre cosette di secondaria importanza, ma ha dovuto accettare senza discutere il dono igienico-sportivo, alle condizioni precise e un po' umilianti fissate dalla ditta, la quale per tre anni gestirà l'impianto per insegnare un po' come si fa.

Le piscine saranno di tipo hollywoodiano, con marciapiedi riscaldati e altre raffinatezze, che piaceranno un mondo a cavatori di cemento un po' disturbati, si sa, dalla silicosi e dall'asbestosi. Dicono che saranno le più belle e perfezionate piscine del mondo. Comunque io, comune di Bergamo, avrei declinato l'offerta. Perché impoverire una società che ha un amministratore delegato così mal retribuito?

L'ingegnere ha regalato poi un asilo a Sotto il Monte. Forse lo rallegrerà sapere che Sotto il Monte è il paese che ha dato i natali al Sommo Pontefice. È una notizia inedita che gli comunico con vero piacere.

L'uomo e la famiglia vivono in una decorosa modestia e come i Quintino Sella di onorata memoria subiscono una certa leggenda di aneddoti inventati su misura: "In casa Pesenti il frigorifero è chiuso con il lucchetto". "Da studente il Pesenti figlio accompagnava in macchina a Milano i compagni di università: e gli metteva in conto la benzina, il bollo, il consumo gomme e altri ammortamenti."

Risibili bugie. È autentica invece la confidenza fatta dall'ingegnere pochi giorni or sono: "Quando i tedeschi mi chiamarono al loro comando si stupirono vedendo che rifiutavo liquori e sigarette. Non volevano credere che fossi senza vizi, cercavano di scoprire il mio vizio segreto". Bravi a far la guerra 'sti crucchi, ma un po' duri di testa. Ci voleva poi tanto a capire qual è il vizio segreto dell'ingegnere?

Il vizio segreto, ma non troppo, dell'ingegnere è quella sete inappagabile di potere economico che acceca alcuni uomini, gli consuma la vita e li rende odiosi; a cui subordinano ogni principio di civile convivenza; per cui costringono gli altri a servizi penosi e umilianti.

Per guarire i suoi dipendenti da ogni prurito riformistico, l'ingegnere tratta i sindacalisti delle sue aziende come dei candidati al trasferimento nelle isole. Se i membri della commissione interna si limitano a fare gli auguri di Natale, passi, se no li fa subito mettere in guardia con una di quelle lettere che sono una specialità del suo ufficio personale, roba che vien voglia di incollarla sulla faccia di chi l'ha spedita.

Non si conoscono in Italia altri uffici più abili a opprimere i dipendenti stando dalla parte della legge. Se soltanto un quinto di questa abilità venisse impiegato a stabilire rapporti amichevoli o di collaborazione fra la società e chi ci lavora, questa sarebbe un'azienda idilliaca. Invece un ritardo di pochi minuti diventa una tragedia, una qualsiasi critica un sacrilegio. A volte si arriva al ridicolo, controllando il tempo impiegato da un dipendente al gabinetto.

Preso dai suoi innumerevoli impegni, l'ingegnere deve aver poco tempo per la lettura, ma non deve essergli sfuggito il brano in cui de Gaulle parla della segretezza come di uno strumento del potere. Infatti ama i modi misteriosi. Molti dipendenti non hanno mai avuto il piacere di vederlo, non so se gli basterà sapere che l'ingegnere lavora per fargli "il regalo" di uno stipendio o la "munificenza" di un aumento.

Certo nei suoi affari l'ingegnere sarà un uomo in gamba, probabilmente un genio in fatto di cave, teleferiche, sacchetti, protezioni doganali ecc. Il suo "miracolo" è imponente: controlla il 75 percento della produzione italiana del cemento e le sue aziende hanno un indice di capitalizzazione del 9,6, fra i più alti in Italia, anche per via dei loro salari, fra i più bassi della penisola.

Eppure qualcuno potrebbe dubitare della sua intelligenza. È intelligente fare la vita schifa di chi è detestato da tutti? È intelligente puntare su ideologie e metodi defunti? È intelligente proclamarsi anticomunista feroce e poi indurre in tentazioni bolsceviche anche i più miti e devoti dipendenti cattolici?

"Il Pesenti," mi diceva un suo impiegato, "non sarà né buono né cattivo, ma certo è un personaggio grottesco." L'ufficio personale non si inquieti: l'impiegato in parola ha già dato le dimissioni.

I ricchi di Bergamo salgono. Prima all'ultimo piano del condominio, poi sui declivi fra la città nuova e quella vecchia e finalmente, se il Cielo li ama, lassù, nella meravigliosa acropoli cristiana, cupole, alberi, campanili e torri, fra veli di nebbia, nel mattino.

Anni fa la città vecchia e alta era definita dalle tre P: preti, poveri e p... Ora le P sono quattro per via del clan cementifero dei Pesenti che hanno preso alloggio in via della Porta Dipinta. È salito lassù anche Gianandrea Gavazzeni, il direttore d'orchestra, uomo di grande cultura, occhi color acqua alpina. Stanno rinascendo a nuova vita quei pochi aristocratici che avevano resistito in quella solitudine, fra stradicciole, giardinetti e cortili all'ombra con un odore di chiuso, di fresco, di muffa. Forse il loro Circolo dell'Unione non sparirà dalla terra, come i dinosauri, per estinzione naturale della specie. E intanto possono affittare con profitto i sottotetti dei loro palazzi perché i nuovi ricchi hanno bisogno impellente "di aria e di luce".

Va riconosciuto ai nuovi inquilini della via della Porta Dipinta un grosso merito: hanno rispettato la città vecchia seguendo nei restauri i consigli del professor Luigi Angelini, a cui siamo debitori del mancato scempio. Certo né il professore né gli altri potevano salvare il paesaggio sottostante. Un tempo uscivi su queste terrazze e avevi il mondo ai tuoi piedi: i campi verdi dentro la punteggiatura dei gelsi, i cascinali a distanze regolari, i borghi, fermi in un tempo silente, e laggiù Milano, fra basse foschie. Ora, in basso ci sono le industrie e il loro frastuono può arrivare sino alla pace della Piazza Vecchia, marmi rosati e pietre gialline, il leone marmoreo di Venezia sulla facciata del palazzo gotico, Pax tibi Marce evangelista meus.

Comunque i ricchi salgono e i loro sottotetti di lusso si

riempiono di mandole scassate, prue di gondole, candelabri in legno decorato e tutto il bric-à-brac che gli arredatori contemporanei alternano alla "castità" dei mobili nordici accontentando comunque una clientela incapace di definire i suoi gusti e il suo stile. Dico per sentito dire perché nelle case dei ricchi bergamaschi è difficilissimo mettere piede. Il denaro non gli ha tolto una certa ritrosia montanara, le loro ricchezze le tengono il più possibile nascoste. Adesso si sono fatti il campo da golf sull'Albenza. L'architetto Harrison è venuto apposta dall'Inghilterra per curare i particolari; tre "patronesse" si sono date da fare per scovare le piastrelle rosa per gli spogliatoi femminili; i discendenti di Bortolo che respirano l'aria del Country club. Altri si accontentano di piaceri più concreti: "'Na bela mangiada" o l'Atalanta football club, il cui presidente, il senatore Turani, ha un hobby curioso: far nominare cavalieri tutti i suoi collaboratori. Per finire, quasi tutti acquistano quadri (per investire denaro) di artisti di cui hanno "una stima sulla parola".

I ricchi salgono speditamente; gli altri, con una certa fatica, si tolgono da una povertà secolare e disciplinata. Gente operosa, buona, onesta, abituata a una pazienza ammirevole. E vanno rapidamente mutando anche i valligiani, quei tipi fedeli e coraggiosi con dentature cariate e voci gutturali che furono la miglior carne da cannone disponibile sul mercato nazionale. Anni fa ero qui per il processo al mostro di Pontoglio, quello che metteva una pietra in una calza e faceva strage. Ma pareva un omarino gentile e cortese di fronte al pubblico sceso dalla val Cavallina. In certe valli isolate gli orobi si erano ridotti piuttosto male di generazione in generazione. Ma ora i giovani sono cambiati: o emigrano nella buona stagione o trovano lavoro nei paesi del fondovalle. Molti si sono fatti la motoretta, parecchi vestono come i ragazzi della città. Il sabato sera e la domenica, con tutto il rispetto per la fede avita, calano al cinema-teatro Duse dove i programmi variano su un unico tema: "Baraonde di donne capovolte in trasparenza". "Atomicamente nude." "Nudevolissimevolmente." "Grazia Yunko nei sexy peccati capitali." E altre follie.

Bergamo cambia, ma i bergamaschi non se ne accorgono. L'immigrazione da altre regioni è trascurabile, le vecchie tradizioni e le vecchie strutture sembrano intatte e il progresso economico già incanalato in un sistema di fossi, chiuse, bacini esistente da secoli e buono per altri secoli. Confermano questa impressione di immobilismo sociale un certo perbenismo conformista e ossequiente del tipo legittimistico austriacante. I giornali confinano gli scandali in tre righe, non si dice chi ha sbagliato, si passano sotto silenzio le dimissioni, se un sindacalista denuncia in pubblica adunanza i metodi della Italcementi gli impiegati che lo ascoltano restano muti come i pesci anche se poi gli diranno bravo, incontrandolo per la strada, da soli.

La vita culturale è dominata dai tabù tradizionali: l'opera lirica e la banda musicale sono intoccabili perché "tengono alto il nome di Bergamo nel mondo", anche se il mondo, a dire il vero, tranquillamente le ignora. Invece l'unica manifestazione di risonanza internazionale, il Festival per il cinema d'arte, è supportata con fastidio, puzza di nuovo e di sovversivo, questa cristianissima città non gradisce, pare, i film pacifisti.

Sono diventati conformisti, in questa città, anche i protestanti svizzeri capitati qui nel primo Ottocento: se il pastore Lupo si mostra troppo zelante nell'apostolato lo frenano e poi fanno grosse donazioni alle istituzioni cattoliche ottenendo pace in vita e necrologi laudatori, in morte, dai giornali della Curia.

E gira e rigira bisogna pure che parli del clero bergamasco. So bene che il discorso è difficile in una città dove il rispetto per la religione si mescola all'amore per la "petite patrie" e dove un giudizio critico può sembrare sacrilego. Però mi ci proverò egualmente.

Il clero di Bergamo è forte e gode di un grande prestigio. L'ironia anticlericale è sconosciuta da queste parti; parroco e curato sono persone autorevoli e ossequiate. Probabilmente la convenienza non è estranea a tale stato di cose: il clero è potente, la Democrazia cristiana ha la maggioranza assoluta. Ma il rispetto è sincero, si conosce l'onestà morale dei sacerdoti, non si dimentica che essi hanno combattuto senza riserve al fianco dei partigiani.

Però saremmo degli ipocriti se tacessimo su alcune iniziative dell'alto clero e su certe sue alleanze, variamente giudicabili, ma comunque assai impegnative. Tutti sanno, per esempio, che si svolge una continua osmosi, a livello direttoriale, fra le banche cattoliche e quelle cementifere, fra i giornali della Curia e dell'Unione industriale. Niente di male, in linea di principio, se poi non si sapesse che certe opere pie costate miliardi sono il frutto di regali pelosi, di precisi do ut des. A suo tempo si è fatto un gran parlare della storia dell'area del nuovo seminario.

Si dirà che certe contaminazioni sono inevitabili, che bisogna pure oscillare tra il fervido misticismo e la fredda Realpolitik. Può darsi, ma giudichi il clero bergamasco se non è giunto il tempo di una maggiore chiarezza e di una minore ambivalenza. Il progresso non è soltanto economico. Migliaia e migliaia di giovani scoprono i libri e nei libri la cultura e la tecnica. Le scuole professionali sono ottime e numerose, i corsi serali frequentatissimi.

Questi giovani stanno prendendo coscienza dei loro doveri e dei loro diritti in un modo diverso da quello legittimistico austriacante. Sono àncora rispettosi, ma il loro rispetto non è più automatico come un riflesso condizionato. Ragionano, operano, si battono per una vita migliore. Forse chiedono qualcosa di meglio del vecchio ordine, certo qualcosa di diverso. Non gli basta più un potere costituito che non sa andare al di là del vecchio paternalismo.

Da "Il Giorno" del 20 febbraio 1962

Milano: il crogiuolo

Nell'Italia che cambia l'italiano si trasforma. È attorno a Milano, specie nel Nord milanese, che nasce un italiano nuovo. Solo qui, direi, si ripropone il crogiuolo americano, la mescolanza degli idiomi e dei tipi fisici, la sostituzione rapida del modo di vivere, la morte violenta del passato. Qui anche fisicamente il vecchio viene cancellato.

Sulla raggiera delle strade, sulla geometria dei campi, sulle linee dei gelsi si sovrappone la colata di cemento. Dall'alto di un aereo la pianura e le colline a nord di Milano sono irriconoscibili. Cemento, vetro, ferro. Qua e là, come relitti archeologici, una villa settecentesca, una cascina, magari un vecchio mulino. Ma domani può già essere passata la ruspa a livellare il terreno e a scavare per le fondamenta di un nuovo edificio. Il nuovo nasce caoticamente. In una fascia profonda venti chilometri e larga anche sessanta la crescita urbana ha ubbidito più a una spinta vitale, quasi vegetativa, che a un criterio razionale.

Ma la gente che ci abita vi fa meno caso di quanto si possa credere, non ha sofferenze estetiche.

Si riproduce quell'adattamento al brutto, quasi il gusto del brutto che fu della Coketown dickensiana. Nascono degli italiani che hanno subito negli occhi questo paesaggio industriale: questa è la loro patria e la amano. Amano anche i cattivi odori, la mediocre cucina, l'aria impura perché qui vivono meglio che nei luoghi dove i fiori e i frutti e il mare profumano l'aria. Nasce nel Nord Milano un'Italia americana, forse la zona più americanizzata d'Europa. Il modo di vita all'americana non è soltanto un'accettazione di una way of life più avanzata. È anche una necessità: è l'effetto del crogiuolo. E dove le memorie vengono bruciate alle spalle, dove scompaiono gli idiomi, le abitudini, i pregiudizi, le superstizioni e anche le cose poetiche dell'Italia povera contadina, qui è necessario un costume comune, semplice, sbrigativo. Il Nord Milano ha ormai perso le diversità campanilistiche della vecchia Italia (ogni comune la sua storia, il suo castello, la sua piazza, la sua inconfondibile geometria) e si uniforma.

La sera girando in macchina non si capisce se si è a Monza o a Lambrate o a Cantù. Non si capisce neppure se si è in un quartiere dei ricchi o dei poveri; questa periferia industriale non corrisponde più alla periferia sociale della città borghese; qui si mescolano operai e impiegati, dirigenti e bottegai, non siamo ancora alla classe unica dei consumatori medi di certe città americane, le differenze di classe sono ancora notevoli, ma la mescolanza è già avvenuta, i borghi operai sono diventati borghi misti. Edifici immensi, alveari. Oppure le villette con l'orto per il pendolo dei modesti Cincinnati contemporanei: il contadino che si è inglobato in città, respinto dalla città in periferia, che ritrova il piacere di coltivare, in piccolo, il suo orto, il suo giardino. La nuova città con le nuove chiese; ala di gabbiano, vela, paracadute pietrificato, rombo, piramide. Le forme dell'architettura moderna per le preghiere di sempre, ma non più incomprensibili, l'uso del latino scompare, la messa viene detta in italiano. Nasce nel Nord Milano il cittadino senza città. Voglio dire senza una dimensione precisa, definibile, della sua città. Nasce il cittadino di una megalopolis larga settanta chilometri e profonda trenta che avrà fra non molti anni quattro o cinque milioni di abitanti. Pochi simboli in comune per tutti: le grandi squadre di calcio, i giornali. Poi la moltitudine indifferenziata, il mare di case, strade, ponti, di ferrovie, di fabbriche, di insegne luminose, di antenne televisive.

Le dimensioni anche sentimentali della vecchia città stentano a capire l'adattamento al nuovo. Ma quelli che nascono qui si adattano, probabilmente preferiscono questa uniformità senza vincoli alla diversità antica, che circondava gli uomini di limiti e di proibizioni. Il pianto sul mondo che è dietro le spalle non è del Nord milanese. La gente che abita qui si è lasciata dietro le spalle un passato quasi sempre peggiore. Chi abita qui sa benissimo di essere incomparabilmente più libero, più rispettato, più padrone di sé di quando lavorava nei campi. L'ora migliore del Nord Milano è il crepuscolo della sera, quando si accendono le grandi insegne luminose e chi vuole, sia giovane, sia donna, sia umile, sia appena giunto, può uscire, pari fra i pari, senza timore di essere osservato dal notabile, senza preoccuparsi di salutare il padrone. Nella megalopolis, alla sera, le gerarchie scompaiono: nel gran mare di case, di fabbriche, di strade gli uomini sono tutti eguali. Certe mattine, dopo una notte di pioggia e di vento le montagne sembrano a portata di mano. Ma più spesso il cielo è una foschia grigia in cui si perdono i fumi delle mille fabbriche.

È più bello il cielo di Amalfi o di Bari o di Rovigo. Ma il cielo non è tutto, gli uomini hanno sempre dimenticato il bel cielo per il buon lavoro. E qui è il centro motore del mondo che lavora: qui c'è una concentrazione telefonica fra le più alte d'Europa, un automezzo ogni famiglia e macchine per abitare, per muoversi, per divertirsi. C'è anche il prezzo, si capisce, ci sono anche gli orari duri, gli straordinari folli, i disagi dei trasporti, il carovita era meglio qui che nei villaggi di partenza. Per quasi tutti questo è stato un viaggio senza ritorno. Il mito del ritorno al Sud appartiene per ora alla letteratura. Al Sud si torna solo per costrizione.

Da *La nuova frontiera di Milano*, 1965

Mövess giuvinessa!

Ma cos'è questa Milano? Che ne sappiamo noi terroni famelici, veneti malnutriti, emiliani della collina, brianzoli fiduciosi, piemontesi annoiati del Piemonte e immigrati vari, capitati qui in cerca di fortuna? E che ne sapete voi, milanesi di sangue puro che poi, dice il vostro Gadda, sarebbe "l'antica mescolanza tra il ligure, gallico, longobardo e minchione"? Noi maggioranza frenetica attorno ai pezzi della torta e voi minoranza sparsa nel gran calderone, che ne sappiamo, tutti assieme, di questa città eterogenea, caoticamente vitale, che si allarga a macchia d'olio?

"Andiamo, non dica sciocchezze. Lei a Milano si trova bene? E allora? Ascolti me: di Milano ce n'è una sola. Qui se si batte un piede per terra saltano fuori i milioni, i miliardi. Città viva, di una generosità totale, con tutti. Insomma la Milano con il cuore in mano."

"Anche con i vecchi?"

"Sigura, con i vecchi siamo i primi d'Italia."

Qui a Milano siamo sempre i primi d'Italia, perennemente all'avanguardia. Qui "un sereno affetto," scrive il capocronista benpensante, "circonda i capelli d'argento"; qui le dame della buona borghesia si commuovono al teatro di Bertolazzi e sentono nostalgia dei vecchi brumisti che sapevano essere felici con "qui quater frankitt"; qui l'anima turatiana degli elettrotecnici e quella manchesteriana degli industriali provvedono al quieto tramonto di coloro i quali, "non dimentichiamolo, hanno prodotto per tutta la vita".

"Allora l'ha capita la nostra Milano?"

"Mi ci sono provato."

"E che ne dice della nostra assistenza ai vecchi?"

"Le dico due cose: se davvero siamo i primi d'Italia, il resto d'Italia è una pena. Poi ripeterei il consiglio di un medico che conosce il Pio Albergo Trivulzio, meglio noto come la Baggina: 'Non invecchiate mai, se siete poveri. Non invecchiate o vi tratteranno come una scarpa usata'."

Le cose stanno proprio così. È andata bene a tanti, in questa Milano, ma non ai vecchi. Nella grande sfida tra progresso tecnico e servizio sociale i vecchi hanno avuto la peggio: per una pagnotta in più l'ostracismo e la solitudine.

Avete mai udito il grido del tassista quando evita un fattorino anziano o sorpassa una vecchietta impaurita? Inganna la seconda e lancia il suo "mövess giuvinessa!" bonariamente crudele. Egli dice ciò che molti pensano: Milano avrà il cuore in mano, giorno e notte, ma non vi mancano coloro che i vecchi vogliono toglierseli dai piedi, in fretta.

"Nella società industriale il vecchio non serve, non ha chi lo serve, non ha nulla da insegnare." Diciamo un essere debole, indifeso, abbandonato alle contraddizioni di un produttivismo ingordo e caotico. Si pensava che le macchine avrebbero prolungato l'attività feconda dell'uomo, la sua funzione sociale e invece lo superano, lo eliminano. Si credeva che l'aumento del benessere avrebbe rafforzato i vincoli familiari e invece li spezza, una folla mai vista di vecchi bussa alle porte dei pubblici ospizi. Voglia Iddio che non ci avviciniamo verso una di quelle società inflessibilmente pragmatistiche che detestano "le bocche e le braccia inutili". Sentendo parlare, qui a Milano, di "stazioni di smistamento per i vecchi" io mi sono sentito gelare. Mi spiegava la necessità di classificare i vecchi per destinarli al tale ricovero o al tale cronicario, capivo le ragioni di una scelta, ma la parola smistamento non la sopportavo, forse per averla udita troppe volte dalla voce di un tale che stava in una gabbia di vetro, a Gerusalemme [Adolf Eichmann].

I vecchi, si sa, sono degli esseri cocciuti. In una città che gli è ostile per il clima, per il traffico, per gli imperativi produttivistici essi si ostinano ad aumentare di numero. Nel 1881 ce n'erano in cifre tonde 7500 sopra i settant'anni e 1000 sopra gli ottanta. Oggi sono rispettivamente 60.000 e 15.000. Nel frattempo, si capisce, è aumentata la popolazione, ma la percentuale dei vecchi è passata dal 14 al 26. Di questi 75.000 vecchi, circa 10.000 sono ricoverati nei pubblici ospizi, altri 14.000, volenti o nolenti, c'entrerebbero se ci fosse posto, e un numero imprecisato, ma notevole, vive da solo nelle soffitte. Poi c'è la "barbonia" di cui fa parte una vecchiaia anarchica che dorme sotto i ponti, ma difende la sua libertà. Togliamo pure dal totale coloro che sono rimasti soli al mondo. Ne rimangono abbastanza per indicarci che un numero crescente di famiglie è indotto o costretto a liberarsi dei suoi vecchi, come del resto accade in tutte le grandi città industriali.

Alla rottura di questi rapporti si giunge nei modi che gli assistenti sociali e gli impiegati dell'assistenza municipale conoscono: i figli maggiori si sposano e lasciano i vecchi affidati al più giovane. Naturalmente, concorrono alla quota per il mantenimento, spesso si affidano all'arbitrato della burocrazia municipale. Trascorrono alcuni mesi, se va bene alcuni anni e poi quelli usciti da casa smettono di pagare la loro parte: la moglie ha avuto una malattia, sono nati dei figli, qualcuno non ce la fa più, qualcuno è stanco di sacrifici. Allora il giovane si presenta agli uffici dell'assistenza municipale e chiede il ricovero dei genitori in ospizio. I vecchi potrebbero ricorrere davanti al pretore contro i figli inadempienti. Non lo fanno mai, preferiscono l'ospizio. Del resto varrebbe la pena di combattere? Per i vecchi non c'è più spazio nelle case-alveare e non c'è assistenza da quando anche le donne vanno a lavorare. E poi con i giovani è difficile andare d'accordo, le idee sono così diverse in fatto di lavoro e di costume. È scomparso il vecchio artigiano che trasmetteva la sua esperienza ai figli, non c'è più la "reggiura" che amministrava con mano ferrea la famiglia patriarcale.

La frattura del nucleo familiare ha raggiunto anche la borghesia. Cinquant'anni fa, quando gli ospizi si chiamavano ricoveri di mendicità, i borghesi piccoli o grandi che ci capitavano erano due, tre su cento. "Oggi," mi dice il gerontologo Armando Rancati, "sono quaranta su cento negli istituti milanesi. E magari ce li portano dei tipi in Alfa Romeo."

Non parlo, intendiamoci, di una Milano contemporanea cattiva da opporre alla Milano buona di un tempo. Parlo di una città che subisce, nei suoi individui, la pressione e le alienazioni della civiltà industriale e che non reagisce adeguatamente con i suoi strumenti pubblici e collettivi.

Poveri vecchi, nati nell'Italia umbertina, alla religione del progresso e del socialismo umanitario. "Laboravi fidenter." Ed ecco il risultato: a disagio se li tengono a lavorare in fabbrica "perché i giovani pensano che occupiamo posti preziosi"; sopportati in casa "come uno che mangia a sbafo"; finché un triste giorno dicono "en podi pu" e vanno all'ospizio o in soffitta ad aspettare la "margniffa", che è quella con la falce, uguale per tutti.

Dominata dai suoi imperativi produttivistici, la città non può badare ai vecchi, non li vuole tra i piedi, li spinge via con un "mövess giuvinessa!". Poi è facile trasformare i vecchi in "vecchioni", cioè in maschere grottesche, estranee al rispetto e alla pietà: "Vecchione incendiato dalla pipa. Ieri l'ottantaseienne Felice Bergomi si è addormentato mentre fumava la pipa...". È un filone cronistico che si rinnova di continuo: l'epopea della Baggina, umorismo da corte dei miracoli, un compiacimento sadico sotto la finta indignazione.

Li ricordate i matrimoni alla Baggina? Si cominciò con

i "vecchioni" che sposavano le prostitute oppure le straniere: un matrimonio per un certificato di residenza o di nazionalità; qualche biglietto da mille, una bevuta con i testimoni e poi chi si è visto si è visto. Si è continuato con i matrimoni, all'interno dell'ospizio, per avere "la stanzetta a due letti". E si sarebbero sposati tutti se la direzione non avesse disposto che occorrevano dieci anni di matrimonio per ottenere la famosa stanzetta. E infine gli squallidi scandali, la coppia di settantenni trovati in atteggiamenti amorosi nel sottoscala, e in mancanza di meglio: "Vecchione sotto il tram. Ieri l'ottantenne Alfredo Cavenaghi, dopo un'abbondante libagione...".

Così il discorso è venuto sui pii e pubblici ospizi milanesi. Pare che siano occorsi diversi millenni per stabilire il concetto che gli uomini sono delle persone e non delle cose. Ma si fa così in fretta a dimenticarlo. Chi di noi potrebbe affermare a cuore tranquillo che, negli ospizi della nostra cara città, gli uomini sono trattati come persone? Chi di noi potrebbe smentire che vengono spesso trattati come cose, ma usate, si intende?

Il comune di Milano spende 2 miliardi e mezzo all'anno per sistemare nei vari ospizi 6543 vecchi e per assisterne a domicilio 785. Agli altri ricoverati provvedono lo Stato o le famiglie. Il 70 percento dei ricoverati negli ospizi è bisognoso di cure mediche, poi ci sono alcune centinaia di ammalati "acuti", distribuiti fra i vari ospedali. Gli "acuti" costano 4000 lire al giorno, i "cronici" 1000.

"Un vecchio," dice un sociologo americano, "costa più di un giovane." La sentenza deve essere nota all'amministrazione di certi ospizi milanesi che la interpreta a questo modo: i vecchi lasciamoli morire.

Inconfessata, se del caso sdegnosamente sconfessata, l'interpretazione è diventata regola, il recupero dei vecchi ammalati è scoraggiato, spesso il sanitario è messo in condizione di non poter fare il suo dovere.

"Ci sono," diceva il professor Ragazzi, "parecchi modi nazionali per eliminare i vecchi: in India ci pensa la fame, in Cina le inondazioni, in Giappone i terremoti." In Italia, aggiungiamo noi, esiste un'altra tecnica, noi mettiamo i vecchi negli ospizi e diciamo: "Sdraiati e muori".

Tre anni fa alla Baggina c'erano sette medici per 1300 ammalati cronici e, nell'Istituto degli invalidi del lavoro, un medico interno per 1000 pazienti. Adesso alla Baggina ci sono quindici medici fra interni ed esterni e dieci all'Istituto degli invalidi. Come vedete c'è stato un certo miglioramento, non sono più i tempi in cui la Baggina era diretta sanitariamente dal dottor Antonio Traversi. "Il nostro lavoro," mi ricorda il dottore, "consisteva principalmente nell'accertare i decessi e nel tamponare le situazioni più drammatiche."

Comunque, siamo ancora a un rapporto di 100 ammalati per medico e siccome il servizio dei medici esterni, la maggioranza, è di quattro ore e mezzo, se ne deduce, matita alla mano, che il tempo disponibile per ogni visita è inferiore ai tre minuti. Si può parlare di recupero in tale situazione? Si può credere che un medico pagato dalle 40 alle 50.000 lire vi si dedichi nonostante tutte le difficoltà?

"Voi controllate il servizio sanitario negli ospizi?" chiedo a un dirigente dell'assistenza municipale.

"I nostri ispettori," risponde, "controllano l'applicazione delle norme dietetiche."

Io me ne intendo poco di medicine, ma ho la vaga impressione che questo controllo dietetico si riduca a una pura formalità. Quando ne parlo al dottor Traversi lui fa un sorriso amaro e dice: "Per uccidere un vecchio, a volte, basta dargli da mangiare".

Allora riprendo le mie visite agli uffici assistenziali e chiedo quando si può visitare un ospizio.

"È già stato a visitare la casa per vecchi coniugi in piazza dei Cinquecento?" mi chiedono.

"Non ancora."

"Ma ci vada, se vuole la facciamo accompagnare."

Me lo dicono dappertutto, tutti vogliono che visiti questa opera esemplare dell'assistenza cittadina che ospita ben centottanta persone. È straordinaria la disinvoltura con cui certa burocrazia sa trasformare le colpe in meriti e gloriarsi di opere compiute, altrove, da almeno trent'anni. Centottanta persone anziane sistemate come si deve: ecco il vanto della grande Milano.

Il resto può languire negli ospizi-cronicari, con i sani in un'ala dell'edificio e gli ammalati nell'altra, ma con biblioteche e sale di ritrovo comuni. Al Pio Albergo Trivulzio, come del resto in tutti gli ospizi, il numero degli ammalati sale di continuo. Al Trivulzio gli ammalati stanno nell'ala est. Nell'altra ala i sani si sentono oppressi dalla massa crescente degli ammalati e incupiti da una tale convivenza dicono, come in un racconto buzzatiano: "Un giorno o l'altro viene il sorvegliante e mi dice di passare nell'ala est".

In teoria quasi tutti sono d'accordo sulla soluzione del problema: cronicari fuori città per gli ammalati e case-albergo nei vari quartieri per i sani sicché possono partecipare alla vita cittadina e restare fra persone e luoghi conosciuti. Ma in pratica da quest'orecchio la grande Milano non ci sente bene. Le case-albergo sono sorte a Pavia, La Spezia, Pesaro, Forlì, Livorno, Padova, Fidenza; alcune con stanze dotate di telefono, tutte dignitose, con rette varianti fra le 1000 e le 1500 lire. A Milano, città-pilota, niente.

Le case-albergo per i vecchi di Milano non hanno avuto fortuna: si è sempre posata la prima pietra alla vigilia di un'elezione, si è sempre abbandonata l'impresa a consultazione avvenuta. La prima casa-albergo vicino alla Stazione Centrale si chiama oggi American Hotel. Un progetto da 200 milioni, una spesa vicina al miliardo, una vendita pessima. Ancora più brillante l'operazione del grattacielo in viale Fulvio Testi: invece dei vecchi vi sono entrati giorni fa i giovani, gli universitari, forse perché l'albergo grattacielo è lontanissimo dalla città degli studi. Comunque il preventivo era stato di 500 milioni, il costo effettivo di un miliardo e passa e la perdita secca, nella vendita, di oltre 200 milioni.

Che dire di queste curiose iniziative assistenziali? E di certi interventi politici degni di una democrazia mafiosa?

Non è un mistero che alla vigilia di ogni elezione certi uffici assistenziali si sono regolarmente gonfiati di personale destinato al licenziamento postelettorale; è notorio che in certi ospizi si è tentato di impaurire i votanti o si sono visti degli onorevoli pagare gran fiaschi di vino propiziatori. E mi ha fatto un gran piacere sapere che poi i vecchi li hanno regolarmente "trombati" votando come meglio credevano.

"I politicanti da ospizio," dice Armando Rancati, "ignorano un carattere tipico della mentalità senile: il vecchio difende accanitamente tutto ciò che distingue la sua personalità. Il volto del vecchio è un atto di protesta contro le alienazioni senili e di fede nella sua personalità. Forse il voto più difficile da comperare."

Naturalmente si trovano quei tali che difendono i loro interessi con la solita pseudofilosofia pessimista: "Le case-albergo? Ma non vi sembra di esagerare? Voi giudicate i vecchi con la mentalità del giovane, è uno sbaglio. Il vecchio è vecchio e non ha tutte le pretese che gli attribuite". È un ragionamento che ricorda un po' quello di Aristotele quando giustificava la schiavitù dicendo che, alla fin fine, "gli schiavi sono per loro natura servili".

La verità è che il vecchio sano vuole vivere degnamente e con i sani né più né meno di un giovane il quale fuggirebbe inorridito se, entrato in un albergo, scoprisse che tre quarti delle camere sono adibiti a clinica.

Allora si dice: "E va bene, facciamo le queste case-albergo per vecchi. Ma con quali fondi?".

A questo punto il discorso potrebbe diventare molto ampio e rivolgersi alle strutture fondamentali della nostra società. Ma restando alle possibilità locali e nella società attuale, si può dire che c'è il modo di fare parecchio e subito. Intanto non si capisce per quale misteriosa ragione dovrebbero mancare alle case-albergo milanesi i clienti che si trovano a Padova, Livorno, Pesaro eccetera. Poi si potrebbe intervenire – i modi legali non mancano – sui criteri amministrativi di certi pii istituti. Il Trivulzio, per esempio, possiede un grosso patrimonio immobiliare che sta lì, congelato, dando un reddito ridicolo. Vendere? Destinare altre somme all'assistenza? Per carità, l'amministrazione bada a chiudere i bilanci in attivo e vieta l'ingresso ai giornalisti perché, tempo fa, "l'Unità" ha scritto che uno dei medici aveva superato gli ottant'anni.

"Milano con il cuore in mano."

Mica sempre, però. Chiedetelo ai vecchi degli ospizi-cronicari se questa è la città sognata da giovani o arrivandoci: la città promessa, creata dal lavoro e pronta a dare una mano a tutti, soprattutto a coloro i quali, "non dimentichiamolo, hanno prodotto per tutta la vita". Non è andata proprio così: la città se li è tolti dai piedi e li ha "smistati" negli ospedali-caserma della periferia ad attendere, tra veli di nebbia, l'arrivo della "margniffa" che, come sapete, è vestita di nero e falcia, in ogni stagione.

Da "Il Giorno" del 23 novembre 1961

La televisione diventa in breve per l'Italia che cambia una grande scuola dell'obbligo, dove tutti imparano a parlare, a pensare, a comportarsi in modo conforme. Ad alcuni sembra un miracolo: l'Unità d'Italia tanto attesa e perseguita è una realtà, finalmente possiamo intonare il coro patriottico *Fratelli d'Italia*, gli entusiasmi televisivi dei primi anni sono incontenibili, le gare televisive mobilitano intere città, per *Lascia o raddoppia* o per *Campanile sera* anche Mondovì ridente impazzì.

La televisione, scuola dell'obbligo

Scendo alla stazione di Mondovì la mattina del mercoledì 18 [novembre 1959] ed entro, per fiammiferi, da un tabaccaio. Mi dà i fiammiferi, il resto e un manifestino. "Monregalesi," leggo, "giovedì sera la nostra città è chiamata a competere in leale gioco televisivo con Montefiascone. Accorrete a sostenere nella piazza maggiore i nostri rappresentanti! Chi, assistendo alla trasmissione, ritiene di poter suggerire tempestivamente una risposta ESATTA telefoni a questi numeri: 3196-3197-3003."

"Mi spiace," dico, "non sono monregalese."

"Fa niente," dice lui, "se può ci dia una mano."

"Li distribuite in tutti i negozi?" chiedo.

"Si capisce," dice, "noi le cose le facciamo sul serio o niente."

Proseguo verso il centro e spiego al primo vigile che vorrei parlare con qualcuno: "Non so se lei è al corrente, ma è per quella faccenda della televisione".

"Comitato di coordinamento," mi risponde, "in municipio."

"Un comitato?" dico.

"Presieduto dal signor sindaco," precisa.

Vado dal sindaco e dopo molte esitazioni mi introducono in un vasto ufficio. Il dottor Bartolomeo Martinetti, direttore didattico e sindaco di Mondovì, è lì, solo, seduto a un tavolo, gli occhi fissi su fogli gremiti di nomi e di segni. "Sta studiando la sistemazione degli esperti," mi sussurra il segretario.

"Signor sindaco, se permette."

Si volta a guardare con i suoi occhi azzurri, sbiaditi dalla stanchezza. "Per carità," dice, "ora non posso. Lei capisce, fra pochi minuti ho una riunione plenaria degli esperti. Mi perdoni ma siamo alle strette."

"Vede," dice il segretario accompagnandomi alla scala, "cadere è una questione di un attimo, di un istante. Per esempio, come si chiama la famosa poesia di Leopardi? *Silvia* o *A Silvia*? Uno, lì per lì, dice *Silvia*, fa l'anagramma e gli viene Vasili invece di... Insomma adesso non mi ricordo più, ma lei ha capito la difficoltà. Comunque vada dal dottor Pautasso, il farmacista, che le spiegherà tutto."

Dal farmacista ci sono un geometra e un professore del comitato. Ci sono anche dei clienti, ma pazienti e remissivi. I tre del comitato mi spiegano, come qui si dice, la "machiavellica", cioè il piano segreto e comincio a capire di che cosa sia capace il vecchio Piemonte quando la Rai tv lo chiama alla prova.

"Sul palco," spiega il farmacista, "saliranno gli esperti 'universali', professori o persone di vasta cultura. Avranno il compito di suggerire al nostro speaker le prime risposte. Davanti al palco metteremo invece gli esperti 'specifici' ciascuno con la sua documentazione a portata di mano."

"Scusi, lei è universale o specifico?"

"Specifico," dice, "esperto di moda."

"Poi," prosegue, "ci saranno gli 'eccelsi', le grandi menti riunite nel 'pensatoio', una stanza della biblioteca collegata per telefono con il palco."

"Linea speciale?"

"Speciale."

"Auguri," dico.

"Che il cielo ce la mandi buona," dice lui. Il professore mi accompagna al magazzino vicino alla Piazza Maggiore dove, con sapiente lavoro, sono stati disposti con preciso ordine storico e merceologico gli oggetti strambi, "caso mai il signor Mike dovesse chiedercene".

"I negozi intorno alla piazza," spiega il professore, "rimarranno aperti durante la trasmissione. Nei negozi troveremo gli oggetti di uso normale; qui quelli rari o fuori moda. Vede quel ventaglio? È del Settecento. La baronessa G. offrendocelo ha detto: 'Anche se lo rompete non importa, visto che è in gioco l'onore di Mondovì'."

"E questo che ci fa?" chiedo davanti a un rospo acquattato in una gabbietta.

"Sa, in Piemonte ci chiamano 'babi cöcc', rospi cotti, va' a sapere perché. Così abbiamo pensato di tenere un rospo pronto."

"Ma questo non vale," dico, "non è cotto."

Sorride, ma con una punta di preoccupazione.

"Da quanti giorni lavorate?" chiedo.

"Una quindicina. I primi dieci di preparazione teorica, gli ultimi cinque di lavoro pratico. È stata una prova veramente commovente. Tutte le menti di Mondovì hanno dato il loro apporto."

"Già," dico, "ma qui siamo nella parte alta della città. E se doveste cercare qualcosa giù, nella parte nuova?"

"Tutto previsto. Abbiamo un centinaio di staffette, ragazzi svegli, motorizzati."

Torniamo in municipio. Sono arrivati or ora i giornali di Torino: uno strillone si allontana sotto le volte basse dei portici gridando: "Il trust dei cervelli, il trust dei cervelli".

Intanto i cervelli sono radunati nell'aula consiliare: professori, avvocati, medici, ragionieri, geometri, sacerdoti. Noto fra i loro libri anche l'*Annuario delle materie plastiche*, l'*Abc degli scacchi*, l'*Arte presso i pigmei* e i *Medicamenta*. Diderot e D'Alembert non avrebbero trovato di meglio. Passo fra i cervelli, saluto, do un'occhiata al materiale dell'esperto di letteratura contemporanea.

"Avete l'ultimo libro di Oreste Del Buono?" gli chiedo.

"No," dice lui imbarazzato e mi ringrazia prendendo nota.

È già notte quand'arriva Tortora, il presentatore, con un cappottino chiaro e colletto di pelliccia. "Bravo Tortora!" gridano i professori e i professionisti alzandosi in piedi ad applaudire. Tortora prega gli estranei di lasciare la sala. È giusto: si discuteranno delle cose piuttosto delicate, come l'uso del pulsante o il cambio dello speaker.

Attendiamo nel posto di guardia dei vigili urbani. Qualche panino per cena e poi le ore che passano senza notizie di lassù.

"È così tutte le sere?" chiedo.

"Ma lo sa," dice un vigile, "che il sindaco saranno tre giorni che non mangia e che non dorme?"

"Ah, per quello," dice un altro vigile con dei baffoni, "l'hanno presa proprio decisa."

A mezzanotte il professore mi dà qualche notizia. È sconvolto. La prova sportiva è stata sostituita con un nuovo tipo di indovinelli. Bisogna avvisare, preparare i due campioni di Mondovì che sono già a Milano. Fra poco il dottor B. partirà in macchina, per cercare di raggiungerli in tempo.

"Sono bravi i vostri due campioni?" chiedo.

"Non c'è male," dice il professore, "l'altro giorno l'ufficio tecnico del comune ha preparato dei pulsanti con segnale luminoso e si sono allenati per quattro ore. Lui non mi preoccupa, lei purtroppo pensa in inglese."

150

Sta parlando della studentessa Sheila Di Savio, residente a Mondovì da alcuni anni, ma nata purtroppo in Inghilterra ed educata in quella lingua.

"Pensa in inglese e poi deve tradurre, capisce?"

Torno in albergo: strade deserte con una patina di neve ghiacciata sull'acciottolato; non un lume nelle vecchie case, grigie e salde come fortezze attorno alla chiesa del Moro che batte le ore; la malinconia del basso Piemonte tagliato fuori dal resto del mondo. Ventimila abitanti duecento anni fa, ventimila oggi, l'agricoltura in crisi, qualche fabbrica che fallisce. Ma domani è una grande giornata. Mondovì su tutti i video d'Italia.

Ci siamo: giovedì 19 novembre. Saliamo nella Piazza Maggiore assieme agli esperti per l'ultima prova. Gli esperti prendono posto sul palco, ordinatamente, i tecnici della televisione, con fogge, linguaggio e gesti da americani alla Sordi mettono a punto i collegamenti. Poi fra Tortora che è qui, Mike Bongiorno che sta a Milano e Renato Tagliani che sta a Montefiascone comincia un curioso scambio di idee e informazioni.

Gli altoparlanti consentono a chi lo voglia di seguire questo piccolo saggio di cinismo e di retorica professionali: del resto siamo in provincia, dove la tv "trova un clima di consensi incondizionati".

"Senti, nonno Mike," dice Tortora, "durante la trasmissione non chiedermi troppe volte se ti sento, se no i giornali insinuano che battibecchiamo. Sta diventando una follia, capisci? Meglio non alimentare queste dicerie, capisci?"

"Va bene, Enzo, sta' tranquillo."

"Quella faccenda è andata a posto?"

"Ti dirò, c'è stata una piccola franetta. Comunque, senti, se capita a voi di Mondovì, quando io dico 'e ora un saluto al vincitore' tu mi scateni la piazza. Mi raccomando, che facciano un bel fracasso."

"Sta' tranquillo, Mike. Tutto predisposto."

"Pronto, Mike. Qui è Tagliani. Senti, abbiamo quel tale Messina, quel tipo strambo. Pare che abbia anche la mania delle cravatte. Cosa diresti di tagliargliene qualcuna?"

"Non mi pare il caso," interviene la voce di Romolo (il regista Siena), "evitiamo le gag troppo smaccate."

"E quelli con la fiaccola olimpica li facciamo comparire?"

Mike e Romolo si consultano. "Lasciamo perdere," dice Romolo, "ve l'ho detto, basta lo spettacolo normale."

"Io qui sono a posto," interviene Tortora, "il comparsame è istruito, alpini, studenti e le solite ragazze."

"Tutto pronto anche qui," conferma Tagliani, "ho fatto preparare i cartelloni e il resto. Comunque ci risentiamo alle sedici. Ti saluto, nonno Mike."

"Senti, Enzo," dice Mike, "se vieni stasera a Milano, cercami all'Omsa, sto girando degli shorts. Intanto è vicino, un'oretta, no?"

"No, caro Mike; sono quattro ore. Salutoni."

Professori, professoresse, avvocati, dottori, ragionieri e geometri hanno ascoltato con un'attenzione compunta (come a Montefiascone, immagino) l'istruttivo collegamento.

"Novità, signor Tortora?" chiedono ansiosi.

"No, no, state tranquilli," dice lui protettivo.

La faccenda della faccia di bronzo professionale (anche nota come "esigenze di trasmissione") si ripete pochi minuti prima che *Campanile sera* vada in onda. Tortora tiene una lezioncina alla folla che si è assiepata attorno al palco. "La piazza," dice, "faccia bene attenzione. Se faccio così [e fa un gesto di silenzio] tutti buoni e zitti, se vi faccio invece così [e alza le mani] il finimondo. Facciamo qualche prova." Alza le mani e "Uuuh" della piazza; mette l'indice sul naso e quelli muti come pesci. "Molto bene," dice il presentatore. "Bravo Tortora, evviva Tortora," grida la gente.

Ci siamo? Non ancora. Sul video compaiono sempre le immagini pubblicitarie, però c'è già il collegamento sonoro con Montefiascone.

"Ciau, Enzo." "Ciau, Renato." "Amici di Mondovì," dice Tagliani, "sentite il ruggito di Montefiascone." Si ode uno strepito di voci, di trombette, di pentole che rotolano come se arrivasse l'esercito di Franceschiello. "Ah, Renatooo," grida Tortora, "però bèccate questo." Alza le mani nel segnale e "Uuuh" fanno i buoni piemontesi.

Questa volta ci siamo. Sullo schermo appare l'impeccabile signor Mike, seguito da alcune visioni di Mondovì così tetre e gelide da scoraggiare qualsiasi esploratore polare.

Ed ecco il signor Mike annunciare la prima sorpresa della trasmissione: le due città trovino subito quanti più suonatori possono con i loro strumenti. A Mondovì, vedi il caso, è già pronta sulla piazza la banda municipale.

"Toglietevi le divise," urla Tortora fingendo che sia importantissimo, "fatevi prestare degli abiti dagli amici." Un energumeno mi strappa il soprabito lasciandomi, in cambio, un berretto a visiera con una lira dorata ricamata sul davanti, il pandemonio è incredibile. Il tamburo maggiore rotola sotto il palco. Tutta la faccenda, come capiremo presto, non ha alcuna importanza nel gioco: è un modo come un altro per trattare da ingenui milioni di spettatori, tanto per fargli credere che in pochi minuti questa meravigliosa provincia ti raduna un bel complesso bandistico.

Il gioco si svolge con fasi alterne. A Milano i campioni della città vacillano e perdono punti ("Lei pensa in inglese, te l'avevo detto"); a Mondovì invece l'organizzazione dei cervelli funziona come un cronometro, riguadagna i punti persi, assicura la vittoria. Perché Mondovì, come città, ha fatto le cose sul serio, molto sul serio, e questo è l'aspetto più patetico della vicenda.

Perché patetico?

Vi dirò: se la tv uno la prende come droga o divertimento siamo d'accordo. La noia della vita comune spiega questo e altro. Ma prenderla tanto sul serio non vi sembra esagerato? Soprattutto quando si tratta di quel giochetto da buona famiglia estroverso, divagatorio, e a volte un pochino ciarlatanesco che è la televisione dei quiz?

Eppure la gente, anche la più assennata, ci cade, si prepara al gioco come una prova decisiva della sua vita, mette in mostra le sue debolezze, la sua feroce volontà di dimostrare quanto è intelligente e capace, la sua ingenua speranza è che si possa arricchire o diventar celebre così, da un giorno all'altro, con i milioni del signor Mike. Non accade solo in Italia, gli Stati più ricchi e civili del mondo cedono a questa innocua follia collettiva e sarebbe eccessivo ricavarci il solito moralismo stiracchiato. Resta il fatto però che il fenomeno, la moda, se volete, lascia piuttosto perplessi sui gusti e sui piaceri della società contemporanea.

"*Campanile sera*, un milione si spera," aveva intitolato il giornale cattolico di Mondovì. Il milione è arrivato, ma detratte le spese sostenute dal comune (impianti telefonici, sgombero della neve nella Piazza Maggiore, venti manovali per tre giorni, manifestini ecc.) ne resterà appena qualche briciola. Ma chi se ne duole? Ciò che conta è la gloria del giovedì.

"Ieri la nostra città," ha scritto un cronista, "è andata immensamente lontano, su tutti i video d'Italia."

Da "L'Europeo" del novembre 1959

Decisivo, nella ricostruzione, fu l'aiuto americano. Per critici che si possa essere nei riguardi della politica estera ed economica americana, sta di fatto che senza l'aiuto degli Stati Uniti la ricostruzione dell'Italia e dell'Europa occidentale non sarebbe stata possibile in breve tempo. Va detto che Stati come l'Inghilterra e come la Francia, che hanno preteso di giocare ancora un ruolo imperiale, non avevano i mezzi né per mantenere il loro apparato militare, né per rilanciare le loro economie; dovevano giocoforza abbandonare le posizioni imperiali e accettare, come noi, il soccorso americano. I primi segni di ripresa si ebbero nel 1946: il consumo pro capite passa da 221.000 lire a 333.000, con un aumento del 50 percento; le esportazioni superano il preventivo di 800 miliardi in lire, e toccano i 1100 miliardi. La guerra di Corea, che ha inizio il 25 giugno del 1950, provoca un riarmo generale, di cui si giova anche l'economia italiana. In Italia vengono approvati stanziamenti speciali per le forze armate e il bilancio della Difesa assorbe più di un quinto di quello statale. La ripresa adesso è galoppante, se nel 1950 si sono recuperati i consumi e le produzioni prebelliche, ora ci si avvia alla creazione di una società industriale avanzata, con livelli di incremento fra i più alti nel mondo. I dati del benessere che arriva sono molteplici, a cominciare dal numero dei nati, i matrimoni aumentano da 300.000 nel 1941 a 426.000 nel '47. Se la popolazione globale aumenta è perché diminuisce la mortalità infantile e si allunga la vita, altri segni del benessere. La diminuzione della mortalità è in gran parte dovuta all'arrivo delle medicine miracolose prodotte dalla chimica di guerra. I dati relativi a 100.000 abitanti dicono: le malattie infettive che contavano 147 casi nel 1946 sono scese a 73 nel '51, quelle dell'apparato respiratorio da 168 a 115. Vittorio Foa, un sindacalista rivoluzionario, ammette che il progresso "fu prodigioso" e che veramente si può parlare di miracolo, dato che, diceva Foa, "gli indicatori dello sviluppo furono da due a tre volte superiori a quelli dei novant'anni precedenti, e circa due volte superiori a quelli del più prospero periodo giolittiano".

Ma, osservava Foa, era proprio in quel tipo di successo economico, proprio in quella rapida e fortunata ricostruzione, che si ponevano le premesse dei disequilibri futuri: un'urbanizzazione che continuava a crescere anche se le industrie non crescevano in maniera adeguata, una fuga dalle campagne che non trovava compenso nelle grandi città, un discorso industriale tutto puntato sull'automobile, le gomme, il petrolio, le strade e pochissimo sulla ricerca scientifica, sull'elettronica, sull'industria tecnologicamente più avanzata. "Il profondo squilibrio," osservò Foa, "fra i consumi privati e i consumi sociali era già presente nell'immediata ricostruzione postbellica." Foa ha ragione, ma il suo discorso va completato: non basta dire che le scelte liberiste del 1945 contenevano gli errori e i danni del futuro, ci si deve chiedere anche se era possibile evitarle. Con la scienza di poi è molto facile sentenziare, ma nella storia reale il paese era fortemente, per non dire in modo schiacciante, condizionato dalla politica estera, e la nostra politica estera ferreamente legata agli interessi americani. Certo la sinistra e la borghesia progressista e riformatrice avrebbero potuto modificare in meglio la ricostruzione, ma erano troppo deboli politicamente e anche culturalmente, se si pensa che un solo industriale di quel tempo, Adriano Olivetti, aveva preoccupazioni urbanistiche e sapeva incontro a quale disastro si sarebbe andati. La scienza economica dei Partiti comunista e socialista era debole: gran parte degli interventi delle proposte aveva un significato propagandistico e demagogico, non si seppe neppure usare la forza – allora notevole – della classe operaia. Tale essendo la situazione, si deve ammettere che le cose non potevano andare diversamente, nel bene come nel male.

Capitolo VI

IL SESSANTOTTO

Il Sessantotto. Una tempesta politica, un mutamento rapido e imprevisto. Il Sessantotto come spallata, come repulisti di quanto vi era di morto, di ipocrita nella Repubblica antifascista, lo capivo, ma il Sessantotto come rivoluzione no. Se era, come pareva nei primi mesi, un movimento riformista, si desse da fare con la borghesia dei produttori per trovare, nei suoi giornali, nei suoi soldi un alleato, qualcuno che condivideva la necessità di una scuola più moderna ed efficiente. Ma se era, come dopo pochi mesi pretendeva di essere, l'inizio di una rivoluzione sociale di modulo socialista, allora eravamo veramente al grande inganno, allo spreco del tempo e dei soldi. Andai a vedere i sit-in davanti alla Cattolica di Milano, seguii alcune assemblee, ma non ero il solo a non capire. Non capivano neppure Mario Moretti e Giorgio Semeria, due futuri brigatisti rossi spettatori di quelle assemblee, a cui pareva, come a me, che far politica e preparare rivoluzioni in assemblee confuse, isteriche fosse una presa in giro di una seria volontà rivoluzionaria. A un provinciale uscito dalla guerra partigiana che era stata fatta con una selezione dei migliori, la disciplina dei militanti e queste chiacchiere in libertà, questo ondeggiare delle masse, questo attivismo frenetico parevano fini a se stessi.

Mi provai a conoscere i leader del Movimento. C'era un giovane di nome Salvatore Toscano che si prendeva maledettamente sul serio: stava sempre un po' in disparte, taciturno come un Bruto cui spettasse di uccidere Cesare. Un altro era il professor Luca Cafiero. Indossava dei cappotti di ottima stoffa con le spalle quadrate, cappotti da ufficiale del Kgb ma fatti da un buon sarto. Era uno snob a cui del proletariato non importava un fico secco. La rivoluzione sì gli interessava, come scorciatoia emozionante. Ci stemmo subito reciprocamente sui coglioni e queste antipatie a prima vista sono una grande e benefica semplificazione, non si perde tempo, non ci si affanna a capire, si chiude in partenza. Il migliore era Mario Capanna. Era arrivato dalla provincia mite di Città di Castello e conservava in quel gran casino, spesso vile e cattivo, una visione francescana, fraterna del mondo. Lo osservavo nelle assemblee: non mancava di dare una mano a chi veniva fischiato, insolentito, picchiato. Rispettava il prossimo mentre i più desideravano fortemente svillaneggiarlo, impaurirlo. Era molto pedagogico: una sera, durante una manifestazione contro la repressione che nessuno sapeva bene cosa fosse dato che tutti occupavano, manifestavano, requisivano, insultavano, prendevano a sassate i poliziotti, gli gridavano "PS-SS", prese la nostra delegazione di giornalisti e ci portò in testa al corteo proprio dietro il primo striscione, a pochi metri dalla polizia in assetto di guerra, con elmetti e scudi. Ciò che mi restava dell'esperienza partigiana mi indusse a guardarmi attorno, a notare la porticina aperta di una casa vicina; quando suonò la carica della polizia schizzai nel rifugio abbandonando alle manganellate la Cederna, la Rusconi e il povero Risè che ne ebbe un occhio nero. Mario Capanna, quando lo rividi, era molto soddisfatto: "Hai visto Giorgino cosa è la repressione? Ci vuole la scuola della piazza per capirlo".

Il Movimento studentesco passato dal riformismo alla rivoluzione, dalle assemblee caotiche a un centralismo staliniano, non spaventava minimamente la buona borghesia milanese. Intanto perché c'erano dentro i figli suoi e degli amici, e poi perché la borghesia ha un suo sesto senso pratico, il senso degli affari. Aveva capito che quei finti rivoluzionari avrebbero fatto un gran baccano, cantato l'*Interna-zionale*, usato il centro cittadino per i loro scontri ma non avrebbero disturbato le sue professioni e i suoi commerci. Il Movimento si prendeva ben guardia di attaccare i santuari borghesi, le banche, gli uffici, i quartieri residenziali, la Borsa non venne mai disturbata, i simboli della ricchezza, salvo la chiassata all'inaugurazione della Scala, rispettati. La contestazione degli studenti mordeva le gambe ad alcuni professori, impensieriva questori e prefetti, obbligava i poliziotti a far la parte dei cattivi nelle sacre rappresentazioni a cui la borghesia compradora e fabbricadora assisteva dalle finestre di casa o dell'ufficio. Una volta sfilammo in corteo per via Manzoni, Scalfari e io piuttosto imbarazzati, mentre giovanotti del Movimento urlavano all'indirizzo della gente alla finestra: "Fascisti, borghesi, ancora pochi mesi" e guardando in su riconoscevo vecchi amici, molto borghesi, ma per niente fascisti.

I destini del paese erano stati decisi a Yalta, la difesa del paese era affidata all'ombrello atomico americano, il Partito comunista non aveva la minima intenzione di tentare una rivoluzione già fallita nel luglio del '48. E allora perché spaventarsi? Perché non permettere uno sfogo, a sinistra, che alla fin fine poteva tornare utile nella partita degli opposti estremismi? Serpeggiava nella buona borghesia milanese anche il gusto antico di sfiorare il proletariato, di immergersi, ma per poco, nella folla, di andar a cena nell'osteria della mala, di guardare da vicino i diversi, nella bella certezza di ritrovarsi l'indomani fra gente ordinata, per bene.

Ero a Bari per un servizio quando arrivò per i lunedì letterari Herbert Marcuse, un filosofo tedesco passato all'Università della California, comunista da Università della California, un pensatore elegante che aveva scritto un saggio famoso, *L'uomo a una dimensione*, cui il capitalismo e il consumismo avevano tolto ogni spessore umano, ogni vera libertà. Insomma le cose che si scrivono stando in un paese libero con un buono stipendio, alcune verità in mezzo a un sacco di baggianate colte. Lui fece la sua conferenza, disse ai baresi, alla torva borghesia barese che ha le labbra affilate, la bocca affilata per l'avidità e la paura di perdere una lira, le sue cose eversive e poetiche, le cose vere e le baggianate dei filosofi e si ebbe un sacco di applausi, infinite richieste di autografi e poi finì per la cena nella casa dell'avvocato Paolo Laterza, il fratello del mio editore di allora. Conoscevo Paolo perché mi aveva fatto assolvere nella querela di un fascista da me citato nella *Storia dell'Italia partigiana*. A Milano mi avrebbero condannato, ma Paolo giocava a bridge e frequentava il circolo della vela con il giudice. Lì il vecchio Herbert e la moglie, canuta e un po' stramba, furono abbandonati in una saletta: la commedia sinistrese era finita, ora il "Tout Bari" pensava alle faccende sue, imprenditori, avvocati, questore, prefetto, colonnello dei carabinieri, commercianti e il commendator Di Cagno, proprietario di hotel, garage, terreni con cognato direttore della Cassa del Mezzogiorno discutevano fitto degli affari loro, soprattutto della variante ferroviaria che avrebbe liberato terreni al centro, molto della zona industriale, molto dell'onorevole Aldo Moro, il nume tutelare della città. Restammo con il vecchio Herbert solo mia moglie e io. A parte le baggianate filosofiche, il vecchio Herbert era un uomo delizioso, gustava le orecchiette con le cime di rapa e le melanzane al forno e ci confidava: "Voi italiani non vi capisco. A Torino mi ha invitato Mr Fiat, a Milano Mr Pirelli, qui sono stato festeggiato da prefetti, colonnelli, miliardari. Ma davvero a voi italiani piacciono tanto i comunisti?". "Eh l'Italia, signor Marcuse," dicevamo. Non ci sembrava garbato dirgli: signor Marcuse, questi borghesi che ha visto non hanno più paura dei comunisti che tenevano le mitragliatrici e i fucili nascosti per la rivoluzione, e vuole che abbiano paura di un professore tedesco che insegna in un'università americana e che si diverte a passare per comunista?

I figli della borghesia che recitano la rivoluzione riconoscono gli avversari politici che recitano la restaurazione da come sono vestiti. I fascisti di Milano, i sanbabilini li riconoscono dagli occhiali affumicati Ray-Ban, dalle scarpe a punta, dalle camicie con il collo alto. E i fascisti riconoscono i rossi dalle barbe, dagli eskimo, dalle camicie a scacchi fuori dai blue jeans. È un costume antico, antichissimo, nelle loro guerre civili gli italiani devono sempre indossare un'uniforme, sempre fuori ordinanza, ma riconoscibile. Non fu una delle prime preoccupazioni di noi partigiani quella di essere riconoscibili dal vestire in una guerra in cui avremmo dovuto preoccuparci di non essere riconosciuti? La storia delle nostre guerre civili è piena di camicie rosse, nere, azzurre, di distintivi, fiamme, cravatte socialiste alla Lavallière o capelli alla Umberto dei conservatori.

Nel '68 le divise politiche dei giovani non simbolizzano la classe di appartenenza ma la camuffano. Gli studenti di sinistra a stragrande maggioranza borghesi vanno in giro conciati con indumenti ruvidi, sdruciti, con grande abbondanza di barbe, di capelli. E da parte fascista anche i figli degli operai, dei tranvieri tendono a uno snobismo un po' edoardiano, da alto-borghesi con aspirazioni aristocratiche. L'aspetto più triste della faccenda è che gli anziani, i parenti, sono disposti a riconoscere la recita come reale conflitto di classe, le forme come reali differenze ideologiche, le rivalità da totem come rivalità politiche. C'è un sacco di gente in quest'Italia postindustriale che va abituandosi a una politica di piazza come la disfida di Barletta, tredici marcantoni da una parte e tredici dall'altra, e chi vince dovrebbe vincere anche per le classi che dice di rappresentare. Un bel modo per rifiutare di capire, di vedere quanto autoritarismo uno di noi si porta dentro, per non vedere quanta voglia di ordine autoritario, violento si è diffusa in un paese che si dice democratico e antifascista.

La buona borghesia del centro ha imparato a convivere con la destra violenta e con la finta rivoluzione che piace tanto ai suoi ragazzi che stanno nel servizio d'ordine del Movimento studentesco e si allenano alle arti guerriere in una sala della Camera del lavoro messa a loro disposizione dai sindacati. Perché come fa una sinistra che per anni ha riempito le sue case e i suoi uffici di fotografie del Che Guevara o di gagliardetti dei vietcong, che per anni ha ospitato rivoluzionari e terroristi algerini, spagnoli, uruguaiani e argentini, che ha inviato aiuti a tutte le rivoluzioni del pianeta, come fa a non dare una mano ai rivoluzionari di casa nostra anche se nessuno sa quale rivoluzione vogliano fare? Rivoluzionari proprio non sono, il paese in cui vivono non è proprio una dittatura fascista, la contestazione è forte in alcune città ma quasi sconosciuta nella provincia, però un ceto politico sornione e vile rimanda lo scontro frontale, preferisce le lunghe sopportazioni, le lunghe digestioni.

In quest'Italia tutto sembra sopportabile, come se a tutti fosse venuta una di quelle febbriciattole che non finiscono mai, che non si sa come curare, che un giorno o l'altro dovrebbero passare e invece tirano avanti per anni e anni. Siamo il paese della repressione in cui qualsiasi raduno di persone in numero superiore a dieci è autorizzato a insolentire, sbeffeggiare e malmenare il prossimo. Un 25 aprile la professoressa Oliva, madre di un mio caro amico, mi chiede se le faccio un grosso piacere, se vado a parlare ai ragazzi della scuola media di cui è preside, alla Barona, un quartiere del Sud Milano che non è lontano da piazza del Duomo ma è come un suburbio africano. La commemorazione si tiene in un cinematografo, le scolaresche sono già entrate, il lancio delle bucce di mandarini, di castagne secche, di cartacce sembra sopportabile, una sopportabile ouverture giovanile. I ragazzi della Barona sono quasi tutti figli di immigrati dal Sud, non hanno mai sentito parlare della Resistenza, e comunque non gliene importa niente, sopportano per qualche minuto, poi si alzano, urlano, lanciano quel che gli capita sottomano, gridano: "Vaffanculo nonno", finché in un pandemonio di inferno la signora Oliva che conserva il suo buonumore mi dice allegra: "Forse è meglio che ce ne andiamo".

La signora Oliva non è contrariata né imbarazzata, ha l'aria di dire che è già andata bene così. Già, bisogna stare al gioco: quando passo per corso Monforte in auto per tornare alla mia casa di via Bagutta i fascisti riconoscibili dagli occhiali scuri e dalle scarpe appuntite mi cacciano fra le mani imperiosamente i loro manifestini, ma non suono il clacson, non protesto neppure se uno si siede sul cofano. Confortato dal pensiero: Buoni, ragazzi, che prima o poi finite in galera.

Tre anni ruggenti

1968-1970, i tre anni che sconvolgono le certezze, i conformismi, le ipocrisie dei trenta precedenti. Il giudizio storico resta sospeso: sappiamo ciò che è finito in quegli anni, ma poco e male ciò che è nato. Se gli "incalcolabili potenziali umani" di chi li ricorda come epica, o l'aver scambiato un crepuscolo per un'aurora.

Ciò che è morto lo riconosciamo, magari con il senno di poi: finisce l'idea di progresso, il tempo delle materie prime a buon mercato, dell'industria in espansione perenne. Poi sapremo che il 1970 è stato il picco dell'occupazione industriale, il suo massimo definitivo, e che da lì è cominciato il declino della classe operaia, dei suoi miti, dei suoi sindacati. L'apparenza, allora, è opposta. Si ha l'impressione, quasi la certezza, di una classe operaia all'attacco, che fa passare uno statuto dei lavoratori, qua e là avveniristico, mette in ginocchio il padronato, segue le avanguardie nelle richieste dell'impossibile: più salari e meno lavoro, più soldi e meno disciplina in fabbrica. Ma anche partecipazione dal basso, speranze, entusiasmo.

"Il movimento operaio a Torino," mi dice Mario Dalmaviva, "era enorme e trascendeva noi, quattro gatti delle avanguardie. Alla Fiat c'era un consiglio di fabbrica composto da quattromila delegati. Figurati cosa gliene importava di noi. Fu un fenomeno unico, impressionante. Si formarono migliaia di quadri, un sistema nervoso di fabbrica mai visto, con terminali in ogni reparto. Il Partito comunista non capì nulla, il sindacato capì tutto ma, preso in contropiede, non poté far altro che gettare a mare la commissione interna."

La Prima repubblica è travolta dall'onda anomala dell'autonomia operaia, dalla slavina giovanile studentesca e metropolitana. Chi c'è dentro non può capire che non si tratta di rivoluzione ma di rapida, caotica mutazione. Chi ne è fuori quasi sempre si rifiuta di capire. Alle spalle dei "sessantottini", studenti e operai che siano, non ci sono i 25.000 club della grande Rivoluzione francese e neppure i soviet dell'ottobre rosso. C'è la spallata dell'autonomia operaia, ci sono le caotiche assemblee studentesche, qualche documento più letterario che politico, fogli e foglietti, gruppi estremisti. "Il nostro Olimpo," dirà poi il brigatista Enzo Fontana, "era affollato ed eterogeneo." Molto eterogeneo: Bakunin, Marx giovane, Marx vecchio, Freud, Jung – anche se mai letti –, Frantz Fanon, il Che Guevara, Régis Debray, Malcolm x, Eldridge Cleaver, i tupamaros, i palestinesi che sbarcavano all'Università di Milano, in via Festa del Perdono, e fra i giovani che li ascoltavano c'erano dei provinciali come Alberto Franceschini e Renato Curcio, persuasi allora che tutto fosse movimento, che stesse per arrivare la giovane bella rivoluzione, il loro miracoloso atto di nascita, nel mondo sin lì sconosciuto del potere e del sapere. Poi le cose andranno diversamente, anche prima di cascina Spiotta e della morte di Mara Cagol. Il Curcio del carcere speciale lo ammetterà: "Quegli anni! Vecchi cialtroni della politica cadevano nel terrore di fronte alla nostra confusa primavera. Ombre internazionali oscuravano il nostro cielo mediterraneo: Grecia, Spagna, Turchia, Portogallo, rivoluzioni e repressioni. La sera serpeggiavano gli allarmi telefonici: Al lupo! Al lupo! Paradiso dei licantropi metropolitani, Milano eccelleva in quel gioco. Finché le bombe arrivarono. Davvero. A piazza Fontana". Ci vuole sempre un certo tempo per capire che la rivoluzione e la politica come gioco finiscono, come già sapeva Napoleone, in tragedia. Un Olimpo confuso per un inferno simbolico popolato, confusamente, dai Rothschild e dai Kissinger, dalla Cia e dalla Trilateral, da Agnelli e Pirelli "fascisti gemelli".

I giovani vivono nel nuovo, ne intuiscono le grandi linee, e reagiscono ai suoi urti perché ci sono dentro, i padri, di solito, lo rimuovono perché lo temono. La scuola di massa ha sommerso quella di classe, liberal-borghese; la migrazione interna e la macroindustria hanno trasforma-to le città in metropoli, che non è la stessa cosa, come os-serva Giorgio Semeria: "Capimmo sulla nostra pelle che metropoli non significava città più grande, ma un intrec-cio nuovo di rapporti sociali, una nuova pelle urbana di leo-pardo. Nella metropoli bisognava imparare un nuovo mo-do di vivere e di sopravvivere, come in una giungla o in un deserto. Spuntavano dovunque i supermarket dei consumi e si spezzavano o deformavano i rapporti sociali".

Nella metropoli la sovversione giovanile oscilla fra il cen-tro universitario e i quartieri dormitorio, fra gli studenti di Mario Capanna, che contestano la prima della Scala, e il proletariato di Quarto Oggiaro, che pratica le autoriduzio-ni nei servizi pubblici, fra il nuovo riformismo e il rivolu-zionarismo di ritorno. I denominatori comuni di questa sovversione eterogenea sono tipici delle transizioni esplo-sive: il rifiuto dei padri, della loro cultura invecchiata, del-le loro certezze obsolete; l'emergere degli angosciati e de-gli spostati operai, intellettuali, studenti, tecnici che si sen-tono dimenticati, schiacciati dalla trasformazione, che non si rassegnano come i loro omologhi squadristi del '21 a vi-vere nei retrobottega e nei quartieri dormitorio. C'è, non può mancare, la "qualità fondativa" come la chiamano, il "mi muovo dunque sono", il vecchio attivismo futurista, fa-scista, sovieticista, riverniciato. È la pratica o tattica dei passaggi che diventa strategia: non si ha la minima idea di che cosa si farà, arrivati al potere, anzi in molti non c'è nep-pure un'idea di arrivare al potere, ma si procede per suc-cessivi passaggi, fughe in avanti, legnate, recuperi, rilanci. Sicché l'effetto più duraturo e concreto del movimento sov-versivo è di selezionare un personale rivoluzionario. Pren-dete le occupazioni delle case nelle grandi città, i cortei ri-voluzionari dell'hinterland milanese, le manifestazioni sel-vagge e spontanee in corso Traiano a Torino, i servizi d'or-dine di Lotta continua e di Avanguardia operaia, i piani in-surrezionali di Potere operaio, i gruppi autonomi di Mar-ghera e, nella nebulosa della contestazione violenta, vedrete apparire quei nomi, quelle facce che passeranno da un bacino di raccolta sovversivo all'altro, fino agli anni ottanta, fino al grande bacino terminale della galera di Stato.

Non c'è il filo rosso continuo come ipotizza la magistratura. C'è questa leva di impazienti, utopisti, generosi, violenti, totalizzanti, bisognosi di "identità piena", insofferenti di "irrilevanza", c'è questo sciame ronzante, pungente, insolentito, di provinciali sradicati, di assetati di vita e di onnipotenza – insomma l'avanguardia rivoluzionaria di sempre –, che andrà avanti fino a consumazione completa, fino a quando il "partito guerriglia" di Giovanni Senzani avrà raschiato l'ultimo fondo del barile.

Ne consegue un'irresponsabilità generale. Là dove il senso della realtà viene a mancare perché il vecchio muore e il nuovo si va confusamente formando, là dove si diffonde il desiderio, il sentimento di ciò che potrebbe essere, ognuno si sente parte di uno Stato nascente e da esso giustificato. "Io mi legittimavo in quanto rivoluzionaria," dirà ai giudici una ragazza della lotta armata. Musil ha visto bene: "Dove predomina il sentimento della possibilità, della creatività, non di rado ciò che prima era ammirato appare falso e il proibito lecito". Del resto l'irresponsabilità giovanile fa presto a storicizzarsi, a giustificarsi reinventando il mai letto Max Weber: "Il possibile non sarebbe mai raggiunto nel mondo se non si ritentasse sempre l'impossibile". Agli ultimi esitanti si provvede con i nuovi miti: "I compagni cinesi dicono che la rivoluzione sta per arrivare in Europa". "Il termine utopia concreta," ripete ancora la guerrigliera Susanna Ronconi, "mi è molto caro, è la sintesi estrema non solo della mia cultura ma del mio modo di esistere, di sentire."

L'avanguardia che rifiuta la banalità del reale tende alla mitomania. Quattro giornalisti "democratici" fondano un bollettino, "Bcd", con l'aria di chi smaschera la Cia e mette a nudo il terrorismo di Stato. Quelli di Lotta continua hanno una mappa industriale dell'Italia: se in una fabbrica c'è un loro iscritto o simpatizzante, ci piazzano su la bandiera della conquista. Cinquanta ragazzi con volantini alle porte di Mirafiori o di Rivalta bastano perché uno dei gruppi proclami: la Fiat è nostra. Siamo alla maggioranza della minoranza teorizzata dal professor Antonio Negri: se il movimento porta in piazza nella zona di Sesto San Giovanni 250 militanti contro i 200 attivisti del sindacato, vuol dire che è più forte. Anche qui si oscilla fra "l'immaginazione al potere" e i recuperi del leninismo. La prima aiuta il secondo a coniare gli slogan: "Siamo belli, siamo tanti, siamo tutti latitanti".

C'è un altro denominatore comune, un altro legame che appartiene ai significati mistici della parola compagno: l'omertà nella concorrenza, la solidarietà fra compagni di fronte al nemico borghese, nella divampante lotta per il potere. Divampante e un po' grottesca. Al primo arresto di Renato Curcio il professor Negri esclamerà: "Finalmente le Brigate rosse siamo noi. Morto il re viva il re". L'ambiguità è di casa in ogni transizione di qui, in ogni gruppo e in ogni sua manifestazione. I grandi cortei di lotta del dicembre '69 e dell'inverno '70 dopo le bombe di piazza Fontana sono, a un tempo, rivoluzionari e in difesa dell'ordine democratico.

"Quelli di Lotta continua," ricorda Roberto Ognibene, "un giorno ci accusavano di avventurismo e l'altro ci corteggiavano perché passassimo nel loro servizio d'ordine. La destra di Lotta continua esortava gli iscritti a isolarci, la sinistra avrebbe fra poco fornito uomini a noi BR, a Prima linea e ad Autonomia organizzata."

L'ambiguità crea la babele dei linguaggi, le stesse parole assumono significati diversi, ogni gruppo avrà il suo lessico e la sua incerta filosofia. "Il nostro 'tutto è politico'," ricorda Alberto Franceschini, "veniva ogni giorno sommerso dal 'tutto ora è privato' del Movimento, dallo stato nascente dei 'soggetti liberati', come si diceva, femministe, omosessuali, inventivi, cavalli pazzi." Con la scienza di poi, i figli del Sessantotto capiranno che nella ruota del loro mulino passavano anche le acque della destra classica: violenza, durezza, fantasie metastoriche, intolleranza.

Una delle fantasie metastoriche ricalca esattamente quella dei consigli operai nell'Italia di Gramsci e di Togliatti, la deformazione della realtà geopolitica, in cui la parte delle città industriali diventa il tutto della nazione pronta alla rivoluzione. I sessantottini sovversivi e i loro eredi guerriglieri, sempre localizzati a Torino, Milano, Genova, Marghera, Roma e dintorni, si comportano come se non esistesse l'altra Italia dell'intatto ordine provinciale, connettivo grigio, spesso, impenetrabile fra i focolai di rivolta. Il giudizio storico, dicevo, resta sospeso nonostante gli esiti spesso fallimentari. Chi è stato dentro al Movimento crede che, nonostante tutto, sia stato un prezzo della transizione, una necessità della transizione. Qualche volta i giovani vincono, altre pagano, di certo questi degli anni settanta hanno più pagato che vinto.

Da *Noi terroristi*, 1985

L'università sovversiva

Perché si va a Trento nel '65? Lo spiega un'inchiesta di Aldo Ricci. La storia comincia con un equivoco. I cattolici trentini vicini a Flaminio Piccoli pensano a Sociologia come a una scuola di quadri, di tecnocrati dei rapporti umani per il consolidamento del potere. I progressisti, come l'avvocato Canestrini, la vogliono per uscire da un ambiente soffocante "in cui il consulente della cultura alla provincia è un prete e il *Saul* di Gide è vietato dall'assessore democristiano De Benedetti perché immorale".

I trentini fanno i loro piani e poi arrivano gli studenti, con le loro motivazioni, imprevedibili. Franco: "Avevo appena piantato Tom Ponzi, facevo il poliziotto privato, poi avevo fatto il ragioniere ai mercati generali di Roma. Arrivai a Trento e tenevano un'assemblea. Non capivo un cazzo. Mi alzai e dissi: 'Voi parlate di tutte queste cose e io non ho dove andare a dormire'. Due ragazze si alzano e dicono: 'Puoi venire a casa nostra'. Per uno come me, capite, nato a Benevento, vissuto a Frosinone...".

Giuseppe: "C'era il figlio di un insegnante di Lecce, insieme alla principessa siciliana e al nipote di Pirelli, tre negri e un giallo e un sacco di gente che non c'entrava un caz-

170

zo. Se uno si chiama Brambilla, cioè Pirelli, non si chiama Gigi Gaito come me. Se un Brambilla non studiava era un conto, ma se non studiava chi stava a Trento con 30.000 al mese del padre contadino era un altro. Le differenze c'erano ma erano un tabù su cui si preferiva tacere. C'era anche quello di Ancona che dice alla moglie: 'Vado a Trento e non torno più'".

Luciano: "Secondo me molti pensavano questo: il mondo è malato, non mi va di guardare il mondo malato, mi va di fare qualcosa per cambiarlo".

Leslie: "Il rapporto con mia madre era violento e andai a studiare a Trento: giustificavo una fuga non così definitiva come il matrimonio".

Giorgio: "Arrivai a Trento dopo quattro anni di autostop".

Enrico: "Sono venuto qui per autotrasformarmi".

Piero: "Arrivai verso la fine del '66 e scesi da una Giulia granturismo con mia madre bionda, con capellone lungo fino al culo, quanto basta per essere percepito subito come 'fighetta'".

Da questo lavoro di scavo di archeologia sociopolitica emergono le figure dominanti: quella di Renato Curcio, il guerrigliero, e quelle di Mauro Rostagno e di Franco Boato, il leader dei rossi e il leader dei bianchi, simboli di quel primo caotico, effimero compromesso storico fra marxisti e cattolici [...].

Dice Mauro: "Io e Renato Curcio vivevamo facendo le supplenze. Si parlava di tutto, di scuola, di come trasformare l'università, dell'Internazionalismo, del Che Guevara, di Lang, di Freud. Renato mi spaccava le palle con Camus e il suicidio. Vivevo con Renato Curcio e Paolo Palma in una casa abbandonata. Eravamo poveri da far schifo. Rubavamo un casino di mele che mettevamo nella stanza della frutta, tutta la casa era molto profumata. Un giorno arrivò un matto di nome Tino Tomba. Comunicava con gli spiriti ed era vero. Fece un affresco con me nel mezzo, Renato Curcio da una parte e senza una spalla perché non gli voleva bene, Paolo dall'altra".

Giorgio: "Abitavo con Curcio, certe volte si andava a dormire alle quattro del mattino e poi magari lui, Renato, tirava fuori da un grande cassettone qualcosa che era un vestito, qualcosa che era una camicia e una cravatta e andava a un esame a prendere trenta regolarmente. Il rapporto fra Renato e Margherita era splendido. Tutti e due cattolici, ritenevano giusto fare l'amore. Una continua tenerezza".

Luciano: "Facevamo un numero teatrale con due attori, Camuffo e Curcio. Si chiamava Ciok ed era molto buffo. Consisteva in un'azione mimica con fondo musicale intitolata *La Catastrophe dorée*. Era l'incontro al rallentatore fra un ragazzo e una ragazza. Vedere tutto ciò oggi sarebbe...".

Ma non c'è solo questo imprevedibile Curcio, c'è già il personaggio se non destinato alla guerriglia certo con una vocazione a essa: non partecipa alle assemblee, non gli piace il divismo dei leader studenteschi, è sempre alla ricerca di una liturgia, di una fede e di una chiesa organizzata. Eccolo trascurare il mare mosso del Movimento ma studiarsi Clausewitz e poi tutti i testi della guerra partigiana, in particolare quelli della lotta clandestina nelle città; ecco perché uno studioso della Resistenza o un suo protagonista può ritrovare nel breviario del brigatista rosso le stesse norme di clandestinità dettate dai Secchia e dai Longo. [...]

E naturalmente gli amori, la rivoluzione sessuale, le finte ideologie sull'amplesso, le delusioni, la tenerezza adolescenziale.

Gianna: "Nel '65 mi sono subito innamorata di Gianni che indossava una grande giacca alla marinara. Si esibiva moltissimo per attirare l'attenzione. Per attaccare discorso gli dissi: 'Sai che la Fernanda ti ha notato?'. E lui sprezzante: 'La gente me la scelgo io'. 'Allora non la vuoi conoscere?' 'No, la gente che voglio conoscere me la scelgo io.' Due anni dopo ci siamo sposati".

Leslie: "Si parlava molto del fatto che Rostagno e la sua compagna non potevano sposarsi perché lui aveva una moglie e una figlia. Eravamo ancora legate alla visione matrimonialistica, eravamo ancora vergini". "Ancora?" "Sì, ma per poco."

Gianni: "Proprio tu, Aldo, una sera aggredisti una ragazza che ti guardava dicendo: 'Tu che mi guardi con quegli occhi vessilliferi'. Questo perché si comportava come una ragazza blasonata. [...] Amore e botte, con le compagne dividevamo tutto".

Ughetto: "E allora senti questa. Una volta arriva una dalla Calabria. Viene lì davanti all'università e mi dice: 'Sto cercando Rostagno'. Io stavo aspettando proprio Mauro e le rispondo: 'Son mi'. E questa mi fa così a bruciapelo: 'Vorrei far l'amore con te'. In cinque minuti eravamo a casa mia. Poi è ripartita e nessuno l'ha più vista".

Claudia: "Io non mi sono divertita affatto a scopare con Mauro e con gli altri compagni e per capirlo ci ho messo dieci anni. Dovevi dare la figa al dirigente. Potevi metterti in fila o fare tutti i volantinaggi che volevi, però se non entravi nell'Olimpo non succedeva niente". [...]

In questo mondo di diversi, di matti generosi, di provinciali che scambiavano la goliardia per la rivoluzione ma che al tempo stesso erano il segnale della grande crisi giovanile, capitano dei professori curiosi e coraggiosi [come Francesco Alberoni e Franco Fornari].

Da "la Repubblica" del 3 marzo 1978

Capitolo VII

GLI ANNI DI PIOMBO

Un quadro preciso, una dichiarazione di guerra datata, non esistono. Esiste il fiume carsico della violenza che riemerge questa volta contro il potere statale, della borghesia d'ordine.

"Noi, figli del Pci," diceva Alberto Franceschini, "la lotta armata l'avevamo ripresa già negli anni sessanta: irruzioni notturne nelle fabbriche in serrata, scritte spray sui muri, qualche rivoltella, qualche molotov, il canto di guerra per i morti di Reggio Emilia. Il convegno di Chiavari alla Stella Maris, nel novembre '69, non è decisivo. Si parla anche di lotta armata, ma senza formalizzarla. Se proprio vuoi un nome, una data, andiamo ai primi del '70 al convegno di Puianello, vicino a Reggio Emilia. Semeria dice Pecorile? Sono due frazioni vicinissime, c'eravamo noi di Nuova resistenza, anticamera delle BR, quelli del Superclan di Berio e di Simioni, alcuni superstiti dei gruppi." Tonino Paroli, altro BR "storico", conferma e spiega: "Sì, il convegno di Puianello ci fu, ma alla lotta armata arrivammo in progressione. Nel Collettivo politico metropolitano si parla già di clandestinità, poi con Nuova resistenza discutiamo di illegalità organizzata e di autodifesa armata. Insomma, chi aveva alzato la mano al Collettivo politico metropolitano per approvare la clandestinità passa alla lotta armata".

Sì, ma perché negli anni settanta e non prima? Perché non nei giorni della Guerra fredda, della dura immigrazione, della repressione vallettiana alla Fiat, dell'umiliazione operaia, dell'arroganza clericale? I protagonisti né sanno né vogliono dare una risposta unica, schematica. Siamo andati avanti, assieme, per riflessioni, illuminazioni improvvise, trame che emergono dalle acque torbide delle memorie e della delusione.

Enrico Fenzi, professore di Letteratura italiana, è uno dei rari intellettuali arrivati alle Brigate rosse. Gli chiesi di affrontare l'ipotesi della doppiezza e del radicalismo, e disse: "Potremmo tornare ai famosi 'limiti' del Risorgimento e poi della Resistenza e del Pci, diciamo delle rivoluzioni mancate, della convivenza del vecchio con il nuovo. Ma per la lotta armata mi viene un'immagine attuale, fisica, da scissione nucleare: la doppiezza del Partito comunista si spezza negli anni settanta sotto il peso della grande trasformazione e di energie radicali, estremiste. Negli anni settanta il Pci non può più coprire con la sua doppiezza le due anime del partito, la riformista e la rivoluzionaria, deve farsi Stato, diventare difensore delle istituzioni, stare dalla parte dei carabinieri. A questo punto la domanda 'Perché ho scelto la lotta armata?' può anche avere questa semplice risposta: 'Perché io ero quella scelta' o anche: 'Perché in quella scelta ho riconosciuto chi ero, da sempre'. C'è qualcuno che sappia davvero spiegare quel che si è e perché lo si è? Le BR sono lotta armata, non hanno cercato altra formula, altra ragion d'essere. La lotta armata per le BR non era una forma della politica, ma la politica. Anzi il solo modo per uscire dalla non politica del Pci e della sinistra ufficiale, il solo per spezzare la paralisi partitocratica. Vedi, l'esame d'ingresso delle BR si basava su questo: ti avvicinavano, ti conoscevano e ti mettevano alla prova nella lotta armata".

"Io," mi disse Alberto Franceschini, "non ho ancora risolto il mistero della lotta armata così come l'abbiamo pensata nel '70, cioè rivoluzione e guerriglia di lunga e lunghissima durata. Un giorno ne parlavo a Lazagna, lui mi ascoltava paziente e poi alla fine diceva: 'Va bene, fate pure, io intanto vado a pesca. Mi sembrate dei matti. Noi partigiani abbiamo resistito a stento un anno ed era una guerra dichiarata, popolare, con scadenze prevedibili. E voi volete andare avanti vent'anni?'." La ragionevolezza, il buonsenso! Ma in che misura li possiede chi li pretende da una miscela esplosiva? E che altro era, per i giovani, quella stagione? Disse Lapo Berti, lo studioso: "In quegli anni c'era una politica che non era la politica, ma una sua negazione radicale. Il serpeggiare di aspirazioni deluse, di bisogni compressi, di soggettività ingabbiate, che di colpo confluiscono nell'onda di piena".

Torna l'immagine di Fenzi, la scissione dirompente, la lotta armata come un effetto quasi fisico di temperature sociali non più sopportabili dall'ordinaria amministrazione, parlamentare e sindacale. Sì, forse. Ma poi si cerca di capire meglio, di trovare le ragioni ragionevoli, a cominciare dalla violenza che chiama violenza. "Quegli anni," mi disse ancora Franceschini, "furono oggettivamente violenti, furono gli anni della criminalità di massa. Noi non siamo nati come risposta al golpismo più o meno velleitario dei Sogno e dei Miceli, anzi abbiamo criticato l'ossessione antigolpista di Feltrinelli. Ciò non toglie che quel periodo era caratterizzato dalla cultura della violenza. Non eravamo solo noi a pensare a una conquista violenta dello Stato, ci pensava anche una parte della borghesia, della classe dirigente." Il più attento, fra i brigatisti "storici" o fondatori, alle ragioni ragionevoli è certamente Renato Curcio. "Tu mi chiedi," mi disse, "perché la lotta armata negli anni settanta e non prima. Io partirei un po' da lontano, dalle molte correnti che confluirono nella nostra scelta. Erano gli anni del Vietnam, del 'vince chi spara', delle megamanifestazioni in cui si incontravano compagni rivoluzionari di tutti i continenti; del Che e della sua paradossale sconfitta militare, da cui il ripensamento strategico che sfocia nella guerriglia urbana, brasiliana prima, tupamara poi. Il tempo della rivoluzione culturale delle Guardie rosse. Chi, giovane, restò insensibile a tutto ciò, non può far testo per quegli anni. Veniamo all'Italia. La classe operaia lottava per uscire da una 'ricostruzione' impastata di fatiche, di discriminazioni politiche, di bassi salari. L'operaio-massa andava allo scontro. Era il suo canto del cigno, ma allora chi lo sapeva?"

Il punto chiave, la cerniera di questa storia, è il confronto continuo tra ciò che abbiamo capito con la scienza di poi e ciò che si pensava e si faceva allora: fra l'angoscia della transizione che oggi sembra dominante e il giorno per giorno della sovversione giovanile che crede, si sforza di credere nella rivoluzione in marcia. In quel giorno per giorno la necessità della lotta armata diventa ragionamento elementare, conseguenza inevitabile della pratica dei "passaggi". I giovani che cercano di fare, di cambiare, di incidere alla loro maniera vagante e sperimentale – oggi l'occupazione delle case, domani una manifestazione di piazza o uno scontro con i fascisti o un'autoriduzione – si rendono conto che la concorrenza con il Pci e con il sindacato sul terreno delle riforme è perduta in partenza. Ma Pci e sindacato sono perdenti, tagliati fuori dalla lotta armata. E allora quale altro progetto se non quello spiegato da Massimo Libardi, "proporsi come strutture di servizio, militari, organizzative della rivoluzione operaia"?

I processi, la repressione, le soluzioni politiche hanno messo assieme un paesaggio, della lotta armata, deformato. Dividendo i buoni dai cattivi o i meno cattivi dai cattivi. In altre parole: quelli che sono passati dalla galera e quelli che sono liberi e magari in Parlamento. Il brigatista Roberto Ognibene si è trovato a rimettere le cose al loro posto: "Nessuno era contro la lotta armata, le divergenze erano sui modi e sui tempi. Alcuni dicevano: il braccio armato deve essere separato e subalterno alla testa politica. La direzione politica non deve sparare, ma far sparare. Vedi Toni Negri e Franco Piperno. Noi invece dicevamo: militare e politico sono la stessa cosa. Tanto per ricordare che il nostro marxismo-leninismo, rimproveratoci dai luxemburghiani di Rosso e di Potere operaio, era aperto al nuovo, seguiva in questo caso il modello sudamericano".

L'area sovversiva che l'Italia normale, ufficiale, definisce terrorista considera la parola terrorista come una diffamazione. Nessuno accetta la definizione di terrorista, c'è chi rivendica quella di guerrigliero urbano o di rivoluzionario o di sperimentatore sociale. Nelle testimonianze e nei documenti della sovversione è difficile trovare una spiegazione terroristica della lotta armata. C'è un documento, mi disse Enrico Fenzi, della colonna genovese, ispirato dai duri come Baistrocchi, in cui, in buona sostanza, si diceva che la sola cosa che conta era sparare, su tutti. E ci sono gli epigoni di Giovanni Senzani che teorizzano la lotta armata come liberazione e manifestazione del "diverso" che c'è in ciascuno di noi. Quell'"altro", quel "diverso", che hanno bisogno di trasgredire, di uccidere. Ma queste riscoperte di Nietzsche incidono poco o niente nella storia della lotta armata, fosse solo per la ragione che non si fa storia con le pulsioni individuali, e con la filosofia.

Che ci siano state pulsioni personali, esistenziali, patologiche, è fuori discussione. I medici ci dicono che ogni cento persone c'è uno schizofrenico, uno che non sa avere un rapporto normale con la realtà. Qualsiasi analista potrebbe riconoscere nella sindrome del terrorista medio i segni dell'infantilismo schizofrenico, il rifiuto di misurarsi con la realtà del lavoro e della normale convivenza. È certo che molti sono entrati nel labirinto per voglia di avventura, perché mancavano gli sfoghi tradizionali delle guerre patriottiche, dell'arditismo, delle esplorazioni. Ma si fa storia con queste sabbie mobili?

Da Valerio Morucci venne un'ultima spiegazione, questa sì di stampo intellettuale: "Spesso diciamo fra noi che ci ha rovinato il cinema d'azione americano, intriso di figure di *losers* dalla insensata distruttività. Ricordo un film in cui i protagonisti usavano il fucile a pompa. Ne comprammo subito quattro o cinque".

Primi passi guerriglieri

Nel '70 la Pirelli ristruttura e licenzia. Le BR nascenti saltano in groppa alle rabbiose lotte operaie, mimetizzano la loro violenza nella generale violenza di fabbrica. "Dopo ogni azione, corteo, blocco merci, blocco del grattacielo Pirelli," testimonia Lotta continua, "ogni reparto si trasforma in un tribunale proletario: quelli che, pur potendo, non hanno partecipato vengono fatti uscire dalla fabbrica." Di brigatisti alla Pirelli ce ne sono una decina, ma siamo ai primi passi del '70 e non c'è ancora la distinzione fra regolari e irregolari. Dieci che intervengono con un giustizialismo rozzo, ma popolare, che partecipano al comitato unitario di base e ne interpretano il revanscismo operaio, il rancore, incendiando le automobili dei dirigenti, indicando nei volantini i "boia" e gli "aguzzini" che poi sarebbero alcuni capi guardia o cronometristi. Con il trionfalismo che non abbandonerà mai la setta BR: "La risposta della fabbrica al nostro comunicato è stata eccellente. Avevamo portato dentro duemila copie. Tutti lo volevano. Tutti lo leggevano. Tutti lo commentavano. Gli impiegati scesero dagli uffici per racimolarne qualche copia che poi fotocopiavano in centinaia di esemplari. Una bomba, insomma!".

Fuori della Pirelli e della Siemens nessuno sin lì si è accorto di queste BR, ma la cosa non sarà più possibile dopo l'azione di Lainate, del 25 gennaio '71, quando un commando BR entra nella pista prova e incendia tre autotreni della Pirelli. La violenza brigatista fa riaffiorare la violenza piciista, un comunicato della federazione ammonisce: "Quando questi atti avvengono, i lavoratori devono per primi prendere l'iniziativa di toglierli di mezzo con le maniere più idonee, corrispondenti alla natura degli atti compiuti". Come a dire: se li conoscete spaccategli le ossa. Le BR rispondono prendendo le difese dei vecchi comunisti rivoluzionari emarginati dal partito e dal sindacato. Se la Pirelli licenzia il compagno Della Torre, le BR lo adottano: "Della Torre. Meccanico. Un buon compagno. Cinquant'anni, due figli. Quadro di punta della Cgil. Venticinque anni di attività sindacale. Tirava le lotte. Lo hanno licenziato. Lo hanno fatto in due: i padroni prima, i sindacati poi. Non è un fatto privato. È una linea politica vigliacca che tende a colpire tutti gli operai in lotta".

"Alla Pirelli," dice Franceschini, "ci conoscevamo tutti, nome per nome. Eravamo clandestini per modo di dire, stavamo in quella clandestinità di massa, in quella omertà proletaria che copriva tutti i comportamenti illegali."

"È vero," conferma Tonino Paroli, "fino alla scoperta del covo di via Boiardo e ai primi arresti non ci fu vera clandestinità. Ma anche dopo, a dire il vero, restammo in contatto continuo con il sociale."

Nei primi mesi vanno alla clandestinità obbligata solo quelli che stanno per essere arrestati. Ricorda Carmela Lintrami: "Dopo l'incendio dell'auto di un dirigente, qualcuno dovette fare la soffiata contro Arialdo alla polizia. Infatti nelle cronache del giorno dopo era come fotografato anche se mancava il nome: 'Si sospetta un operaio assunto da pochi mesi con moglie e un figlio'. Venne a casa per prendere qualche vestito e salutare. Non volevo che il bambino e mia madre mi vedessero piangere. Andammo nel bagno e lui mi diceva: 'Ti voglio molto bene, ma devo andare, se non facciamo questa rivoluzione, che avvenire avrà nostro figlio?'. A dirle oggi, 'ste cose, sembrano false, ma allora avevamo una grande tensione ideale. Io piangevo, lui piangeva. Poi ci vedemmo ancora, di nascosto".

Giorno per giorno la setta impara il suo nuovo mestiere, il mestiere del guerrigliero urbano. "I nostri modelli," spiega Franceschini, "erano i due volumi dei tupamaros pubblicati da Feltrinelli. Ci leggemmo che i sequestri temporanei di persona venivano fatti con una jeep, ma a noi sembrò che a Milano avrebbe dato nell'occhio. Così scegliemmo qualcosa di più comune, il furgoncino T50 special. Polizia e giornalisti un bel giorno notarono che per le nostre azioni usavamo sempre le Fiat 1100 e ne dedussero che doveva esserci una ragione tecnica: chi diceva la ripresa, chi la tenuta di strada. Invece era l'unica macchina che sapessimo rubare. Ce lo aveva insegnato un ladro d'auto che aveva interrotto con quel tipo d'auto la sua carriera di ladro per diventare operaio. Erano i tempi in cui restituivamo l'auto rubata al proprietario con un bigliettino di ringraziamento e di scuse e magari con il rimborso se l'avevamo graffiata. Se poi era una macchina di un operaio gli facevamo il pieno, 'Non si tocca nemmeno un ago del popolo'." L'ago no, ma il grignolino sì. "Uno ne aveva tre bottiglie nel portabagagli. Resistemmo per un po' poi ce lo bevemmo." "Avevamo una fiducia totale nei compagni," dice Paroli, "l'organizzazione non contemplava l'idea di un infiltrato, se uno andava a fare un'azione pericolosa, lasciava la chiave di casa in una busta e la consegnava a un compagno."

Le prime targhe le trovano nel cimitero delle auto, dal "rotamàt", ma poi scoprono che sono anch'esse registrate. Poi capiscono che è rischiosissimo prendere la targa di un'auto rubata che la polizia sta cercando. Allora ricorrono alle auto che nessuno ruba, quelle della nettezza urbana o dell'azienda tranviaria. La prima scatola, completa di timbri della questura e della prefettura, la comprano da uno della mala per 150.000 lire. Poi diventano dei falsificatori di documenti abili. "Ci hanno beccato?" dice Semeria. "Solo in un caso: un compagno falsifica una patente in fretta e furia e dimentica un dato essenziale, mi sembra quello del rilascio e della scadenza. Come se non bastasse, si infila in un senso vietato dove c'è un vigile. Lo ferma, guarda la patente, poi lui, poi la patente e deve capire, perché gli dice: 'Tenga e vada via' senza neppure farlo tornare indietro."

Il logistico, come veniva chiamato, cioè l'occuparsi di trovare alloggi, timbri, armi, covi, automobili, apre da subito nelle BR una di quelle diatribe comuniste che gli estranei non riescono proprio a capire: logistico tecnico o un logistico del popolo? Fatto da un gruppo di specialisti che si disinteressano del sociale o fatto in mezzo agli operai, alla gente che lavora, che certe cose le fa di mestiere, per coinvolgerne il più possibile nella guerriglia? Vince il logistico tecnico e a cose fatte si scoprirà che è proprio questo il serbatoio dei pentiti e dei delatori.

Poi vengono il sequestro di persone e le gogne: Idalgo Macchiarini il 3 marzo del 1972 a Milano, Bruno Labate il 12 febbraio del '73 a Torino, l'ingegner Michele Mincuzzi dell'Alfa Romeo il 28 giugno dello stesso anno. Le prime BR hanno dovuto abbandonare la Pirelli non perché ne siano state cacciate, ma perché la ristrutturazione ha cancellato le figure sociali, i reparti, le ragioni delle contese e i capi popolo che le rendevano drammatiche: tutti pensionati, licenziati, trasferiti. Primo avvertimento che l'ipotesi brigatista di guidare la rivoluzione degli operai di massa va alla sconfitta. Idalgo Macchiarini è sequestrato alle sette di sera mentre sta per salire sulla sua auto, appena uscito dalla fabbrica. Lo strattonano, lo pestano, lo trascinano a forza su un furgone Fiat 750, gli turano la bocca con un bavaglio, sta per soffocare, geme e lo lasciano respirare, "Ma attento che se gridi è peggio per te". Mezz'ora di sequestro, giusto il tempo di fotografarlo con un cartello al collo e di portarlo all'estrema periferia. Quando la fotografia apparirà sui giornali non renderà un servizio al terrorismo nascente: c'è in quell'uomo con il cartello al collo qualcosa di terribilmente noto e umiliante per la specie dell'uomo, qualcosa di concentrazionario, di lager, di *Se questo è un uomo*. Sembra forzata anche la didascalia: "Macchiarini Idalgo, dirigente fascista della Siemens, processato dalle Brigate rosse. I proletari hanno preso le armi. Per i padroni è l'inizio della fine". Il sindacalista fascista Bruno Labate viene invece interrogato a lungo: vogliono sapere nei dettagli come si compone l'apparato fascista delle assunzioni alla Fiat, i rapporti con l'ufficio del personale. Poi lo portano alle tre del pomeriggio ai cancelli di Mirafiori e lo incatenano a un palo della luce. Gli operai che passano non osano avvicinarsi, un anonimo telefonerà alla polizia: "Al cancello numero uno della Fiat c'è un uomo incatenato".

Il sequestro Mincuzzi dà un secondo avvertimento al terrorismo nascente: la classe operaia, degli operai in carne e ossa, non è così generosa e disinteressata come nel suo mito, sa essere scaltra, opportunista. Qui, all'Alfa di Arese, sono gli operai del Cub che hanno proposto il sequestro a quelli delle BR, ma a cose fatte gli chiuderanno le porte della fabbrica in faccia, non vogliono intrusi nel loro dominio. E con Mincuzzi si capiscono anche i rischi umani di simili operazioni. "Vedi," dice Franceschini, "noi immaginavamo il sequestro secondo schemi ideologici: lo sfruttatore, il fascista, lo sgherro. Poi nel sequestrato trovavamo l'uomo con le sue sofferenze, le sue debolezze, le sue ragioni. Qualcuno di noi dopo le prime esperienze arrivò al punto di pensare che era meglio ucciderli che tenerli prigionieri. Gli ingegneri come Michele Mincuzzi erano una specie a parte, la specie degli ingegneri non si era mai occupata della fabbrica come di un problema sociale, l'aveva osservata solo come problema organizzativo o tecnico, come modulo. Mincuzzi era uno specialista nell'organizzazione degli spazi ed era sinceramente stupito che lo avessimo rapito. Ma come, diceva, ho aumentato la produttività senza tagliare i tempi, senza licenziare. Ho anche diminuito la fatica. Se gli parlavamo di politica, di lotta di classe, sembrava non capire. Ma rifioriva, si animava appena toccavamo temi tecnici, ingegneristici. Era facile capire cosa stesse pensando: se la mettono su questo piano io ne so più di loro. Se il discorso tornava ai disoccupati, ai licenziati, alle loro famiglie, cadeva dalle nuvole."

La guerriglia fa i suoi primi passi, la forza numerica delle BR, che dopo il '72 si distinguono fra regolari e irregolari, è minima. I regolari saranno una quindicina, divisi fra le colonne di Milano, Torino e Padova. Alla Fiat fra regolari e irregolari sono una decina. Ma ci sono, mentre quelli dei "gruppi" scompaiono. È del '73 anche la prima agghiacciante spedizione repressiva contro un traditore. Fallita ma agghiacciante. Si tratta di Marco Pisetta, un poveretto conosciuto a Trento da Renato Curcio, forse già allora informatore dei carabinieri. Ma sentiamo Ognibene: "Questo Pisetta arriva a Milano, cerca Renato ed entra nelle BR poi lo arrestano nel covo di via Boiardo e comincia a cantare. Viene subito rilasciato, vive per qualche tempo ospite dei carabinieri di Trento, che se ne servono per fargli firmare un memoriale intitolato *Brigate rosse*, che in realtà è un lavoro di alta qualità fatto dai servizi segreti. In seguito si sposta in Austria o in Germania, con il compito di infiltrarsi nei gruppi estremisti dell'emigrazione. Riuscimmo a trovare il suo indirizzo alla solita antica maniera, leggendo le lettere di una sua fidanzata. Sta a Freiburg. Partiamo, Bonavita e io, ma le cose si mettono subito male: le targhe delle automobili ferme di fronte alla casa degli italiani che lo ospitano non sono di civili, ma dei carabinieri del servizio segreto. Decidiamo di giustiziarlo, è pericoloso, si è infiltrato in una sezione di Avanguardia operaia. L'operazione si fa sempre più difficile, per non essere notati dobbiamo spostarci di continuo fra Germania e Francia, la polizia è in allarme, hanno appena sgominato la Baader-Meinhof. Viene la sera che sembra decisiva, vediamo la sua automobile ferma, ci avviciniamo, stiamo per sparare quando ci accorgiamo che non è lui. Ora il suolo ci scotta sotto i piedi, non possiamo chiedere rinforzi, abbandoniamo l'operazione".

Marco Pisetta è un povero delatore, ma assistito dalla fortuna.

Da Noi terroristi, 1985

Negli anni seguenti le Brigate rosse crescono in numero e organizzazione, nel 1978 la loro azione diventa quotidiana e ossessiva.

Ore otto: le pistole sparano

Alle otto del mattino: potrebbe essere il verso ripetuto e martellante di una ballata sul terrorismo milanese. Alle otto del mattino è stato colpito ieri il dirigente bancario Marzio Astarita, era stato colpito il professor Franco Giacomazzo della Montedison e prima di loro tutti gli altri di un elenco che ormai è arrivato al numero ventidue. Perché Milano è nell'occhio del ciclone? Il dottor Natale Meterangelis, capo della Digos milanese, sembra stare tra il fatalismo e il calcolo delle probabilità: "Tocca a Milano," dice, "prima è stata la volta di Roma, adesso tocca a noi".

Lei pensa che c'è una pianificazione nazionale del terrorismo e che è quasi impossibile sottrarsi al turno della violenza?

Vorrei dare, intanto, questo consiglio alle persone che in qualche modo pensano di essere un possibile bersaglio. Stiano attenti alle otto del mattino, non facciano sempre gli stessi orari, gli stessi percorsi.

Vuol dire che i cittadini devono affidare la loro sicurezza alla loro fantasia?

No, voglio fare un discorso realistico: ogni cittadino faccia quel che può, noi, glielo assicuro, faremo la nostra parte. Non parlo tanto dei servizi dei prossimi giorni di pattugliamenti di prevenzione, ma di portare un colpo duro, serio all'organizzazione terroristica. La cosa c'è riuscita nel '72, siamo sicuri che ci riuscirà nel '78. Ci creda o meno, noi siamo ottimisti.

Le ultime vittime, quindi anche Marzio Astarita, sono state ferite non gravemente. Che cosa significa? Che volevano solo azzoppare o che sono poco addestrati, ultime reclute dalla mira incerta?

Non credo che ci si debba fare alcuna illusione: le vittime sono divise per categorie, quelle da azzoppare e quelle da uccidere. Astarita era fra quelli da azzoppare. I brigatisti, anche questi che agiscono a Milano, mi sembrano dei buoni tiratori. Sono delle reclute? Può darsi, ma per fare un attentato al giorno dispongono di una lunga programmazione e di un notevole numero di informatori.

Dottore, lei che opinione si è fatto del nostro terrorismo? Ha capito esattamente che cosa vuole?

Mi pare che l'obiettivo sia chiaro: destabilizzare lo Stato, la società. La rotazione delle categorie ha lo scopo di diffondere la paura.

Ma a che fine? Con quale prospettiva politica?

Lasciamo perdere, sono cose che dovete discutere voi, esperti di politica, di informazione.

Alle otto del mattino le pistole sparano: c'è quasi sempre una moglie che accorre, sapendo e non sapendo, vicini o passanti che danno indicazioni così generiche da perdersi nel niente. Il terrorismo è pieno di Nessuno, come la favola omerica. E ogni giorno esperti cittadini qualsiasi si rimettono a fare il loro compito sul terrorismo, a risolvere pazientemente il problema irrisolvibile.

Il proletariato milanese di fabbrica è in una situazione prerivoluzionaria? Dovremmo dire di no, è per il no anche un dirigente di Lotta continua, Fabio Salvioni, il quale osserva: "Ci sono delle forti opposizioni al sindacato: all'assemblea provinciale dei delegati sindacali a Cinisello, su 10.000 più di 400 erano contrari alla linea sindacale. Ma lotte più dure non significano insurrezione armata". E aggiunge testualmente: "Se stiamo agli ultimi due anni, sono state le lotte giovanili contro l'occupazione e contro la qualità del lavoro a entrare nelle fabbriche e non viceversa".

Perché allora i brigatisti continuano ad agire in nome del proletariato industriale? Ritorna, a Milano come altrove, tutta la tematica del terrorismo, il rosario di domande senza risposta definitiva. Che cosa sono questi che sparano, ogni mattino, come il postino o come il lattaio o quanti altri fanno un lavoro segnato da un orario? Chi sono questi concittadini che entrano nel sincronismo dei milioni di orologi metropolitani, per sapere che è arrivata l'ora dell'azzoppamento o della morte? Minoranze, come dice Enrico Deaglio di LC, che disprezzano le masse? Vendicatori o detonatori o disgregatori?

A volte la risposta appare a portata di mano. Si legge un breve saggio sul terrorismo di Roberto Roversi e la chiave sembra trovata: il terrorismo nasce dal calcolo o dalla disperazione. Il calcolo è il pane dei potenti, la disperazione è il pane dei poveri. Ergo, siccome tutte le violenze terroriste servono a qualcosa, questa, calcolata, delle BR serve sicuramente a qualche padrone e non serve sicuramente ai poveri.

Sì, ma resta da capire chi è il padrone. Può essere il padrone capitalistico che vuole un'Italia socialmente immobile, ma può essere la burocrazia di stampo leninista. Era una mentalità terroristica anche quella che uccideva gli anarchici in Spagna per conto di Stalin, anch'essa era disprezzo per le masse, identificazione degli interessi del gruppo dirigente con gli interessi del popolo. Il poliziotto di professione Natale Meterangelis lascia ai politici e agli intellettuali il compito di scoprire di chi si tratta. Ma come si può svolgere un'efficace azione di polizia se non si sa di chi si tratta o se qui e là nel disimpegno della polizia e della magistratura sembra di cogliere il sospetto che è meglio non sapere di chi si tratta? Ieri a mezzogiorno alcuni cronisti hanno atteso il procuratore della Repubblica Paulesu e gli hanno chiesto: "Che ne pensa, dottore?". "Di che cosa?" ha detto lui. È difficile capire se certe notizie sul terrorismo non sono arrivate ai nostri inquisitori o se sono già state rimosse.

Da "la Repubblica" del 12 maggio 1978

Dalla Chiesa, il nemico delle BR

Nel Movimento, armato o meno, dicono di Dalla Chiesa: è un fascista. E invece Carlo Alberto Dalla Chiesa è un'altra cosa, è un nobile piemontese, generale dei carabinieri, fratello di un generale dei carabinieri, figlio di un generale dei carabinieri. Forse non è il caso di chiedergli di essere un morbido o un garantista. Un buon carabiniere sa, e non dice, che non esiste una polizia pulita, in guanti bianchi; un buon carabiniere i guanti bianchi se li mette nelle cerimonie, in grande uniforme, quando non va a caccia di ladri, di mafiosi o di terroristi. Di questa doppia morale il generale Carlo Alberto Dalla Chiesa è uno dei più risoluti osservanti, nel bene e nel male. Un tipo di "servitore dello Stato" che può non piacere o anche sembrare bieco, ma che ogni Stato vorrebbe avere ai suoi ordini. Del resto Dalla Chiesa non va in cerca di simpatia e non dà confidenza ai "borghesi", quell'altra razza umana con cui non ha niente da spartire.

La doppia morale dell'Arma dice che non si mente mai dentro l'Arma, ma si deve mentire fuori. L'8 settembre del 1974 padre Girotto gli consegna, per così dire, sulla strada di Pinerolo Renato Curcio e Alberto Franceschini, ma il generale scrive questo comunicato per la stampa: "Il giorno 8 settembre il brigadiere Bosso Pietro [nell'Arma il cognome sempre prima del nome], di questo nucleo che si trovava nell'abitato di Pinerolo, si accorgeva della presenza di un individuo che, per le sue sembianze e caratteristiche somatiche, presentava forte somiglianza con il Franceschini".

"Il brigadiere Bosso," continua il comunicato di Dalla Chiesa, "avvertiva via radio alcune autovetture di questo nucleo. La ricerca dava esito positivo. L'esperienza dell'analisi delle tecniche usate dalle Brigate rosse ha potuto indicare che gli eversivi sono soliti circolare a bordo di autovetture con targhe che, falsificate, corrispondano a mezzi in uso alle aziende di trasporto pubblico."

La versione era talmente inverosimile che per tre volte sui giornali a diffusione nazionale invitai il generale Dalla Chiesa a spiegarne le incongruenze, ma come suo compaesano cuneese sapevo benissimo che, come si dice da noi, non avrebbe fatto neanche una piega. E come potrebbe essere diverso, accomodante, chiacchierone, garantista uno che per due anni, fra il '46 e il '48, ha comandato "la speciale compagnia di Casoria per la lotta contro il brigantaggio e il gruppo squadriglie di Corleone"? Che fra il 1966 e il 1971 ha messo dentro ottantasei capi mafiosi?

Il generale Carlo Alberto Dalla Chiesa è un duro che qualche volta esagera. Il 9 maggio 1974 scoppia una rivolta nel carcere di Alessandria: tre detenuti si chiudono con gli ostaggi in un ufficio e chiedono garanzie per poter fuggire su un pulmino. Il procuratore generale di Torino, Carlo Reviglio della Veneria, incarica il generale Dalla Chiesa di reprimere la rivolta e il generale esegue: sette morti, cinque fra gli ostaggi e quattordici feriti. Quando poco dopo succede qualcosa di simile al carcere di Saluzzo il giudice tutelare di Cuneo cui è affidato il carcere si precipita sul posto per impedire che la strage si ripeta.

Chi ama il fair play non si rivolga a Dalla Chiesa, almeno quando non ha i guanti bianchi. E non si metta sulla sua strada se non vuole correre seri rischi: il giudice milanese Ciro De Vincenzo, ai suoi occhi troppo garantista e poco amico dei carabinieri, viene denunciato come favoreggiatore delle Brigate rosse. Poi magari un'inchiesta stabilirà che De Vincenzo non ha mai favorito le BR, ma due anni dopo e con una magistratura avvertita.

Del resto fare il generale dei carabinieri come lo fa Dalla Chiesa non è un gioco: ha visto morire carabinieri in Sicilia, ha visto morto il maresciallo Maritano a Robbiano di Mediglia, ha visto morti e feriti a cascina Spiotta ad Arzello, il giorno in cui Mara Cagol combatté prima di morire ammazzata. È un duro ed è un tecnico. È stato fra i primi a capire che la caccia ai brigatisti dopo un loro attentato era pura perdita di tempo e che bisognava invece lavorare a tavolino o in laboratorio, usare il calcolatore per individuare le case con contratti di affitto dubbi. La cattura di Curcio nel gennaio del '76, in via Maderno 5 a Milano, avviene proprio così: il calcolatore elettronico segnala i nomi di coloro che hanno in Milano un indirizzo anagrafico ma poi affittano a loro nome altri alloggi; fra i sospetti un Adriano Colombo operaio dell'Alfa di Arese. È l'alloggio di via Maderno, dove stanno Curcio e la Mantovani e si arrendono dopo uno scontro a fuoco. Il generale denuncia entrambi per tentato omicidio; poi interverrà a Torino il maschilismo cavalleresco del procuratore Moschella il quale chiederà una pena mite per la Nadia perché "ogni uomo, anche Curcio, ha diritto all'amore".

Il ritorno di Dalla Chiesa al comando dell'antiterrorismo non è piaciuto né ai garantisti né alla polizia. Ai primi il generale Dalla Chiesa sembra l'esponente più autorevole della corrente "tedesca", che mira alla distruzione fisica e psichica dei terroristi, organizzando le carceri speciali. Per la polizia invece la nomina di Dalla Chiesa ha un significato difficilmente collocabile: neppure il ministro degli Interni, neppure il capo del governo, si fidano più di un corpo troppo fragile alle fughe di notizie come la polizia; meglio i carabinieri, "usi a servir tacendo".

Probabilmente Carlo Alberto Dalla Chiesa diventerà un uomo popolare controvoglia: quando gli capita di tenere delle conferenze stampa dopo la scoperta del covo di Robbiano, per esempio, o dopo la battaglia di cascina Spiotta, è scostante, scorbutico. Ma se è vero che ha messo fuori combattimento l'esecutivo delle BR al principio dell'autunno, proprio mentre stava per scatenarsi la tradizionale stagionale campagna terroristica, per molti sarà l'uomo della provvidenza.

Da "la Repubblica" del 3 ottobre 1978

La disfatta del gruppo storico

Risulterà in modo evidente dai fatti della primavera del '74 che l'organizzazione, così come l'hanno concepita Curcio e gli altri del gruppo storico, non può sopravvivere alla repressione poliziesca. E infatti muore in quei mesi: le BR nuove, quelle che verranno dopo la morte di Mara e i due arresti di Curcio, saranno molto diverse: più feroci, più numerose, più legate ai piani del terrorismo internazionale, più misteriose.

Le BR romantiche muoiono con coraggio ma anche per errori banali. Silvano Girotto ha la biografia dell'agente provocatore: studente, rapinatore, legionario in Algeria, disertore, frate francescano, guerrigliero in Bolivia, resistente in Cile, sempre salvo mentre chi gli sta attorno viene arrestato, sempre fornito di salvacondotti.

I compagni cileni non hanno forse riferito sul suo strano comportamento? Non è curioso che circoli tranquillamente in Italia mentre il settimanale fascista "Candido" lo indica come uno dei comandanti delle BR? Non è sospetto che un giornale come "Candido", legato al fascismo oltranzista, vada creando a Girotto questa fama di terrorista nostrano? Non è questo Girotto uno da evitare come la peste? E come si possono usare come fiancheggiatori o come filtro uomini come Giovan Battista Lazagna che prima si è fatto bruciare nella vicenda Feltrinelli e poi è andato attorno a fare discorsi sovversivi, sulle solidarietà rivoluzionarie, sapendo di essere sorvegliato? Chi punterebbe una lira sul gruppo di Borgomanero dove trovi un chiacchierone come il medico Enrico Levati e un ingenuo come l'avvocato Borgna che scambia le BR per dei carbonari?

Eppure Renato Curcio cade nella trappola grossolana, scambiando per storico l'incontro con il frate rivoluzionario, questo epigono deteriore del cattocomunismo. Tutto si svolge come in un cattivo romanzo: "padre mitra" che avvicina l'avvocato Borgna e Levati; incontri sull'autostrada, consegne misteriose: "Trovati domani alla stazione di Pavia". Così, per non dare nell'occhio, il dottor Enrico Levati con una valigia rossa se ne va per Pavia accompagnato da un Girotto che indossa jeans, sahariana, occhiali neri, parrucca, cappellaccio. Poi arriva Lazagna, detto "il vecchio" come in un romanzo di Hemingway: su un'auto color ciclamino, con il suo ultimo libro sul carcere e la repressione. L'esame rapido è positivo, il primo incontro è fissato a Pinerolo per la domenica 28 luglio con le istruzioni di Levati che presentano Curcio come Sancho Panza: "Troverai uno sui trentacinque anni, con i capelli corti, la pancetta, piuttosto tarchiato". I carabinieri piazzati nei dintorni con teleobiettivi e macchine da presa scambiano subito per Curcio il primo grassone che si presenta.

Il vero Curcio fa salire padre Girotto, alias padre Simone o Leone, su una 127 e lo porta in val Pellice, la valle della sua nostalgia partigiana; parla di sé, dell'organizzazione delle BR. Il congedo può sembrare grottesco: a Girotto che preme per un nuovo incontro la settimana successiva Curcio dice: "Ci vediamo il 31 agosto, prima è impossibile, molti compagni sono lontani o in ferie". È la verità, il terrorismo che vive in osmosi con il sistema deve andare in ferie quando ci vanno le fabbriche e gli uffici, i politici e i sindacati. L'incontro decisivo per l'entrata di Girotto nelle BR è fissato l'8 settembre: il simbolista Curcio non si è ricordato che è l'anniversario della rotta italiana e dell'invasione nazista. C'è un breve incontro, avviene a Roma e là ci si dà appuntamento a Torino; per via i carabinieri bloccano l'auto su cui viaggiano Curcio e Franceschini e li arrestano. Il gruppo storico è decimato...

[...] Sono le 15, Mara [Cagol] si presenta all'ingresso del

carcere con un pacco pieno di cartaccia. Suona, dice alla guardia che la osserva dallo spioncino che è venuta per una visita, lui apre e si trova un mitra piantato nella pancia; due brigatisti in divisa da impiegati dell'azienda telefonica sono saliti su una scala e hanno tagliato i fili del telefono: il carcere è isolato, i diciassette poveri cristi che vi lavorano come guardie non hanno la minima intenzione di rischiare la vita, alzano subito le mani di fronte ai mitra dei tre brigatisti entrati dietro Mara che grida a voce alta: "Renato, dove sei?". "Sono qui," risponde lui con calma uscendo dalla sua cella. Era stato preavvertito da un telegramma che avrebbe messo in sospetto chiunque salvo il serafico direttore del carcere: "Pacco arriva domani". E infatti è arrivato il pacco di carta straccia che ha fatto aprire la porta della galera.

Questa volta il rifugio dei brigatisti è presso Aqui nel Monferrato, nella cascina Spiotta di Arzello: ma il gruppo storico non è più in grado di reggere all'offensiva poliziesca, tutta la sua tecnica della clandestinità, il suo modo di organizzare le basi, di progettare le azioni risultano superati. Ogni mossa adesso si traduce in un errore grossolano, in una imprudenza imperdonabile. A corto di soldi, non trovano di meglio che procedere a un sequestro di persona in un luogo vicino alla loro base, a Canelli, scegliendo Vittorio Vallarino Gancia, l'industriale vinicolo più noto del Monferrato. Polizia e carabinieri partono in quarta, il brigatista Maraschi ha un incidente stradale, si scontra con un'altra macchina e si comporta con tanta ansia e precipitazione che lo arrestano; probabilmente durante la notte "canta" perché i carabinieri arrivano a cascina Spiotta. Dei fatti abbiamo la drammatica relazione di un brigatista: "Arrivati alla cascina Spiotta, trovammo Mara in ansia in quanto, secondo le sue previsioni, eravamo in ritardo di venti minuti e perché avevano sentito alla radio dei carabinieri che la 124 di Maraschi era stata fermata. Scaricato Vallarino Gancia e dato che altri lo avevano già messo nella cella andai subito al primo piano a sinistra, nel posto di osservazione: si vedevano bene i movimenti all'incrocio di Trezzo e pezzi di altre strade che portavano sia a Savona che da noi. Sul tavolo di fianco alla finestra c'era una radio che faceva un casino del diavolo: era quella dei carabinieri [che intercettava la radio dei carabinieri], mentre l'altra, quella dei PS, era spenta in quanto inservibile. Andai nell'altra stanza, aprii i vetri tenendo chiusa la tapparella e guardai sotto. Mi prese un colpo nel vedere vicino alla porta un CC. Egli guardò su urlando chi ci fosse in casa mentre io, per un attimo incredulo, restai immobile. Corsi dalla Mara che era seduta di fianco alla finestra e l'avvertii che c'erano i CC. La Mara urlando che era impossibile corse alla finestra, l'aprì tutta, si ritirò immediatamente dicendomi che erano tre. Mi chiese da dove potevano essere venuti perché non li aveva visti: forse erano venuti dai campi o da Ovada. In quei minuti ci fu un trambusto indescrivibile. Io che caricavo le armi e mi riempivo le tasche di colpi e di bombe, la Mara che imprecando andava a prendere scartoffie e valigetta. Andammo giù per le scale. La porta era chiusa, noi eravamo armati, io di M1, di pistola e di quattro bombe a mano (da notare che le bombe svizzere le lasciammo su perché non ci sentivamo sicuri di adoperarle), Mara borsetta e mitra a tracolla e, in mano, valigetta e pistola. Restammo qualche minuto dietro la porta: la Mara che insisteva che bisognava prendere le auto e scappare; io che insistevo a prendere con noi il sequestrato. Nel casino che mi circondava decisi di verificare, aprendo la porta, dove e come fossero disposti i carabinieri. Tolta la sicura alla bomba mi affacciai. Messa fuori la testa vidi sulla mia sinistra all'angolo della casa un CC. M'invitò a uscire e cercai di prendere tempo per vedere dove fossero gli altri. Il mio temporeggiare fece sì che altri due CC uscissero dall'angolo e si mettessero allo scoperto. Dissi a Mara che avrei tirato le bombe e che ci saremmo coperti la fuga con pistole e mitra; dissi che i tre carabinieri si trovavano allo scoperto: infatti noi credevamo che fossero soltanto in tre. A un ennesimo invito a uscire e a un altro mio che venissero loro tirai la bomba: sentii un gran botto, vidi un fuggi-fuggi dei CC tra urla e pianti. Uscii di corsa seguito dalla Mara, tirai un'altra bomba a mano, a caso: mentre stavamo per entrare nel primo porticato sentimmo colpi alle spalle e urla. Mi voltai e vidi un CC che correva, la Mara urlò di sparare. Tirai il primo colpo con la M1 ma non uscì il bossolo e l'arma si inceppò, tirammo tutti e due con le pistole e quando lo vedemmo disteso la Mara gli tirò ancora. La Mara disse di prendere la macchina e di scappare. Il CC urlava, per primo gli dissi di non sparare che ci arrendevamo. Sotto tiro ci ordinò di alzare le braccia sul capo, feci presente alla Mara che mi restavano in tasca due bombe e che appena il CC si fosse distratto lo avrei centrato, dissi che dopo ci saremmo sganciati subito e che se andava male avremmo corso nel bosco sottostante. Mi rispose affermativamente dicendomi che dovevamo pensare a scappare. Presi dalla tasca una bomba, tolsi la sicura mentre il CC, chiamando gli altri, si avvicinava a quello disteso voltandoci le spalle, e decisi di tirarla. Mentre la tiravo vidi che si voltava, si accorse del pericolo e non so se si buttò in terra, si sentì un botto e il CC tutto pallido ancora in piedi. Era andata male. Urlai a Mara di correre verso il bosco. Mentre correvo zigzagando nel campo sentii tre colpi intorno a me. Riuscii ad arrivare al bosco e con un tuffo mi gettai nella macchia piena di spine. Non riuscendo a districarmi temetti il peggio. Da sopra sentivo la Mara che urlava imprecando contro il CC. Presi l'altra bomba nella tasca e pensai di centrare il CC. Mi affacciai dalla buca e vidi la Mara seduta con le braccia alzate che imprecava contro il CC. Nel vedere la Mara ancora seduta nell'impossibilità di arrivare al tiro decisi di sganciarmi velocemente, pensando che i rinforzi dei carabinieri sarebbero arrivati a minuti. Corsi giù per il pendio e quando stavo per arrivare dall'altra parte della collina vicino a un bosco sotto il castello (saranno passati cinque minuti dal momento della mia fuga) ho sentito uno, forse due colpi secchi, poi due raffiche di mitra. Per un attimo ho pensato che fosse stata la Mara a usare il suo mitra, poi ebbi un brutto presentimento confermato dal modo in cui sparavano nei campi durante le ricerche".

Come sia realmente morta Mara Cagol non lo si saprà

mai. I carabinieri hanno sempre confermato la versione della sortita a piedi dei brigatisti; ma risulta invece che un'automobile tentò la fuga e che i carabinieri spararono diversi colpi. Probabilmente la guidava Mara prima ferita e poi finita mentre scendeva a mani in alto. Così almeno sembra da un colpo che le ha trapassato, da fianco a fianco, il torace.

Il giorno 6 giugno alle BR annunciano la morte di Mara: "Che tutti i sinceri rivoluzionari onorino la memoria di 'Mara' meditando l'insegnamento politico che ha saputo dare con la sua scelta, con il suo lavoro, con la sua vita. E mille braccia si protendano per raccogliere il suo fucile! Noi come saluto diciamo: 'Mara' un fiore sbocciato e questo fiore di libertà le Brigate rosse continueranno a coltivarlo fino alla vittoria! Lotta armata per il comunismo". Lo stile è quello di Curcio. Siamo però al punto di svolta, altri brigatisti, fra cui probabilmente Mario Moretti, hanno capito che Curcio non è più in grado di guidare l'organizzazione e che bisogna cambiare metodi. Curcio, emarginato, si stabilisce a Milano con Nadia Mantovani in via Maderno al 5. I carabinieri scoprono l'alloggio, fotografano chi ci abita dal campanile antistante di Santa Maria da Caravaggio: è proprio Curcio. Venti minuti di sparatoria poi il brigatista ferito si arrende. La conferma che il gruppo storico ormai è fuori gioco e che le BR sono affidate ad altre mani è la strana loquacità di Curcio che parla con i carabinieri e i giornalisti e in pratica confessa la sua emarginazione: "Con me avete preso soltanto un uomo".

Da "la Repubblica" del 10/11 settembre 1978

Il processo di Torino

A Torino tutto è in discussione, fuor che la paura. Al punto che un atto di coraggio, un proposito fermo di dire no al terrorismo, apparirebbero comunque sgraditi, almeno ai molti che questo coraggio e questo proposito non ce l'hanno. I nove avvocati difensori rimasti nel processone alle Brigate rosse, che dovrebbe riaprirsi il 9 marzo, sono guardati dalla polizia ventiquattr'ore su ventiquattro; ai giurati che accettano di far parte della Corte si assicura una guardia per oltre un anno; è stato chiesto se vogliono essere protetti persino agli avvocati difensori designati d'ufficio nel '76 dal povero avvocato Croce, ucciso dai brigatisti.

La psicosi delle Brigate rosse è un dato di fatto: ci sono magistrati, avvocati, giurati che telefonano alla polizia per dire che sono spiati, seguiti. Per ora, come è noto, i cittadini disponibili per il processo sono tre sicuri e quattro sub condicione. Si arriverà a formare la giuria? I pareri sono divergenti.

Secondo alcuni, la larghezza o la rassegnazione con cui il presidente Barbaro accetta le giustificazioni e gli impedimenti di quanti si rifiutano darebbe via libera al partito della paura, secondo altri, i più vicini ai grandi partiti politici, al comunista in particolare, la nomina della giuria sarebbe ormai un atto politico necessario e quindi obbligatorio. Per dire che, sorteggio dopo sorteggio, si troveranno coloro che sentono il dovere politico di fare i giudici.

Se si pensa a Torino e a questo processo iniziato nell'aprile del '76, si deve convenire che le Brigate rosse e i loro consiglieri hanno ottenuto un grosso e in parte imprevedibile successo, anche se, in una prospettiva politica, esso sembra comunque diretto a un esito catastrofico di guerra civile o di repressione autoritaria. Il successo consiste nell'aver trasformato i gruppi dirigenti torinesi in un campo di Agramante, dove nessuno sembra più disposto a esercitare la sua funzione.

Si incontrano infatti degli avvocati che, in realtà, si comportano già da giudici; o all'opposto che nascondono a malapena le loro simpatie e le loro complicità con i "rivoluzionari". Ci sono giudici che hanno già lo sguardo dei giustizieri e altri che hanno quello di don Abbondio. Nessuno sembra sicuro delle sue opinioni, sostituite dalle ire, dalle ferocie e dalle viltà dettate dalla paura.

Un giorno qualcuno scriverà la cronaca di questa storia della decomposizione civile per paura, per rassegnazione di una società che pure è stata capace di guidare la nazione in alcuni momenti decisivi. Si comincia nell'aprile del '76 con un colpo di scena: la ricusazione degli avvocati difensori da parte dei brigatisti rossi. Fra gli imputati ci sono persone colte e intelligenti come il Curcio o il Franceschini; ma nell'ambiente giudiziario l'opinione prevalente è questa: qualcuno li ha consigliati, qualcuno che conosce a fondo la procedura penale, i suoi punti deboli, i suoi meccanismi più delicati.

Cominciano i sospetti, le esitazioni, le procedure insolite, i cedimenti. Il presidente Barbaro potrebbe designare d'ufficio i difensori, ma preferisce passare la mano, sia pure in modo informale, al segretario dell'Ordine, l'avvocato Fioretta. Il quale, ingenuo o scaltro che sia, sceglie gli avvocati fra coloro che hanno partecipato a processi politici e da sinistra. Come a dire: se la vedano tra loro.

I dodici avvocati nominati non ci stanno, si accendono le polemiche, partono i reciproci insulti e si arriva a questo compromesso: i consiglieri dell'Ordine si offrono per la difesa, otto su quattordici consiglieri vengono designati per gli imputati maggiori.

La prima udienza finisce, come è noto, con i brigatisti rossi che lanciano anche le scarpe sui difensori d'ufficio e li minacciano di morte. Il pubblico ministero del processo torinese non se ne accorge; un altro pubblico ministero, quello del susseguente processo di Bologna per i reati commessi in udienza, dirà che si trattava di minacce veniali.

La tragicommedia della giustizia italiana o di ciò che ne resta è al suo colmo: quelle minacce sono così poco veniali, così poco innocue, che durante un'udienza i brigatisti possono annunciare di avere "giustiziato il boia di Stato, Coco".

Gli otto avvocati d'ufficio riescono ad avere un colloquio con lo stato maggiore delle Brigate rosse alle "Nuove". Trovano i Curcio e i Franceschini giuridicamente ferrati (possiedono e consultano testi di procedura), perfettamente informati sugli atti processuali e non privi di un'ironica schiettezza: "Andiamo, non fate storie, al massimo vi sospendono per tre mesi dalla professione. E allora? Fate un po' di vacanza, le lire non vi mancano. Ma attenti: se vi mettete sulla nostra strada vi considereremo dei nemici di guerra".

Gli otto avvocati, dopo alcune tempestose udienze, decidono che fare il difensore in simili condizioni è impossibile. E propongono al tribunale che venga accettato il concetto dell'autodifesa, del resto previsto dalla Convenzione europea. Da Roma arriva l'ordine, forse suggerito dal procuratore generale Colli, di respingere la proposta e di tirare avanti. Se gli otto non ci stanno, si nominino altri avvocati d'ufficio.

Seguono i fatti tragici e noti: le Brigate rosse uccidono il presidente dell'Ordine, l'avvocato Croce, che nessuno ha protetto anche se aveva segnalato da tempo di essere sorvegliato e seguito. Nell'onda della commozione, tutti gli avvocati torinesi si offrono di partecipare al processo. Poi, giorno dopo giorno, tornano la paura e l'indifferenza. Se l'Ordine convoca delle assemblee per discutere sul da farsi, arrivano i soliti cinquanta o sessanta. Se manda delle circolari e dei questionari, le risposte non sono più di cento. Gli altri tirano a campare.

Mancano diciannove giorni al processo. Nessuno osa far previsioni sul suo svolgimento; ma tutti prevedono un morto o un ferito prima del suo inizio. Una città intera, impaurita, umiliata, assiste a questo duello assurdo in cui tutti, uomini di potere e terroristi, conservatori e rivoluzionari, sembrano perseguire un unico obiettivo: andare al peggio, tornare al fascismo.

Da "la Repubblica" del 22 febbraio 1978

I brigatisti in gabbia sembravano un gruppo di collegiali

La Corte d'assise che giudica le Brigate rosse è, a chiamare le cose con il loro nome, il solaio di una vecchia caserma piemontese dei bersaglieri, dove Luchino Visconti avrebbe potuto girare qualche scena risorgimentale di *Senso*.

La prima impressione è di antico e di conosciuto; e chi ha assistito all'udienza sa di aver visto e udito cose antiche e conosciute, qualcosa dell'Italia perenne che passa per ogni vicenda della nazione, nel bene e nel male, italiana. C'è l'impotenza barocca e superflua del gabbione d'acciaio e poi ci sono centinaia di adolescenti meridionali vestiti da carabinieri che stanno attorno, a far che cosa non si capisce; ci sono le catenelle e le manette da melodramma carbonaro e poi gli apparecchi elettronici che scoprono infallibilmente i gettoni del telefono e le penne metalliche, di rado le pistole. E ci sono, come sempre, microfoni che sibilano o che s'inclinano come girasoli appassiti e c'è, sopra la testa del presidente, un Cristo crocefisso che ricorda una scuola elementare.

E poi ci siamo noi, tutti quanti noi, giudici, imputati, avvocati, giornalisti, parenti, poliziotti travestiti da pubblico, e non sappiamo bene che parte recitare in questa vicenda che con tutti i suoi morti, la sua ferocia, il suo fanatismo, le sue speranze e le sue autentiche sofferenze continua a sembrare gratuita, qualcosa come un sogno, non sai se bello o brutto, da cui tutti ancora pensano di potersi svegliare.

Dico l'impressione che mi hanno fatto davvero, da due passi, gli imputati. Primissima: la loro gioventù incredibile. Salvo Curcio, anche quelli che hanno ventisei o ventisette anni sembrano dei ragazzini, con i maglioni fatti dalla mamma, con le morose e le mogli giovanissime entrate nella vicenda per caso o per amore che li chiamano dal fondo della sala: Guido, Alberto. Di una normalità che in qualche modo sta all'aspetto gratuito, inventato, avventuroso della vicenda.

Non ci aspettavamo, è ovvio, dei terroristi con il "physique du rôle"; neppure gli stalinisti dalla mascella quadrata e dall'occhio ferreo. Ma non ci aspettavamo neanche questi figli o amici dei nostri figli, che ritrovandosi dopo anni di carcere separato e di segregazione si abbracciano e ridono e si salutano come dei collegiali al ritorno dalle vacanze.

Mettiamo pure che ridano, si abbraccino, saltino sulle sbarre per salutare i parenti a pugno chiuso, commentino a voce alta il processo per tenersi su, ma c'è comunque qualcosa che non corrisponde né a un terrorismo che uccide degli innocenti solo perché scientificamente serve a "disarticolare il sistema" né alla repressione lunga e dura, alla lenta triturazione del tempo, alla dimenticanza, al crudele gioco generazionale che non risparmia i rivoluzionari.

L'impressione mia, vera o sbagliata che sia, è che questi giovani, salvo due o tre, non abbiano ancora capito a fondo qual è e sarà la loro vita.

I tre che più assomigliano all'immagine del terrorista politico colto, riservato – che essi preferiscono dire discreto –, con la lucidissima paranoia politica del rivoluzionario nato con uno stile attuale, sono Semeria, Franceschini e Ognibene, tutti e tre con gli occhiali a montatura leggera, da intellettuale, precisi, minuziosi.

Renato Curcio, con il suo maglione da sciatore, blu con la riga bianca, potrebbe stare nella polifonica trentina. Basone in qualsiasi club del Toro o dell'Inter, la Mantovani in qualsiasi cattedra di un istituto magistrale. Il Buonavita in qualsiasi identikit di ricercato, per quei suoi baffi in giù.

In fondo l'unico che assomiglia interamente a se stesso, cioè a un Nazareno della provincia italiana, a un ragazzo di Nomadelfia, è il Ferrari, capelli e barba biondo rame, occhi azzurri, uno sguardo disperato quando finita l'udienza un carabiniere gli ha chiuso le manette ai polsi e gli altri, noi spettatori, già ce ne andavamo verso una giornata di sole e di vento.

Poi c'è la Corte. Il presidente Barbaro esce anche lui da quella Italia perenne che si diceva. Potrebbe essere un amico di Santorre di Santarosa come del conte Camillo Benso di Cavour, borghese progressista o liberale conservatore, ma sempre di ottima educazione formale: "Imputato Semeria, avrebbe la compiacenza di dirci se intende rinunciare al suo avvocato difensore?". "Imputato Ferrari, vuole cortesemente procedere alla lettura della, come dire, lettera o comunicato che mi è stata consegnata stamane da un loro avvocato?" E i giudici popolari, i quattordici giudici popolari che stamane hanno letto con le loro virtuose compassate voci torinesi il giuramento e poi in sei hanno messo la fascia tricolore e stanno eretti e immobili e attenti e magari un po' dolenti, sui loro seggi, come se dovessero giudicare alcuni Franti del libro *Cuore* che stavolta l'hanno fatta troppo grossa.

Poi ci sono i parenti, il padre di Franceschini che è un galantuomo di sessant'anni, scampato ad Auschwitz e alla guerra partigiana; venuto qui per dire a suo figlio che gli vuol bene e lo stima. "Ha ucciso qualcuno mio figlio? No, e a me interessa lui, quel che ha fatto lui." Gli altri parenti, i più giovani, lo mettono in guardia: "Vieni via, Franceschini, non parlare con questi zombi" per dire queste anime morte, questi servi. Non è escluso che in questo microcosmo rivoluzionario ci siano fanatismo, odio e rabbia. Ma non sembrano definitivi, è tutta gente che sembra in qualche modo ancora pronta a discutere, a capire, a ricucire.

"Devo parlarti," mi dice la moglie giovane e bella di un brigatista, "vieni, mettiamoci qui, ma perché hai scritto che avevamo affittato un tugurio? Si capisce, tu andrai a Cervinia, ma a noi Gropparello sembrava un bel posto per passare le vacanze." "Ma non volevo offendervi, ho scritto tugurio invece che povero, ma ti sembra davvero importante in un processo come questo?"

Non è facile essere cronista freddo e distaccato di questa vicenda italiana, antica e conosciuta, che è il processo alle Brigate rosse. Non è per niente facile evitare sentimenti di vergogna, di pena, di stanchezza.

Da parte dei brigatisti rossi e dei loro parenti si parla di repressione fascista, nelle carceri speciali la condizione è certamente dura. Ma la vergogna qui non viene da questo o da quell'aspetto feroce e ingiusto della vicenda, viene globalmente dalla sua inutilità e dalla sua ambiguità. In non pochi momenti ci si sorprende a chiedersi che cosa significano questi imputati, questi giudici, queste migliaia di poliziotti; che cosa ci sia dietro questa colossale perdita di energie e di entusiasmi giovanili, di tempo, di soldi, di buonsenso.

Non so come sia stato compilato l'ottavo comunicato delle Brigate rosse, se dopo lunga meditazione o a caldo. Ma quando il Ferrari ha letto gli slogan conclusivi, "disarticolare il comando delle multinazionali, proletari di tutto il mondo uniamoci", si è capito, si è sentito che lui per primo non ci credeva, che quelle erano già formule rituali, preghiere. E che c'è in questa vicenda un enorme equivoco di partenza: che questa società tardo-industriale sia uno Stato articolato, diciamo un congegno di precisione che si può far saltare; e non l'immane, complessa, pachidermica sovrapposizione di interessi, di ceti, di redditi, di privilegi grandi e piccoli, di favori, di difese, di solidarietà corporative e di gruppo, che procede magari verso la catastrofe, ma inarrestabile.

Vergogna per la crudeltà inutile da una parte e dall'altra, per gli uomini ridotti a emblemi dei brigatisti e per i brigatisti ridotti a fiere in gabbia; per i divieti assurdi, alle visite dei parenti, alla corrispondenza, senza capire che, se si rifiuta il lager nazista, lo si deve rifiutare in toto. Vergogna per le ingiustizie sociali, le impudicizie e i delitti sociali che ci sono e restano, comunque vada la vicenda delle Brigate rosse; vergogna per la pigrizia, per la noia mortale, per le stesse facce da trent'anni che sono forse l'unica vera giustificazione di una reazione terroristica.

Il processo? S'ha da fare, dicono tutti. Diciamolo anche noi, ma nessuno ci chieda di interessarci davvero alle opposte astrazioni di una legalità illegale e di una rivoluzione garantista.

Da "la Repubblica" del 10 marzo 1978

Il difficile giudizio

Alle 11.45 sono cominciate le ore difficili per i giudici di Torino. Non ci voleva molto per prevederlo, sin dalle prime battute, che questo processo sarebbe stato difficile perché difficilmente definibile.

Dopo tre mesi di incontri quasi quotidiani con questi brigatisti del gruppo storico, non sappiamo ancora esattamente con che tipo d'uomo abbiamo a che fare e se la loro schizofrenia, il loro modo di essere insieme protervi e teneri, feroci e mansueti, è sempre esistito o è il frutto amaro della prigione. Dopo tre mesi non abbiamo ancora capito se il Bonavita o l'Ognibene o il Lintrami, che abbracciano le loro mogli o ragazze e sorridono alle loro carezze, sono proprio le stesse persone che dicono ai giudici e ai cronisti: "Vi spareremo in faccia, vi sotterreremo".

Non abbiamo ancora capito, dopo tre mesi, se la rivendicazione collettiva di appartenenza alla banda armata, fatta anche oggi da imputati come la Mantovani o il Lintrami, che dopodomani potrebbero uscire assolti, risponda a una seria disciplina di gruppo o sia un modo, per noi incomprensibile, di rivendicare una propria irrinunciabile identità politica: un modo per rifiutare fino all'ultimo, a costo di rovinare per sempre la propria vita, la possibilità di avere sbagliato. O forse, alla base di questa solidarietà nelle sventure, c'è la stessa richiesta di risposte globali, totali, che ha fatto di essi dei terroristi o dei rivoluzionari, come vogliono che li si chiami.

Del resto chi ha parlato con i loro parenti sa che questo stato d'animo, non sai se suicida o utopista, questa indomita certezza di aver fatto cose giuste e di essere destinati a giusti premi, è di tutto il gruppo. "Tra due o tre anni il mio uomo sarà a casa," ci diceva la moglie di Lintrami e noi restavamo senza parole.

Chi conosce bene Curcio e Franceschini ha l'impressione che il carcere duro abbia un potere irresistibile di disgregazione: non sono più le persone conosciute a Trento o a Reggio, passano in pochi attimi da un'allegria immotivata a colpi di furore incontenibili; vivono come in un'altra dimensione temporale, come se il tempo si fosse fermato nell'ora in cui sono entrati in prigione; quando parlano dei fatti attuali, anche dell'organizzazione terroristica, si capisce che qualcosa si è spezzato, per sempre. Altri dieci anni di carcere all'Asinara e il prezzo della loro avventura rivoluzionaria o terrorista sarà spaventoso.

Certo non è facile essere giudice a Torino. La sorte di questi giovani chiama per certi versi la clemenza, ma essi né la vogliono né la consentono, continuando a dire con un'ostinazione infantile che sono quello che sono e lo saranno per sempre, che liberati ricominceranno da capo.

Non è facile essere giudice a Torino. Se questo, come ha sempre detto il presidente Barbaro, non è un processo politico, ma un normale processo penale, come si farà a distribuire le pene per delitti di cui non si conoscono i veri responsabili? I brigatisti rivendicano una responsabilità collettiva, politica; ma chi sa esattamente dire chi ha rapito Sossi o sequestrato Macchiarini o chi ha fatto irruzione nella sede dei dirigenti di aziende democristiane? Come si fa a dare delle pene più severe a Curcio e a Franceschini o a Semeria solo perché dagli atteggiamenti, dagli interventi processuali si è capito che i capi erano loro? E come si fa, all'opposto, a prosciogliere dal processo indiziario gente che senza una minima esitazione ti dichiara che appena fuori ricomincerebbe a sparare e si duole perché gli autonomi non hanno accolto l'esempio del rapimento e dell'uccisione di Aldo Moro?

Facendo quel processo "monstre", forse, si contava di dare una prova di forza e di fermezza: lo Stato contro questo corpo estraneo e morboso, il terrorismo. Ma facendolo si è capito che questo terrorismo non è qualcosa che sta fuori di noi, della nostra società: purtroppo ne fa parte e per questo estirparlo è tanto difficile.

Da "la Repubblica" del 20 giugno 1978

Il sequestro Moro

I brigatisti parlano malvolentieri di via Fani. Forse perché i morti pesano anche nelle loro memorie, forse perché via Fani e quegli istanti drammatici sono il chiodo piantato nella loro sconfitta. Si è dissolto anche il mistero che copriva quegli attimi, con le sue ombre e le sue suggestioni. Ora tutto è chiaro e anche, a ripensarci, mediocre: una tipica azione BR basata su una preparazione militare accurata, ma non trascendentale, sulla sorpresa, sulla fortuna. La "geometrica potenza" di cui parlerà Piperno è letteratura. Discuto con Lauro Azzolini il problema militare. Dice: "Potevamo sequestrare Moro sia in via Fani che nella chiesa di Santa Chiara dove andava a messa ogni mattino. Il sequestro nella chiesa fu escluso perché troppo rischioso, anche sotto l'aspetto politico. Intanto la scorta di Moro si divideva: una parte restava vicino alle automobili e una parte lo seguiva nella chiesa. Dunque avremmo dovuto preparare una doppia azione simultanea; una minima sfasatura nei tempi poteva farla fallire. E come avere la certezza che si sarebbe sparato fuori e dentro nello stesso istante? In chiesa e davanti alla chiesa all'ora della messa c'era sempre gente, impossibile evitare il rischio di ferire qualcuno e noi non volevamo assolutamente che l'azione presentasse caratteri terroristici, volevamo risultasse chiaramente che si trattava di un'azione diretta contro lo Stato e un suo alto rappresentante. Anche in via Fani c'era una possibilità teorica di colpire qualche passante, ma molto limitata".

Valerio Morucci ha reso ai giudici una testimonianza particolareggiata sull'azione. A me dice: "Eravamo in nove e quattro spararono. Uno stava nella macchina tamponata, i rimanenti di copertura". Il silenzio sui nomi è una pura formalità. Morucci ha ammesso di avere sparato, Moretti guidava la macchina tamponata, Piancone fu udito, nell'eccitazione, dare ordini in francese, si sa che erano del gruppo Gallinari, Dura, Fiore, Seghetti e siamo a sette, gli ultimi due stanno probabilmente fra questi nomi: Azzolini, Bonisoli, Micaletto, la Balzerani.

I nove attendono l'auto di Aldo Moro la mattina del 16 marzo 1978 in via Mario Fani, all'angolo con via Stresa. "Qualcuno," osserva Ognibene, "ha detto che fu scelto il 16 marzo perché quel giorno Giulio Andreotti presentava alle Camere il nuovo governo di solidarietà nazionale. Non è vero, quella data non aveva un significato politico. Fu scelto quel giorno e basta. Chi è passato per queste cose lo sa: si fanno venire i compagni fidati dalle colonne, si fanno le prove, le ispezioni e poi si decide: il tal giorno operiamo. E chi avrebbe potuto prevedere con precisione il giorno in cui Andreotti avrebbe presentato il suo governo? L'efficienza militare di quell'operazione è stata molto mitizzata. Con il gruppo di fuoco di quattro uomini, più Moretti che dopo il tamponamento poteva intervenire e con altri quattro di copertura, si poteva avere la ragionevole certezza che, nel peggiore dei casi, Moro sarebbe stato ucciso assieme alla sua scorta e, nel migliore, che lo si sarebbe fatto prigioniero." Morucci è della stessa opinione: "La fortuna ci ha assistito. Azioni così non riescono quasi mai al primo tentativo e invece quel mattino tutto filò liscio. Ci fu l'inevitabile inceppamento di alcune armi e sulla via della fuga incrociammo alcune macchine della polizia. Non so se ci abbiano riconosciuti o meno, certo non ci hanno fermato".

I nove si sono così disposti: Mario Moretti al volante della 128 bianca che servirà al tamponamento. Per non destare sospetti conversa con una donna, probabilmente la Balzerani, che sta sul marciapiede. I quattro del gruppo di fuoco, che indossano divise dell'aviazione civile, stanno sul marciapiede, coperti dalle piante ornamentali di un bar, gli altri quattro a breve distanza. Ho detto a Mario Moretti: "Lei ha raccontato a Enrico Fenzi come andò l'azione. Vorrei una conferma. Dunque, Fenzi dice: 'Sono certo che Moretti guidava la 128 bianca perché me lo ha raccontato con particolari che non si possono inventare. Spesso si vantava con me di essere un ottimo guidatore e un giorno per convincermi mi raccontò di via Fani: stavo in via Fani in attesa di Moro, l'azione si giocava tutta lì in quei settanta metri di strada. Dovevo lasciar passare le due macchine, superarle e poi frenare bruscamente. Se avessi incontrato una macchina in senso contrario, l'agguato sarebbe fallito, insomma avremmo dovuto ripeterlo. Andò bene, ce la feci a sorpassarle e a frenare. L'autista della macchina di Moro riuscì a frenare senza che ci fosse un vero tamponamento. Non capì ciò che stava succedendo, dovette pensare che ero un guidatore incapace, perché quando mi voltai faceva con le mani dei segni, come a dire: vada avanti; in quell'istante i compagni aprirono il fuoco'".

Moretti dice: "Sì, è vero, ero alla guida della 128, ma non perché fossi un guidatore eccelso. Occorreva uno capace di controllare i nervi, di fare la manovra con precisione. Io dissi ai compagni che potevo farlo". L'azione è fulminea: il gruppo brigatista di fuoco falcia i quattro poliziotti della scorta a raffiche di mitra e poi uccide l'autista di Moro. Morucci fa scendere lo statista, lo spinge verso una Fiat 132. Salgono con Moro tre brigatisti e si dirigono verso la vicina piazza della Madonna del Cenacolo.

Nessuno di fronte a quei cinque poliziotti morti, di fronte a quei figli di povera gente arruolati nella polizia, ha il coraggio di dire l'amara verità: non sapevano fare il loro mestiere, non avevano capito il rischio di scortare il presidente della Democrazia cristiana nei giorni di massima forza del terrorismo, nessuno dei cinque aveva un'arma in pugno, dalle lettere ai familiari si capì che per loro la scorta ad Aldo Moro era un colpo di fortuna, un lavoro comodo.

I due minuti più rischiosi dell'azione sono quelli per arrivare nella piazza della Madonna del Cenacolo, perché Moro è visibile all'interno della 132. Sulla piazza lo fanno salire su un furgone: non è ancora scattato l'allarme, l'operazione può continuare, il furgone segue un percorso tortuoso ma che comporta solo sei semafori. Trentacinque minuti da via Fani alla prigione del popolo, come nelle prove. In via dei Colli portuensi il furgone scende nel parcheggio sotterraneo della Standa. Moro viene prima adagiato in una cassa che è poi trasbordata su un altro furgone, su cui raggiunge la prigione in via Montalcini, l'alloggio affittato dalla Braghetti e da Gallinari. Nessuno dei brigatisti lo ammette esplicitamente, forse per evitare grane giudiziarie agli affittuari, ma il carcere del popolo è quello.

All'annuncio del rapimento l'Italia è come messa al tappeto da un colpo basso: non riesce a capire cosa sta accadendo, le pare impossibile che il terrorismo sia così forte. Un'ora dopo i sindacati proclamano uno sciopero generale. La risposta, come tutto in quelle ore, è nevrotica: in certe fabbriche lo sciopero è totale, in altre, come l'Alfa Romeo di Arese, non raggiunge il 20 percento. Per la maggioranza degli italiani la notizia è portatrice di angoscia, di smarrimento, ma ci sono anche grosse minoranze di comunisti per cui è una notizia ottima, attesa da sempre. A Milano, per esempio, in alcune sezioni, di fronte all'Unidal, fabbrica occupata, a Novate, al Giambellino, i compagni si radunano e stappano bottiglie di vino per festeggiare. Il volantinaggio diventa facile, si passa dalle 600 copie, normali per Milano, alle 4000. Ci sono dei compagni che conoscono gli irregolari delle BR e gli mormorano: "Chiedetegli dello scandalo Montesi". "Interrogatelo su Cippico." Vecchie storie che i giovanotti delle BR ignorano. L'isteria produce episodi assurdi: uno dei cortei degli scioperanti, arrivato in piazza Duomo, è accolto dagli autonomi al grido: "Curcio libero, Moro centravanti", un paragone calcistico goliardico in mezzo alla tragedia. Nel Movimento l'impressione è enorme: un avvocato milanese difensore dei brigatisti, che appartiene all'estrema sinistra, Sergio Spazzali, è avvicinato ogni giorno da decine di giovani che gli chiedono come possono arruolarsi nelle BR, difficile dire in che misura mossi da convinzione politica piuttosto che dal desiderio di avventura. C'è anche una borghesia laica che, in odio alla Democrazia cristiana, si mette alla finestra e tacitamente fa suo il motto: "Né con le BR né con questo Stato". Il sequestro è una buona notizia anche per quella parte del sindacato "fuggito in avanti" e ora messo alle corde dalla ristrutturazione industriale: spera non tanto in una rivoluzione quanto in un ribaltamento della politica sindacale. Il primo comunicato delle BR viene lasciato in un sottopassaggio di largo Argentina, il 17. I propositi ambiziosi del partito armato sono espliciti: "Con il processo ad Aldo Moro non intendiamo chiudere la partita né tantomeno sbandierare un 'simbolo', ma sviluppare una parola d'ordi-

ne su cui tutto il movimento di resistenza offensivo si va
già misurando; renderlo più forte, più maturo, più incisivo
e organizzato. Intendiamo mobilitare la più vasta iniziativa armata per l'ulteriore crescita della guerra di classe per
il comunismo. I comunicati verranno battuti tutti con la
stessa macchina: questa".

Chi considera il rapimento Moro una cattiva notizia è
tutta l'area dell'Autonomia e naturalmente Toni Negri, abbastanza intelligente per capire che un'azione così tron-
cherà ogni politica di mediazione fra l'area sovversiva e i
partiti, mediazione che il gruppo di intellettuali guidato dal
professore ambirebbe compiere. La notizia è pessima per
i veri garantisti, per coloro che si oppongono all'imbarbarimento dello Stato, per chi rifiuta una giustizia inquisito-
ria e persecutoria. Il sequestro Moro li costringe al silenzio. È venuta l'ora dei rigoristi.

Da *Noi terroristi*, 1985

Dal successo alla sconfitta

Moro è stato tenuto prigioniero nella capitale dello Stato per cinquantacinque giorni e il suo cadavere è stato de-
posto al centro di Roma, nell'assoluta impotenza degli
80.000 carabinieri e dei 100.000 poliziotti della Repubblica. Un successo guerrigliero senza precedenti in Italia. Centinaia di giovani si sono infiammati all'annuncio del sequestro e hanno collaborato spontaneamente con le loro
telefonate al depistaggio della polizia. La prateria sovversiva ha preso fuoco, dopo Moro c'è un reclutamento di massa. Si aggiunga che le sette colonne brigatiste sono intatte,
in grado militarmente di compiere altre offensive terrori-
stiche. Invece, proprio nell'estate-autunno del '78 la "nuvola rossa" si scioglie.

"Dopo Moro," dice Alberto Franceschini, "ci si ritrovò
privi di prospettive. Per qualche tempo seguitammo a progettare azioni prolungate in appoggio al Movimento e alle

lotte della classe operaia, ma ormai eravamo cotti." "Il reclutamento dei giovani del Movimento," aggiunge Semeria, "fece decadere l'efficienza e la disciplina. Non sapevano come usare i soldi, come comperare una casa, come creare il logistico. Non avevano rapporti politici e retroterra sociale e non sapevano crearseli. Molti dormivano sui treni. Il gruppo fondatore era formato da studenti, operai specializzati, sindacalisti, tecnici. Dopo Moro arrivarono i residui della scuola disastrata, i figli di nessuno."

Si sfilaccia anche l'ideologia, anche quel po' conservata dal catechismo marxista-leninista. I documenti della "slavina giovanile" forniscono un quadro ideologico spappolato. I nemici tradizionali del proletariato sono scomparsi, si sono volatilizzati i feroci agrari, gli ingordi commercianti, gli esosi mezzadri. L'intera agricoltura italiana è scomparsa dal paesaggio rivoluzionario. Si parla di Stato borghese, di borghesia, ma anche qui i nemici tradizionali, i ricchi, gli usurai, i padroni, i viziosi *rentiers* sono scomparsi, i nuovi, incerti, inafferrabili nemici di questo "fondo del barile" estremista sono i politici, i sindacalisti, i dirigenti, i magistrati, gli organizzatori, gli amministratori. "Sono," come si legge in un documento, "la razza padrona, le famiglie che non hanno mai pianto, che godono un'esistenza senza l'assillo delle preoccupazioni quotidiane, che mandano i figli a studiare in Svizzera." Dunque non più e non solo il nemico di classe, il capitalista, ma l'intero apparato statale e amministrativo, l'intero mondo dei servizi. L'ultima generazione brigatista dichiara guerra al mondo intero, a tutte le corporazioni.

Sta arrivando alla resa dei conti ideologici anche la direzione esecutiva delle BR incapace di sfruttare il successo. Moretti ha interrogato Moro per cinquantacinque giorni, ma i compagni a cui si chiede di riassumere i verbali per la pubblica opinione non ce la fanno. "Vuoi sapere perché?" dice Bonisoli. "Semplicemente non eravamo all'altezza, non eravamo preparati a tradurre e a decifrare gli interrogatori. C'erano allusioni interessanti ad Andreotti e all'Italcasse, ma non riuscimmo a ricavarne un documento accettabile. Si vorrebbe sapere dove sono finiti i manoscritti e i dattiloscritti originali. Ai processi sono arrivate solo fotocopie."

Morucci sorride di questa spiegazione: "Ma no, la ragione è più semplice e ingenua. Non potevano pubblicare i verbali perché da essi risultava che il Sim (Stato imperialista delle multinazionali) era un'invenzione e che fra le informazioni fornite da Moro c'era quella del suo scontro con gli americani, delle minacce di morte avute da certi ambienti americani per la sua politica di apertura ai comunisti".

Però che ci sia crisi ideologica e culturale anche nella direzione è manifesto, per il fatto che per trovare una cornice politica all'operazione Moro essa deve ricorrere ai compagni incarcerati all'Asinara, ai soliti notabili brigatisti, Curcio, Franceschini, Semeria, Ognibene. "È vero," dice Enrico Fenzi, "la risoluzione strategica per la campagna di primavera fu scritta dai compagni dell'Asinara. La direzione la presentò come sua e ne ricavò anche dei volantini. Qui secondo me avvenne la frattura definitiva tra il gruppo storico e Moretti. I compagni dell'Asinara erano stati tenuti completamente all'oscuro dell'operazione Moro e quando gli arrivò l'invito a fare la risoluzione strategica dovettero pensare: ma questi ci usano solo per fare i documenti, gestiscono la guerriglia come credono e poi si rivolgono agli scribi. Allora tanto vale che la guerriglia la dirigiamo noi dal carcere. L'operazione Moro fu gestita con arroganza, né Moretti né altri erano in grado di collocare Moro e la DC nel loro contesto politico e storico reale."

Mario Moretti, lui, si appella ai tempi lunghi della rivoluzione: "Il sequestro Moro fu il nostro tetto, il massimo livello. La rivoluzione, in quei giorni, scendeva dal cielo delle cose vagheggiate e sembrava possibile, progettabile. La richiesta di un mutamento reale, che ci investì, fu grande, molto più grande di quanto voi immaginiate. Bisognava trovare le risorse politiche adeguate: il partito. Ma noi al momento non le avevamo. Le BR, lo sapevamo sin dall'inizio, avevano coscienza di essere impari al compito di fondare il partito, ma speravamo che la loro avanguardia, la loro sperimentazione, avrebbero aperto la strada. Non è stato così e secondo me il pentitismo è il segno, l'effetto della sconfitta politica. Però vorrei fare due considerazioni: può uno Stato credere di aver vinto basando la sua vittoria sul pentitismo? Può ignorare che dopo il sequestro Moro continua la crisi politica? La seconda è che in tutte le rivoluzioni ci sono dei punti di arresto e magari di piccole ritirate, assestamenti che servono a riprendere la marcia". I rivoluzionari hanno sempre l'argomento dei tempi lunghi, tanto lunghi che nessuno dei viventi può contestare o verificare.

Da *Noi terroristi*, 1985

Capitolo VIII

LE MACCHINE E GLI UOMINI

Come riassumere la filosofia dell'automazione, delle macchine "intelligenti"? Potremmo dire brutalmente così:

Il nuovo modo di fare l'automobile

[...] un nuovo modo di fare l'automobile con gli uomini non c'è, e allora eliminiamo gli uomini. Dov'è che gli uomini, gli operai recalcitrano, protestano, si lamentano per il lavoro pesante, ripetitivo, malsano? Alla verniciatura? Alla cromatura? Alle presse? Alla catena? E allora sostituiamoli con il nuovo. Qualcuno a questo punto sarebbe tentato di dire al sindacato "tu l'as voulu, monsieur Dandin" ma non è così che si affronta la "cosa" meravigliosa e tremenda nata da noi a Torino e destinata a rivoluzionare l'intero paese.

"Il processo," dice Cesare Romiti, l'amministratore delegato, "è di quelli obbligati e irreversibili, come la fine della navigazione a vela e il passaggio al vapore. Prima o poi avremmo dovuto mettere il sindacato della classe operaia di fronte alla realtà del mercato mondiale. Dunque io non dico che il carnevale e l'anarchia degli anni settanta siano stati decisivi; dico che ci hanno costretto ad anticipare il mutamento, al punto che oggi siamo la fabbrica di auto più avanzata del mondo. Tutti noi sappiamo che questa rivoluzione tecnologica crea dei problemi enormi. I prossimi cinque anni saranno molto duri, soprattutto per Torino che apre la strada, ma mi dica lei che cosa si poteva fare altrimenti. Io ho un ricordo amaro, trafiggente del '69, quando alla firma del contratto il ministro Donat-Cattin pretese la riassunzione di centocinquanta operai licenziati per indisciplina e violenze e la direzione commise l'errore di cedere. Poi è venuto il resto che lei sa, il carnevale e l'anarchia, lo spaccio di droga in fabbrica, le mense alternative, il commercio ambulante, i bordelli ricavati fra quattro cassoni con prostitute fatte assumere come operaie, quelli di Chen Po-Ta che bastonavano i capi, gli happening con le merende sui prati di Mirafiori, il terrorismo."

La storia degli anni settanta, e Romiti lo sa meglio di noi, non è riconducibile solo a una classifica dei buoni e dei cattivi, degli errori e dei torti, se volete, dei vincitori e dei vinti. Sì, noi, la città, non siamo stati vittime di una follia collettiva anche se a volte si aveva l'impressione della follia. Nella storia che ha avuto inizio nel '68 la rivoluzione delle idee si sovrappone alla rivoluzione produttiva, c'è una richiesta generale di adeguare i rapporti sociali alla crescita produttiva ed è difficile dire se fu una richiesta mal posta, intempestiva o se furono le miopie e le sordità della classe dirigente a condurla alla nevrastenia anarcoide e alla violenza.

È c'è altro, c'è l'incredibile capacità dei giovani di credere che tutto sia possibile e che il mondo sia rinnovabile da cima a fondo. "È molto difficile," dice Cesare Sacchi dell'Ufficio studi, "rispondere a queste domande. Comunque le cose sono andate come sono andate e oggi ci troviamo di fronte a un mutamento netto del modo di pensare. Chi crede che il modo di pensare dentro la Fiat sia cambiato unicamente per la paura di perdere il posto coglie solo una parte del fenomeno. E non è stata la marcia dei 40.000 o dei 20.000 a decidere da sola la svolta. La marcia è stata il segno, la rivelazione che il modo di pensare era cambiato."

"Vuole la mia opinione?" interviene Romiti. "Gliela do, nuda e cruda, anche se sarò accusato di mentalità padronale. Io sono convinto che oggi chi lavora nella Fiat approva la linea dell'azienda, è per la sfida tecnologica, per la produttività, per il cambiamento sulle nostre gambe." "Anche i cassintegrati?" "Ne parleremo poi, mi lasci finire. Noi sappiamo che i prezzi sono alti, ma respingiamo l'accusa di voler uccidere il sindacato. È il sindacato che si uccide con le sue mani se non capisce che oggi gli operai Fiat ci chiedono apertamente: non fateli ritornare in fabbrica quelli del carnevale e dell'anarchia."

Sacchi dice: "Si potrebbe persino dire che assistiamo alla rivincita di una cultura piemontese, industriale, produttiva, di attaccamento per il lavoro ben fatto, contro il rifiuto utopico e autolesionista del lavoro. Mi creda, l'interesse degli operai per la Uno o per il restyling della Ritmo è qualcosa che si vede, che si tocca. Con ciò io non nego che la svolta abbia aspetti terribili. Sono d'accordo con Romiti, i prossimi cinque anni saranno duri, forse durissimi".

Nella Torino dei produttori e dei tecnici c'è però una svolta della Fiat, un sentimento di ammirazione e di sgomento. Nel paese delle indecisioni e delle paralisi lo spettacolo di una grande azienda che fa una grande scelta e va giù dritto e pesante senza un'esitazione è qualcosa che si stenta a credere. Ma i prezzi? "Chi glielo dirà al sindacato," dice Sergio Rossi del Comau, "che certi posti di lavoro sono finiti per sempre?" "Molti di noi," aggiunge Lino Donvito, un ingegnere che commercia da trenta e passa anni in macchine utensili, "molti di noi si chiedono se non dovremmo porre un limite all'automazione. Sì, le sappiamo le belle storie del terziario avanzato e sappiamo che a Torino questo terziario c'è. Ma crediamo davvero che possa bastare per i grandi numeri dei disoccupati?"

I produttori e i tecnici torinesi che incontro parlano e disegnano contemporaneamente. Ecco Donvito disegnare un assale posteriore come se fosse in un Ufficio progetti, con le sue viti, le sue molle, i suoi spessori. Solo quando il disegno è rifinito nei particolari dice: "Sa quanti ne fanno al giorno? 2300. Con quanti operai? Diciotto. Ho visto l'altro giorno la macchina che fa le porte: 8000 al giorno con due operai. Uno sfiora le porte con il palmo delle mani perché pare sia l'unico sistema per accorgersi se ci sono dei bolli, l'altro le carica meccanicamente e le porta via. Sono rimasto senza fiato. Stiamo nelle fabbriche di auto, ci viviamo da trenta e più anni, e oggi a volte è come se avessimo perso l'orientamento, come se fossimo di fronte a qualcosa di più grande di noi. La tecnica è razionale, la più complicata delle macchine transfert la può capire chiunque nelle cose essenziali, ma è l'insieme, è la dimensione di questo mostro che spaventa".

Proprio così: oggi la Fiat è un "mostro" che procede verso un futuro non ancora prevedibile, lasciandosi alle spalle concorrenti stranieri che sembravano padroni del campo. Si sa che fra pochi mesi entrerà in produzione la fabbrica del nuovo motore X0125, quello che doveva essere fatto in comune con la Peugeot. Ma la Peugeot ha il fiato corto, farà i suoi motori con macchinari vecchi e riadattati, non più di 500 fra due o più anni, mentre la Fiat è decisa a partire da luglio con 2300 al giorno. Ai profani dirà poco o nulla che tutta la Uno venga costruita in 28 ore, ma è quasi un sogno. Qualcuno li ha visti alla televisione i giganteschi robotgate? Stupendi, ma quanti operai occorrono per la manutenzione? Dodici. Ed è con cifre così che bisogna provvedere alla grande occupazione?

"In questi anni," osserva l'economista Ruggero Cominotti, "abbiamo dovuto rivedere due pregiudizi: il primo che l'automobile fosse un prodotto maturo, non perfezionabile, da passare ai paesi sottosviluppati; il secondo che il mercato italiano fosse saturo. Guardi questi due grafici: si vede che il prezzo reale dell'automobile diminuisce dal 1960 al 1970 di circa il 40 percento. L'auto a buon mercato è la favolosa 600 a seicentomila lire. Poi il prezzo risale costantemente per riportarsi nel 1980 ai livelli del '60. Idem per i costi di produzione. Che cosa vuol dire per l'industria dell'automobile? Vuol dire che basta ridurre il costo del lavoro, basta far costruire le auto nei paesi a manodopera sottopagata; bisognerà ricorrere al processo tecnologico dei paesi avanzati e avanzatissimi. Sul secondo punto abbiamo capito che uno spazio per l'espansione del mercato italiano esiste ancora. Oggi la vendita delle auto si è stabilizzata nelle grandi città ma cresce ancora nelle medie e piccole: in testa è Ravenna, poi le altre, in fila, sulla via Emilia per risalire ad Aosta. La densità automobilistica del Canada e degli Stati Uniti è dell'1,5 o 1,8 persone per mezzo. Siamo circa al 3 contro i 2,5 della Germania e della Francia. Sa cosa significa quella piccola differenza? Significa quattro milioni di automobili e passare dai diciotto milioni attuali ai ventidue."

Ho alcune domandine in serbo per il dottor Romiti che forse passerà alla storia della grande industria come il secondo Valletta. Senta, dottore, un amico che sa fare i conti ha preso carta e matita e ha fatto le sue brave operazioni sul prezzo della Uno che è, "chiavi in mano", di sette milioni e mezzo. Togliamo, ha detto, il 25 percento per la distribuzione, calcoliamo a 100.000 lire il costo dell'ora di lavoro, aggiungiamo il costo dei 700 chilogrammi di metallo più le spese per la ricerca e gli ammortamenti. "E allora?" chiede Romiti. Allora, dice che guadagnate un milione a macchina, 500 miliardi l'anno. "Dica a quel suo amico di rifare i calcoli. Non siamo più negli anni quaranta o cinquanta, tempo di miracoli." Allora quanto guadagnate? "Non lo so," dice Romiti sorridendo.

Allo "stato dell'arte", come dice Romiti, la Fiat è la fabbrica di auto più automatizzata del mondo: da sette macchine per operaio è passata a quattordici, livello europeo, e conta di arrivare a trenta, livello giapponese. Con quanti operai? Per ora il dato nudo e crudo è che si produce lo stesso che negli anni scorsi con 40.000 persone in meno. Il sindaco Novelli disegna anche lui, disegna le previsioni per il 2000 e si passa le mani nei capelli. Ma ne riparleremo.

Da "la Repubblica" del 18 febbraio 1983

Gli ingegneri

Questa volta non è Torino o Genova a indicare il futuro della società postindustriale, la società degli ingegneri e dei tecnici che a mano a mano cancellano quella degli operai: il sorpasso è già avvenuto alla San Giorgio, su 1400 addetti gli ingegneri sono 800 e gli operai 600; nel gruppo Ansaldo siamo ormai al fifty-fifty, 6000 ingegneri e 4000 tecnici di fronte ai 10.000 operai. Hanno dunque ragione il sociologo Oscar Marchisio e i suoi colleghi a parlare di Genova come di un "laboratorio sociale". [...]

Che cosa accade in un'azienda dove gli ingegneri e i tecnici sono o saranno la maggioranza? Che aria tira in un'azienda come la Ansaldo?

Per ora siamo a un silenzioso e ancora educato rimescolamento di tutte le carte aziendali. Il management, come lo chiamano, il corpo degli alti dirigenti, si accorge ogni giorno, dalle cose concrete, che la sua egemonia è discussa o sorpassata. Per la ragione che i gruppi di ingegneri informatici che lavorano a un progetto mettono, in concreto, in discussione i due fondamenti del potere manageriale: la conoscenza del mercato e la professionalità.

Quali sono infatti le grandi carte di un ottimo dirigente come Milvio? Di essere uno che sa come si fabbrica un locomotore o un motore marino o una turbina, ma anche uno che sa trovarsi i clienti a Bombay o a Città del Messico o al Cairo. Ma nell'azienda l'ingegner Milvio incontra sempre più frequentemente gruppi di ingegneri come quelli del Cad (computer aided design, automazione della progettazione) i quali non solo sono, in questo campo, più professionali di lui, ma tengono anche i rapporti con le due maggiori aziende mondiali del settore, la Computer Vision e la Calma.

Come a dire che sul progetto in questione gli ingegneri hanno ormai voce autorevole non solo nella progettazione, ma nella collocazione del prodotto, sanno meglio di chiunque quali sono le sue prospettive di mercato, sanno persino come ha reagito una società postindustriale più progredita della nostra all'avanzata degli ingegneri.

C'è insomma un protagonista nuovo, di massa, di cui partiti e grandi sindacati operai e confindustriali parlano il meno possibile, anche perché secondo la vecchia regola di non svegliare il cane che dorme gli va bene che le cose stiano come sono, cioè con questa nuova forza esplosiva che non ha ancora trovato una sua identità, una sua rappresentanza, una sua organizzazione.

Alcune cose però sono visibili: fra i reparti dove stanno gli ingegneri tradizionali, apolitici, conservatori, distinti dagli operai nel modo di vestire, di parlare, e quelli dove sono entrati a centinaia gli ingegneri giovani, informatici, la differenza è totale. È difficile dire se l'ingegnere-massa sia di sinistra. Certo non è di sinistra soltanto perché le sue forme sono quelle ereditate dal Sessantotto: abiti casual, tutti a mangiare nella mensa operaia, abitudine alle assemblee. E non sono nemmeno di sinistra solo perché in maggioranza vengono dai "gruppi" o dal Partito comunista. Lo sono, o comunque lo saranno, perché rappresentano il nuovo polo della dialettica sociale, perché prima o poi dovranno mettersi contro gli altri due poteri aziendali, quello dei manager e quello del sindacato tradizionale.

In altre parole, gli ingegneri saranno i nuovi protagonisti della contrattazione, con armi più affilate di quelle degli operai. Per esempio: se un gruppo di tecnici informatici che lavora al progetto decide di mollare, non è che l'azienda possa affidare ad altri il lavoro cominciato, ma deve praticamente togliere quel prodotto dal suo campionario.

Apparentemente il popolo degli ingegneri è frammentato dalla diversità dei compiti e dalla loro specializzazione, ma i comuni denominatori sono comunque fortissimi. Appartengono tutti all'universo dell'informazione, è gente che vive di notizie, di conoscenze e del loro sempre più rapido scambio. E hanno tutti una cultura internazionale, esperienze internazionali, chi è stato nello Zambia per un impianto, chi in America per un corso, chi in Giappone per un seminario.

Questa nuova forza lavoro nei paesi avanzati è già arrivata allo scontro: il management messo in pericolo ha reagito applicando la parcellizzazione di tipo tayloristico. Tu, ingegnere, con i tuoi compagni vuoi diventare depositario della nuova scienza? E allora io, se vuoi lavorare, io ti assumo sempre per la stessa tecnica, per la stessa particella di produzione. Oppure si è ricorsi alla macchina da calcolo: voi, ingegneri o tecnici, proponete e addirittura imponete le riunioni di programma? Ci obbligate a riunirci quando volete, per ascoltare quello che avete già deciso? E noi affidiamo al calcolatore il compito di decidere lui, in base ai dati, il giorno e l'ora delle riunioni.

Per ora nelle aziende italiane i segni del conflitto sono modesti: qualche tecnico che si rifiuta di dialogare con il video impostogli dal management, il gruppo che rifiuta i primi tentativi del management di spezzare la progettazione e poi di assemblarla. Ma la grande contrattazione prima o poi verrà e non potremo neanche chiamarla dei colletti bianchi, perché questi vanno in azienda in maglione e jeans.

Da "la Repubblica" del 27 novembre 1981

I robot e i computer non arrivano solo nelle fabbriche e negli uffici, arrivano anche nelle campagne, rivoluzionano l'agricoltura, compiono il miracolo di sostituire le braccia dei contadini fuggiti dalle campagne, creano anche da noi la professione del contadino moderno padrone delle tecniche e delle macchine, cancellano gli aspetti servili dell'agricoltura.

La fabbrica dei fiori

I cani lupo si avventano alle reti ringhiando, il rombo della risacca del mare si unisce al loro furore nell'aria luminosa e tersa per la tramontana. Ezio Brea, floricultore di San Remo, è teso: "Io questo vento lo odio. Ci vuole un mese, poi, perché le piante si liberino dal salino. I fiori, questo vento lo soffrono". In questo momento decine di milioni di fiori, miliardi di fiori, soffrono nelle serre aperte tra mari e monti, da Imperia a Ponte San Luigi. E migliaia di floricultori, di maghi dei fiori come Ezio Brea, sono lì a guardarli, come si guarda un bambino "che chiede aiuto ma non può muoversi".

Non credevo proprio che avrei trovato in questa Liguria di Ponente, fra liguri ritiratisi sulle colline a conservare la loro vocazione contadina, dei contadini che terrazzano colline e montagne, e guardano diffidenti il mare dai loro ripari di canne, di pergole, di cisterne e di muri, dal reticolo protetto da sguardi foresti; non avrei proprio creduto di trovare questo rapporto affettivo, quasi di amorosi sensi, fra gli uomini e le piante, che coinvolge tutti, produttori, ricercatori, commercianti.

"Sono una cosa viva," dice un commerciante, "non puoi maltrattarli, non puoi sbatterli e pigiarli come una balla di cotone, sono delle vite." "C'era un floricultore di qui," dice un esportatore, "che assumeva i lavoranti, li teneva d'occhio una settimana, poi si avvicinava a uno, lo toccava sulla spalla e gli mormorava: 'Mi spiace, ma tu non puoi lavorare nei fiori, tu non li ami'."

Ci sono gli amorosi sensi dei contadini per le loro creature, e c'è, in tutta l'Italia della nuova frontiera, una netta linea di demarcazione, quasi si trattasse di due mondi, due popoli diversi. Quelli per cui le opere del lavoro restano l'unica ragione di vita, l'unica pietra di paragone, e gli altri dei lavori anonimi, ripetitivi, parcellizzati, che li odiano. Nella Riviera delle colline l'uomo sta tra i fiori che ridono, parlano, presentono.

"La gente non ci crede," mi dice il giovane Sartore della famiglia che coltiva a San Remo le rose del Marocco, "ma certe mattine andiamo in serra sicuri di trovare pronte millecinquecento rose, e ce ne sono solo la metà. Tre, quattro giorni dopo, stia sicuro, arriva il freddo." Lo dicono anche i commercianti: "Vai al mercato e trovi che l'offerta dei garofani è caduta. Stai certo che sta per arrivare una tramontana gelida. Oppure apri la cella frigorifera e vedi che le rose si sono allargate. È in arrivo lo scirocco". Ezio Brea dice: "Le hanno detto che i fiori presentono? Scientificamente non risulta, diciamo che sentono anche le minime variazioni di temperatura, e reagiscono aprendo e chiudendo i pori, gli stomi".

Ezio Brea è un uomo della ragione: "Dicono che ho la mano d'oro, che ho il pollice verde. Mi chiamano negli istituti e nei centri sperimentali, perché secondo loro avrei il tocco e l'occhio speciali. Sa qual è il segreto? Che io bagno le piante ogni volta che ne hanno bisogno, e non faccio i weekend o le vacanze lunghe degli uffici". Gli chiedo se stia tra i fiori anche la domenica. Si ferma davanti a un vivaio di garofani. "La domenica vengo a vederli, non ne posso fare a meno, so che hanno sempre bisogno di me: a quelli manca un po' di luce, quegli altri hanno sentito la rugiada nella notte. E loro mi ringraziano, sorridono, sanno che mi occupo di loro. Sa come sono i fiori: piedi legati in terra, ma con quel loro esile corpo ti cercano, si protendono, comunicano. Io sento le loro voci. Non è facile, sembrano vento, sembrano profumo, sembrano un tenue bisbiglio. Ma che altro è il confuso giro di parole di noi uomini?"

Persino il vecchio Attilio Sartore, che sta in cima alla collina nelle sue serre con milioni di orchidee, persino lui che ha pantaloni da contadino e un mazzo grande di chiavi appeso alla cintola, tutto sotto il controllo del padrone, che ha occhi azzurri sotto l'ombra del feltro, persino l'Attilio, che ha fama di non sbagliare mai, s'intenerisce davanti alle sue orchidee giganti, a queste sue figlie "con i piedi legati", e ne accarezza una che ha un bitorzolo sul gambo: "Ma guardala 'sta poveretta, bella come è," e la aggiusta.

Chi pensa e teme che il mondo prossimo venturo dell'informatica avvolgerà l'uomo in una nube di simboli e di parole, artificioso, asessuato, pensi che esiste un mondo come questo, fra Imperia e Ponte San Luigi, un mondo di serre, di uomini, di fiori, di cani urlanti, di venti con odor di mare e di pino, in cui non esiste un confine preciso tra l'umano e il vegetale, tra l'anima e la biochimica, tra un bisogno di acqua e di caldo, e un bisogno di amore, di questo eros innocente e trionfante di pollini, petali, frutti, pistilli, profumi, carnosità, sinuosità, bellezza, quella a portata di tutti e quella platonica cui pensa la gente dei fiori quando le chiedi quale sia il fiore più bello e ti risponde "la rosa bella".

Chi li avrebbe immaginati così, questi liguri del Ponente, sentimentali e nevrotici. In tutte le aziende che visito c'è un fratello che sta in disparte, un padre che non esce da uno sgabuzzino, un cugino che si allontana, dei quali si sussurra: "Da quasi un anno, una legnata, la testa vuota, esaurimento". E si può capire perché, osservando il tempo e il lavoro, mutevoli, sempre al limite dell'emozione o della paura, come essere sul ponte di comando di una nave in un mare che cambia di continuo, mercato e mode mutevoli, ritmi serrati, tempi corti, merci (ma non chiamiamo così i fiori, per carità) deperibili. "Mio nonno," dice uno dei Sartore, "si rovinò con una partita di bulbi. Io e mio fratello abbiamo acquistato ventimila talee perfettamente sane per l'Istituto di fitopatologia, e dopo due mesi scopriamo che sono tutte ammalate."

I commercianti non dormono, letteralmente. Si alzano alle tre, anche se il mercato apre alle cinque, perché alle quattro i grossi affari sono già decisi sulla parola. Se ti manca la merce devi ricorrere ai bagarini, che sono più nevrotici dei floricultori, perché se non trovano il compratore possono buttar via fiori e fronde. Cambia il tempo da un momento all'altro e devi chiudere le serre e i rubinetti, perché bagnare le piante con il brutto tempo è come dar da bere a un affogato. E i costi! Non parliamo poi dei mugugni per i contributi che non arrivano dallo Stato. Qui nella Liguria di Ponente, un posto nuovo di lavoro va pagato con denaro a prestito al 20 percento. I crediti a lungo termine al 4 percento li ha fatti la Cassa del Mezzogiorno solo ai fratelli Greco, mafiosi, e ai Piromalli della 'ndrangheta.

Arrivo nel crepuscolo serale nell'azienda di Diem Bock, e mi piange dentro il cuore per lo spettacolo del disastro urbanistico, i campi più luminosi e tiepidi della Riviera, coltivati a seconde case, con un labirinto di straducole e di-

scariche, in mezzo agli abitati o nei fiumi, un mondo soffocato coperto da una ragnatela di reti metalliche, da viluppi
di tubazioni, e sulla collina le ville dei lord inglesi che venivano qui a villeggiare, che navigano coi loro fantasmi, come la nave di Fellini.

Il vecchio Diem indossava un vestito bianco, coloniale,
occhiali a lenti spesse, e c'era una sua figlia alta e bionda,
tra agavi e orchidee, e profumi di "pisciadele" o pizze di Ventimiglia, provenienti dalla cucina. Ventiquattromila metri
quadrati di serra, con milioni di piante ornamentali, dra-
cene, aucubifolie, pictum, croton. E, nella penombra azzurra, senti respirare questo popolo amico, ma anche soffocante, di piante, e la paura di essere capitato in un altro pianeta dominato dalla specie verde.

Ancora pochi anni fa il mercato dei liguri si fermava alla Manica, oltre la quale cominciava il mondo anglosassone dei vasi e dei giardini, incurante dei fiori recisi; oggi il
mercato è grande quanto il mondo, arrivano i fiori dalla
Thailandia e dal Kenya, da Israele, dal Marocco e dalla Co-
lombia, i paesi dalla primavera perenne. La Germania è il
primo cliente del mondo, importa fiori per milleduecento
milioni di marchi. Nelle terre dei floricultori le serre coprono le colline, i vetri luccicano sui dossi come i laghetti
dei presepi infantili; a volte con il sole a picco sembrano la-
stroni di ghiaccio. Coprono la collina e le valli, ma in un modo fragile e radente, luminoso ma provvisorio.

Ho un'affettuosa memoria per le mie vacanze a Ventimiglia da ragazzo, le corse nel sole fino a Castel d'Appio, in
quell'aria profumata di timo, tra quei muri e torri diroccia-
te, dove sentivo la presenza del Corsaro Nero, il conte di
Ventimiglia, e di sua figlia Jolanda, che nelle pagine di Sal-
gari ci portava fino a Vera Cruz o a Maracaibo, fino all'o-
steria dove la filibusta gridava: "Oste della malora, portaci
una bottiglia di Xeres!".

Da "la Repubblica" del 21 gennaio 1984

230

Vini d'autore

"Non mi vergogno a dirlo, i giornali riesco a leggerli solo al cesso," mormora Angelo Gaja junior e si affanna, claudicante, verso uno dei telefoni che ci inseguono a squilli mentre sprofondiamo, per quattro piani, negli inferi della sua megacantina, in Barbaresco. Lo hanno operato di ernia al disco pochi giorni fa e Giovanni, suo padre, lo guarda con la sollecitudine omicida dei vecchi messi in disparte. Giovanni Gaja ha settantasei anni, stesso viso di venti anni fa (solo più trasparente), la volta che mi suonò alla porta di casa a Milano e chiedeva subito ringhiante: "Allora, lei dice che il mio '46 non avrebbe forza". Poi si ritraeva un po' nella penombra del pianerottolo sotto l'ingrato destino, sceso apposta da Barbaresco. Ha fatto da paciere Gaja junior, durante una vendemmia.

Se pensate che i grandi del vino langarolo lo facciano per i soldi non vi sbagliate di molto, ma c'è anche la sfida contro gli altri, contro i tappi, contro la terra. Gaja junior adesso si è messo in testa di produrre a Barbaresco dello Chardonnay bianco e del Cabernet rosso, come dire mettere il trifoglio sui campi di Wimbledon. Aspetta che si schianti un vigneto e lo lascia lì con il padre che comincia a impensierirsi: "Metti dell'altro Nebbiolo?". "No, non credo." Ripassano giorni dopo e Gaja senior fa: "Non credi che il Dolcetto renderebbe bene?". "Non credo." Ricapitano da quelle parti e Giovanni tenta ancora: "Perché non provi con la Barbera?". Angelo ferma l'automobile per dire con calma: "Perché ci metto il Cabernet". Dio santo, il Cabernet a Barbaresco! Ora ha risolto il problema del nome: "Mi ha aiutato mio padre, sa? Ogni volta che passa lì vicino lo sento mormorare 'darmagi', che in piemontese vuol dire peccato. Suona bene Darmagi, non trova?". Ognuno la sua sfida, Bruno Giacosa di Neive, sempre a punteggi massimi nelle classifiche americane, sfida la Langa e il mondo per il suo Arneis bianco: "Lei sa che 'arneis' da noi vuol dire arnese, un matto di talento, un fuori ordinanza? Il grappolo è piccolo, raccolto, se sbagli di poco la vendemmia sei finito, ma senta che profumo". Il profumo del bianco dei Roeri, le colline che salgono da Alba a Canale, divide in due la Langa e il mondo che beve: un fiato stanco-amaro che poi si apre in bagliori dorati, prendere o lasciare senza vie di mezzo. "Mi scusi, dottore, ma lei crede che i contadini non sappiano quel che è buono? Dopo la guerra l'Arneis dei Roeri era quasi scomparso, il mercato non voleva saperne, ma i 'particolari' se ne sono tenuti chi i tre chi i quattro filari per uso proprio."

La sfida, il gioco d'azzardo, gli amori e gli odi feroci nel mondo contadino. "Lei, Gaja, cosa ne pensa dei fratelli Ceretto?" "Se mi consente preferirei non parlare di quella gente." "Mascarello, ma che tipo è quello della Pio Cesare?" "Eh, giovani leoni, loro rampano." I grandi del vino langarolo saranno una decina e si tengono sorvegliati a vista: da casa Ratti, vedete la collina triangolare dei Cordero di Montezemolo con il cedro del Libano in cima, se per caso muore lo reimpiantano. A due passi ci sono i Conterno, i Ceretto, gli Oddero. Fontanafredda è un caso a sé, come l'Opera Pia, grandi aziende, anonime. Ma laggiù c'è la torre di Barbaresco con la cantina sottostante di Bianco Alfredo.

Nel '46 andavo in cantina con il nonno. Lui saliva allo scolmo della grande botte, infilava la provetta di vetro, la ritraeva colante un sugo viola che diventava rubino quando uscivamo al sole del tramonto. La voce del vecchio, nei vocalizzi dell'albese, sembrava un gorgoglio, ma lo prendeva di colpo come un'allegrezza, alzava il vino verso il vuoto verde della collina sprofondante sul Tanaro, lo alzava alle montagne e gli partiva dal collo rugoso come un canto vincitore, di gallo con gli speroni.

Gaja Giovanni allora era sindaco di Barbaresco. Da Barbaresco a Neive, cioè a Giacosa e a Serafino Levi, quello delle grappe, ci sono cinque minuti di strada, dunque stanno in un fazzoletto ma divisi da antichi e nuovi rancori. "E, be', quella volta l'hanno fatta grossa al Gaja. Mandargli la Finanza in casa." "Il parroco di G., lo conosce? Aspettava una cisterna di Trani, nella notte, per rinforzare un'annata cattiva. L'autista per affari suoi arriva a mezzogiorno della domenica, all'ora del passeggio, vede un pretino, lo scam-

bia per il parroco: 'Dove devo scaricare?'. Il pretino, carogna, dice: 'Si fermi lì che telefono'. Entra nel caffè pieno di
gente, chiama al telefono il parroco e grida in mezzo alla
cagnara: 'Reverendo, è arrivato il suo meridionale, glielo
mando a casa o in cantina?'. Si è andati avanti per secoli
con storie così. Il 23 ottobre del 1873, per dire, il consigliere
Ghisolfi di Barolo faceva affiggere un manifesto per impedire che 'vengano spacciate in modo dannoso agli interessi generali per vino di Barolo qualità di vino che sono ben
lungi dal porgere quelle doti da tutti apprezzate'.''

Ma c'è o non c'è il nuovo modo di fare il vino? C'è e non
c'è, visto che tipi come Angelo Gaja hanno investito decine
di miliardi in macchine sofisticate come queste che vedo in
funzione a Barbaresco: il polmone di caucciù che pigia dol-
cissimamente le vinacce, i silos della fermentazione a controllo elettronico in cui la tecnica del caldo si alterna a quella del freddo per fare, tutto di seguito, ciò che la natura faceva in due tempi; le cantine riscaldate o raffreddate a piacere, la tecnica dei grandi travasi sotto gas pesante di azo-
to per impedire anche ossidazioni minime del vino. "Lei se
lo ricorda il profumo di questa cantina quindici anni fa?"
dice Gaja. "Una delizia, ma il profumo lo sentivano loro, i
cantinieri, era profumo sottratto alla bottiglia, ossidazione
che ora evitiamo." C'è un movimento dantesco, di girone
in girone, dall'alto verso l'inferno più basso, di mosti e poi
i vini che scendono verso l'imbottigliamento e incassetta-
mento in legno, caro ma ci vuole, almeno per l'estero, con
studio di etichette "pulite" senza stemmi e medaglie ma
con il numero delle bottiglie del "cru", meno sono e più il
cliente si sente fra gli eletti, verso perfezionismi formali e
sostanziali sempre più sottili.

"Lei lo sa perché ho adottato il turacciolo di 63 millimetri?" dice Gaja. "È andata così. Per cominciare, sono l'u-
nico produttore di vini sul continente che sia andato a far
visita ai produttori di sughero in Sardegna. Hanno il fiato
corto, nessuno pianta più querce da sughero e la domanda
è cresciuta, tutti imbottigliano. Mi fanno vedere le scorti-
che di sughero che asciugano al sole, quelle scadenti alte

233

tre centimetri e le migliori oltre i sei. 'Voglio tappi da 63 millimetri,' dico. 'Impossibile,' mi rispondono, 'costerebbero un occhio.' 'E va bene io li pago cari, carissimi, ma voi, Cristo, mi date i migliori tappi d'Europa'." Sistemati i tappi Angelo è passato alle bottiglie, le fa fare pesanti 800 grammi con il marchio della casa: costa di più il vetro, costa di più il trasporto, ma è il meglio.

Poi uno scende a Neive da Bruno Giacosa e fa la stessa domanda: "Qual è il suo nuovo modo di fare il vino?". "Quello di mio bisnonno," risponde, "con lo svantaggio che di uve come le sue non se ne trovano più. Ma cosa pretendono da questa povera terra? Che dia e dia in continuazione, sempre più carica di concimi e diserbanti? Ma lo sa che nelle terre del Moscato a forza di chiedere più uva sono scesi ai 6 o 7 gradi di alcol? Dico, qui a Neive mio nipote ha piantato un pesco e si è dimenticato di concimare. Non ha dato frutto. Se vuole che le racconti le cose come stanno dietro la storia del nuovo modo di fare il vino, ci sta solo questo: portare a casa più soldi possibile. Io le dico una cosa, signor Bocca, anche se lei la sa: il vino di alta qualità è poco e sono pochi quelli che lo conoscono. Punto e basta. Sì, si può curare la fermentazione, badare all'igiene, ma non c'è enotecnico al mondo che riesca a dare al vino i talenti che non ha. Non c'è un 'cru' eguale all'altro, non c'è un'annata eguale all'altra. Quelli che tagliano un'annata cattiva con una buona non fanno una media, le uccidono entrambe. I vini alla francese! Quando stappi la bottiglia è un concerto di profumi, ma lasciala lì due o tre ore ed è già caduto. Noi i 'fund d'la buta' li beviamo dopo quindici giorni."

Queste sono le guerre di religione fra la gente del vino, le lingue diverse, gli interessi diversi mescolati alle retoriche e ai sentimenti. Il ragionamento dei "giovani leoni" è lineare: per fare il vino di qualità, nelle confezioni di qualità, ci vogliono manodopera specializzata e grandi investimenti. In una parola: soldi. Chi è disposto a pagarli? Il mercato nazionale solo in parte e a fatica, chi compra bene, pronto cassa, sono gli americani, i tedeschi, gli svizzeri, gli inglesi e l'alta ristorazione internazionale che ormai si è abituata allo stile francese. Dunque bisogna, in parte, adattarsi, camuffarsi. Provate a entrare in una fabbrica di barrique, rovere bianco, in Borgogna: sentite il profumo del vino francese, è il legno che dà il tannino al vino francese. Le vecchie grandi botti che durano decenni e gli togli il cremor tartaro picchiettandolo con i martelletti o le barrique che dopo cinque vanno svendute? Questo, per oltre dodici anni, è stato il problema di Angelo Gaja e del suo enologo Rivella. Ma sentiamo lui: "Sono entrato in ditta negli anni sessanta e il capo cantiniere di mio padre non mi lasciava aprire bocca: curassi i vigneti, viaggiassi il mondo per imparare. Poi, al principio dei settanta, si ammala mio padre e io faccio il golpe. Io e lui," il Rivella fa quel sorriso dei tecnici quando il padrone li associa, a parole, nel potere, "decidiamo di passare alle barrique da 250 litri. Guardi, le guardi, adesso ne ho un migliaio, costano sulle 350.000 ciascuna, durano cinque anni. Faccia i conti, solo di barrique sono 450 lire al litro. Alla prima esperienza mettiamo il vino nelle barrique come sono, ma non funziona: troppo tannino. Proviamo a togliere una parte del tannino dal legno con vari lavaggi, ma non funziona ancora, restano differenze fra una botte e l'altra. Finalmente, arriviamo al sistema centrale di lavaggio con vapore a 115 gradi e acqua a 85. In tutte le barrique il tannino è ridotto del 50 percento. Sa quanto ci abbiamo messo? Dodici anni". Lo raccontate a uno dei conservatori e quello, senza battere ciglio, rovescia la storia come un guanto: "Cosa vuole, il giovane Gaja è nato primo della classe e aveva qualche miliardo di troppo in tasca. Così compra le barrique e poi si accorge che il Barbaresco non è la Romanée-Conti. Allora, piuttosto che darsi per vinto studia le sue machiavelliche per adattare il legno francese al vino langarolo".

Grandi botti o barrique? Lo chiedo ai due patroni supremi del Barolo, ritratti a olio nel museo dell'Annunciata, il conte Falletti e Juliette Victorine Falletti nata Colbert. Certo, nei tempi andati la selezione aristocratica del vino era piuttosto sbrigativa. "Il nostro sommelier di bocca [il nostro assaggiatore]," decretava Amedeo di Savoia nel 1701, "coglierà quattro carrà di vino, anche se da altri già acquistato." Chi ha ragione? I vinificatori tradizionalisti come i Mascarello e i Giacosa che continuano a fare vini "a rombo di cannone" o gli innovatori come Gaja e Ceretto giunti al limite estremo fra il robusto e l'elegante? Per scegliere si può scegliere, a gusti, e allora io starei dalla parte dei conservatori, ordinando Bricco del Drago al loro ideologo, il dottor De Giacomi. Ma chi produce non può stare fuori dal suo tempo e dal mercato, che sono cambiati, molto cambiati. Luigi Pira, l'ultimo dei vinificatori che pestavano le uve con i piedi, se ne è andato pochi anni fa gettandosi nel pozzo, suicidio langarolo, dopo aver lasciato un biglietto alla vecchia sorella ("Questo è il miglior giorno della mia vita").

Pira e gli altri come lui non avevano praticamente problemi commerciali: o mandavano il vino imbottigliato ai soliti indirizzi, il notaio, l'avvocato, l'industriale, la borghesia intenditrice, oppure lo tenevano a maturare nei bottiglioni anche per sei anni, tanti ne occorrevano, a volte, perché maturasse. Il mercato del Barolo e del Barbaresco, ma anche quello del Dolcetto e della Barbera, non superavano i confini del Regno di Sardegna. Ma girate oggi per Alba e per le Langhe, è pieno di stranieri, angli, sassoni e magari svevi che vengono qui per tartufi e per vino. E Giacosa ha un bel dire di "dargliene quanto ce n'è e non di più", ma al suono della lira sono in pochi a resistere e infatti è un gran viavai di tartufi di Acqualagna o del Molise che vengono qui a "profumarsi" in mezzo ai langaroli, per una decina di giorni e poi ripartono in ogni direzione a 100 o 120.000 lire l'etto. Dei vini si è detto. I grandi non sono più sofisticati, erano già Doc, denominazione di origine controllata, e ora sono fra i quattro Docg italiani, controllati e garantiti, Barolo, Barbaresco, Brunello di Montalcino, Nobile di Montepulciano. Tutto in ordine. Ma ha anche ragione Giacosa quando avverte che i grandi "cru" sono non più del 25 percento del coltivato e che c'è sempre qualcuno che allarga un po' i confini. Che fare? Mettere assieme le uve per un vino di alta qualità "media" o far pagare 30.000

lire la bottiglia del Sori Tildin o del Sori Cannubi o dei "cru" sparsi di Giacosa? Uno come Mascarello esita, ha la sua piccola clientela tutta intessuta di rapporti amichevoli e culturali. Se fa il Sori Cannubi la divide. Gaja invece va tranquillo. Gli chiedo: "Lei crede che un grado di qualità in più come il Sori Tildin valga davvero le 20.000 lire in più a bottiglia?". "Alzare la qualità di un grande vino," dice, "è come aumentare di cinque o dieci chilometri la velocità di una Formula Uno. Costa moltissimo in fatica e soldi. Son cose che vanno pagate." Piedmont's glorious Reds, come li chiama il Wine advocate Robert Parker. Ma che botte!

Da "la Repubblica" del 2 marzo 1984

Le stalle del Duemila

Nevica fine, tra folate di nebbia sulle terre del latte, di qua e di là del Po, fra Mantova, Cremona e Piacenza, triangolo bianco. Le fabbriche del latte stanno accanto alle antiche cascine e alle loro stalle abbandonate, con i silos giganteschi, le macchine trincia mais che sembrano navi rostrate, le pareti fatte con le balle di fieno da dieci quintali; e rumori a risucchio di autocisterne al carico, ruotar di lampade rosse se un computer ha scoperto che qualcosa non funziona alla mungitura e il muggito della vacca 101A, numero aziendale per il calcolatore, che è sotto operazione per via di un'unghia spaccata e il grido, il lamento infantile del vitello 60 barra B che chiede aiuto a Maria Rosa Bassi, la giovane "sciura" dell'azienda di Fiorenzuola, una brunetta dal viso rotondo, sangue spagnolo si direbbe, sui ventitré anni, che alla morte del padre ha piantato gli studi in Giurisprudenza e ha preso in mano l'azienda.

Ora Maria Rosa mi guida fra vacche e bergamini ed è un singolare vedere, sotto la neve fine, questa ragazza con un cappello di lana rosa, una sciarpa di lana rosa infilata nella giacca, pantaloni oliva alla cubana e quella grinta irresistibile che hanno le belle donne quando decidono di far vedere agli uomini come si fa a comandare: "Sì, sciura, lo abbiamo appena tolto dalla balia. Sì, dopo sette giorni come ha detto lei, sciura". Il progresso tecnologico e una legislazione agraria, che è un misto di anacronismi, demagogia e stupidità sindacale, hanno creato questo nuovo tipo di manager-contadino. Non potendo affittare la terra se non a rischio di esserne estromesso, non volendo venderla, professori, aristocratici, ragazze di buona famiglia come la Maria Rosa, gente che comunque ha ereditato le proprietà, hanno dovuto prenderne la direzione, investendo in macchine e in tecniche, risparmiando in dipendenti e in costo del lavoro (quaranta milioni l'anno per un capo stalla, dai ventisei ai trenta per un bravo mungitore o bergamino, sui sedici-venti per un lavorante). Dei 72 contadini di Grazzano Visconti, azienda di Gian Maria, figlio di Luigi, nipote di Luchino con moglie e cognata di nome Violante ed Esmeralda ("No, mia figlia preferisce i cavalli. Il ragazzo studia in America. No, nessuno come lo zio Luchino. Poi le farò vedere il teatrino dove fece le sue prime prove"), ne restano 12. Sono scesi da 30 a 4 quelli di Maria Rosa Bassi e da 215 a 30 quelli della superazienda di San Lorenzo Guazzone, dalle parti di Piadena, proprietà del professor Antonio Grasselli, un gemello, si direbbe, di Giulio Einaudi, stessa magrezza raffinata, stessi occhi, un po' meno snobismo. Ma il professor Grasselli lo metterei fuori concorso fra gli allevatori "avanzati", lui ha insegnato Informatica a Pisa e poi al Politecnico di Milano e adesso "fa il veterinario", come dice all'Università di Parma, insegna se ho capito bene Informatica zootecnica su cui scrive saggi per il Mulino.

È chiaro, dunque, che uno così può sedersi alla tastiera del computer come uno che sta per attaccare un'aria di Mozart e così, tanto per darvi un'idea, gli chiede quante sono le vacche sincronizzate per andare in calore assieme, grazie alle iniezioni di ormoni, e il robottino sfrigola, picchietta e poi sgrana fulmineo i numeri di sette vacche calde, pronte a ricevere il seme di un famoso toro del Minnesota o frisone, magari per una operazione di "embryo transfert" che non sarà quel che si dice poetica, ma riesce a dare i brividi per via del futuro genetico che potrebbe toccarci: le infilano il famoso seme là dove sapete, aspettano sette giorni e poi con una specie di clistere tiran fuori gli embrioni, li passano al microscopio, li selezionano e magari li "sessano" o "micromanipolano", predeterminando i maschi o le femmine.

E allora, se pensi a cosa era l'allevamento di quindici o venti anni fa con la monta, ti sembra di parlare di preistoria. Naturalmente, il seme arriva con tutte le sue spiegazioni, sai di quale longevità e produttività è portatore, passi dalla tattica alla strategia zootecnica, non pensi solo all'oggi o al domani, ma a ciò che sarà dell'azienda fra tre, quattro anni. "È proprio necessario questo computer, professor Grasselli?" "Necessario no, utile sì. In America, il 10 percento delle aziende agricole è dotato di strumenti informatici; qui la maggior parte si serve ancora dei programmi grafici." Il professore ne ha fatto dell'antiquariato zootecnico, li ha appesi alla parete della direzione con i loro bei colori, i cerchi concentrici come nelle mappe dei gironi danteschi, le freccette; ora qui lavora solo il computer che fa i programmi, segue le gravidanze, i consumi di foraggio e mangime, la curva produttiva e fornisce i "diari", cioè le istruzioni quotidiane: oggi devi stare in allarme su questa e quella bestia che va in calore, ricordarti di ordinare quel seme, provvedi alla manutenzione della tal macchina.

Usano il computer anche la figlia del professore, veterinaria, e il direttore, sicché a Grasselli bastano due giorni settimanali di presenza. Il fatto è però che non esistono nella zootecnia padana regole fisse e moduli unici. Ci sono le grandi aziende computerizzate, come quelle di Gian Maria Visconti e del professor Grasselli che possono andarsene il primo a Roma, dove fa il vicepresidente della Confagricoltura, e il secondo all'Università di Parma.

E ci sono le aziende medie e piccole, come quella di Maria Rosa Bassi e di suo marito, il veterinario Piero Carolfi, in cui non si può mai fare una vacanza assieme. "Ma dice sul serio? Neppure un weekend? Mai una settimana al mare o in montagna? Sempre qui a pestar letame?" "Il letame non lo pestiamo," dice Maria Rosa che ha una dolcezza di voce perentoria, "perché abbiamo il ruspone, che sarebbe quella sbarra di ferro che automaticamente spinge il letame nella buca. Un giorno alla settimana di riposo sì, ma non insieme. Questo non è un lavoro dove puoi rimandare a domani ciò che va fatto oggi: se una vacca deve essere inseminata, lo devi fare entro diciotto ore da quando è entrata in calore, se una mucca mangia il 35 percento in meno del normale devi entrare in allarme. Noi non possiamo permetterci direttori e capostalla. Sa a quanto pagano le grandi aziende che commercializzano il latte? A novanta giorni e l'industria casearia dopo un anno. Ma le macchine le devi pagare subito, magari 50 o 80 milioni. E poi sei preso dal rapporto vitale e dalla ricerca, sai che ti sono affidate delle creature vive e sai che puoi fabbricarne di migliori. Sa come lo chiamano l'allevatore in Spagna? El creador."

Il rapporto vitale e creativo domina la vicenda zootecnica, ne fa qualcosa di scientifico, ma anche di taumaturgico, di manageriale ma anche di artigianale, di metodico e programmato ma anche di miracoloso. Sarà che gli allevatori sono in gran parte persone di ottima cultura (i grandi almeno), sarà che questa industria multidisciplinare li fa sentire come dei Leonardi polivalenti (devi sapere di meccanica, agricoltura, chimica, genetica, alimentazione, pubbliche relazioni, informatica, amministrazione e l'elenco potrebbe riempire una pagina); sarà che non hanno alle spalle il sostegno metodico, implacabile, di governi come l'americano o l'olandese; sarà che sono italiani ma non ne ho trovato uno che sia, come usa dire, "tutto di un pezzo". Li ho trovati tutti compositi e felicemente ambigui fra razionalità scientifica e umane debolezze, fra bioingegneria e nostalgia di magie contadine. Tutti italianamente convinti di aver trovato il segreto, la formula, il metodo giusto.

Dico al veterinario dell'azienda Grasselli: "Sa che i Bassi di Fiorenzuola hanno riscoperto le mucche-balia? Invece di allevare artificialmente i vitelli ne danno tre a una mucca perché li curi nella prima settimana. Dicono che il nutrimento naturale ad altezza naturale di mammella faccia diminuire la morbilità". Il veterinario sorride: "Ci abbiamo provato anche noi. Il primo anno è andata bene, poi è stato un disastro. Vede, noi italiani siamo fatti così: se ti va bene un esperimento su cinque bestie, tu sfotti quelli che lo hanno fatto su cinquantamila. Salvo poi pagare l'anno dopo".

I cremonesi ridono dei piacentini che hanno fatto delle stalle "come cattedrali" e scuotono il capo quando gli si racconta che il bergamino di Gian Maria Visconti può far a meno dei programmi e dei computer, riconosce tutte le centosettanta mucche da latte. "Eh, il Visconti," dicono come se parlassero di un *troubadour* fantasioso. Se uno al di là del Po sostiene che siamo svantaggiati rispetto a Stati Uniti e Francia o Baviera perché in quei paesi si arriva a sei fienagioni l'anno, due di più delle nostre, quelli al di qua sbuffano: "Ma cosa vuoi che conti il foraggio, adesso le vacche da latte producono soprattutto con il mangime e noi abbiamo l'insilato di mais migliore del mondo". Insilato sarebbe la pianta intera del granoturco presa, fatta essiccare e triturata perché, se quelli al di là del Po dicono che "la vacca bella di regola produce più latte", il professor Grasselli che sta al di qua, in Lombardia, dice: "Balle. Sa cosa fa produrre il latte? Questo". E con la mano tesa si batte sul fianco destro come a dire la mangiatoria, la sbobba. "Vede, il nostro mondo è anche ricco di folklore, ce ne sono di quelli che sostengono di riconoscere la produttività dagli occhi. Fanno coprire la mucca con una gualdrappa, che non si vedano né schiena, né gambe, né mammelle e poi guardandola nelle pupille sentenziano: questa per me è buona." "Ma lei, professore, come mai non tiene le coccarde dei concorsi? Il Visconti ne ha ricoperta una parete intera, tricolori, viola, gialle, più gagliardetti e coppe nazionali." "Vede," dice il professore, "anche a me piacciono le mostre, ci vado sempre volentieri, ma le mucche le lascio in stalla a fare il latte. La morfologia! La vacca giudicata a occhio! Ma, andiamo, non è più semplice pesare quanto latte fa? Dicono che dal latte solo non puoi giudicare la longevità, le gravidanze regolari. E a occhio lo puoi? Su, siamo seri. Diciamo piuttosto che la mostra può essere un buon affare, può alzarti il prezzo di una bestia di uno o due milioni."

Il rapporto vitale domina la vicenda zootecnica, l'eros produttivo è al centro di tutti i pensieri per la ragione molto semplice che il latte lo danno in abbondanza le vacche gravide e che la curva di produzione scende se la nuova gravidanza è in ritardo fino a rendere necessaria l'eliminazione della bestia. "Professor Grasselli, lei ci crede alle mucche intelligenti? Ne ho sentito parlare dal dottor Angelini, un coltivatore di mais di Verona. Mi ha detto che ha fatto un viaggio in America e che ci ha trovato le mucche intelligenti, per via del modo affettuoso con cui sono trattate dagli allevatori di là." "La mucca," dice, "è stupida di natura e le nostre mucche non sono più mucche naturali, sono mucche superpotenziate, fabbricate e condizionate per fare latte. La sola cosa che queste mucche capiscono è la routine, i riflessi condizionati, le operazioni ripetute, le voci e i visi noti. Basta la visita di un veterinario nuovo o una giornata di vento per diminuire la produzione; se poi c'è lo stress di un trasporto in città, di un concorso di fronte a gente sconosciuta, sotto le luci dei riflettori, la produzione ha un crollo. Stupide, nevrotiche e superdotate. Chi le ciba con risparmio è come uno che mette in un'Alfa sprint la miscelina di un micromotore."

Ah, professore! E la socialità dove la mette? Il teatro, gli incontri, i convivi, la letteratura wodehousiana dove li mette? Non si vive di solo latte, professore. Certo, il teatro dei grandi concorsi nazionali, come quello di Cremona fra il 21 e 23 settembre, è incredibile. Arrivano apposta dal Canada e dagli Usa i "toelettatori", come li chiamano, con tariffe da centomila lire per bestia, capaci di attaccarti un capezzolo di plastica per raddrizzare quello storto, di mettere un bel toupet sulla coda o lungo magari tutta la groppa; e poi tagliano i peli superflui, lucidano il resto con il phon, danno la lacca alle unghie, colorano le narici, gonfiano le mammelle. Strano e composito mondo della zootecnia. Se ne parlate con Gian Maria Visconti nel soggiorno della sua villa (d'inverno non abita nel castello, troppe sale da riscaldare) mentre il servo asiatico serve il caffè, potete vedere i tredici cani della casa, lupi, barboni, pointer, bastardi, tutti alla finestra a guardare dal giardino cosa fanno i padroni, se sono di buonumore, se anticipano o meno l'ora serale in cui l'orda ha il permesso di entrare in casa per vegliare sul sonno del principe forse ancora sospettoso, nelle memorie del sangue, di venefici e pugnalate.

E il conversar di famiglie bovine può alternarsi ai rompicapi un po' incestuosi ma molto chic delle parentele in cui Visconti, Caracciolo e Agnelli appaiono legati e intrecciati a doppia o a tripla mandata. Ma nella casa di Maria Rosa Bassi il caffè lo porta la mamma, che non nasconde la soddisfazione per la previdenza della figlia che, dovendo sceglier si un marito, se lo è scelto veterinario. E qui si aprirebbe un altro discorso, su come è mutata in questi anni la funzione del veterinario che lavora su chiamata solo con i piccoli, mentre per i grandi programma e previene. "Professore, lei dice che il veterinario dell'amaro Montenegro, quello che arriva, tocca la bestia distesa, la guarisce e si beve un cicchetto, non è più credibile?" "Quando la bestia è distesa," dice salomonico il professore, "i giochi sono fatti. Salvo che nella pubblicità."

Da "la Repubblica" del 3 febbraio 1984

La fabbrica dei culatelli

Il gran ciclo suino comincia qui, nell'immenso capannone della porcilaia Torelli, località Coloreto, il rombo lontano della via Emilia, il rumor sordo, misto a grida quasi umane, della maialeria all'ingresso. Siamo nel capannone in cui cinquecento scrofe alla catena attendono il calore, irresistibile messaggio per la continuazione della specie. I verri sono pronti nei loro recinti: enormi, di carne rosea e di pelo bianco, locomotive di carne, di grasso e di poten-

243

tissimi scroti, eppure emotivi, se il padrone accarezza un veterano, lui geme e grugnisce dal piacere.

I verri da monta aspettano che il verro "ruffiano" abbia fatto la parte sua che è di individuare le femmine in calore e di accennare la copertura: li scelgono di media età, pigri ma non ancora arrivati ai quattro quintali sotto cui soffocherebbero le maiale in fiore. Come il ruffiano sale in groppa lo spingono via e lui, pigro, se ne va senza protestare; allora si aprono i recinti e i verri giovani "fanno il loro giro" come qui si dice con naturale pudicizia perché il casto mistero della vita risplende anche in questa "fabbrica di carne" come la chiama Lorenzo Torelli, il padrone, "tanto mangime deve entrare e tanto maiale uscire".

Il lieto-feroce mistero della vita splende anche nel reparto dell'allattamento naturale, anche se la tecnica può sembrare atroce: mamma scrofa alla catena sulla piattaforma recinta, il muso verso il vaso automaticamente rifornito di broda e di impasto. Gradi 19 per lei, gradi 35 per i maialini che stanno sotto le lampade agli infrarossi, rosa su rosa, e ancora tremano per qualcosa che non sai se sia freddo o dispendio folle di energia. I maialini sono già passati per la dura toilette del quinto giorno, gli hanno mozzato i denti con un tronchesino, per impedire che feriscano la mammella, e la coda per evitare casi di cannibalismo, non mortali ma infettivi.

Eppure lo spettacolo della vita resta commovente, trascinante, nella gioia e nel dolore. A venticinque giorni, nell'ora decisiva della sopravvivenza, la natura mette in questi siluri rosei, già lunghi quaranta centimetri e alti venti, una tal voglia di vivere, una tal carica di rabbia, piacere, voracità di vivere che se ne rimane travolti. "Se ne scappa uno," dice il Torelli, "non lo prende più nessuno." Si gettano a testate sulle mammelle materne, ciascuno la sua: se a uno, tapino, tocca nei primi giorni una mammella secca o stenta e non ce la fa a guadagnarsene un'altra con combattimenti selvaggi è segnato come "scartino", è l'essere tremante, rassegnato, che tutti spintonano o mordicchiano, cacciandolo via anche dall'ammucchiata sotto la lampada.

Può salvarlo solo l'uomo se c'è una mammella libera in un'altra piattaforma.

Gli altri, i sani, i forti, vanno al triste destino dell'ingrasso come se li attendessero tutti i piaceri, gli appetiti, gli sconosciuti incanti del grande mondo: è un carosello furibondo e festoso, di proiettili rosa che si gettano l'un contro l'altro, giocano freneticamente con le catenelle appese per distrarli, premono sulla mammona distesa e felice. Ma anche alla catena dell'ingrasso il porco mantiene una sua indomita vitalità. Si avvia al patibolo, ma con l'aria di dirci: scomparirete dalla faccia della terra prima voi, esili ometti, la nostra specie tornerà a grufolare sulle vostre tombe.

Esile, il padrone Lorenzo Torelli non si direbbe: dà sul sanguigno, ha voce roca, tiene la Ferrari silver in un cortile e non nasconde il suo hobby: "Mi me piase i donn", più un'altra frase di significato dubbio che ripete, ma in italiano: "A me l'idea della porcilaia me l'han data le donne". Però gli esili ometti al popolo suino uno scherzo di pessimo gusto lo hanno fatto con l'ibrido. Hanno preso un "landrace", o verro tedesco di forte coscia, uno inglese di forte groppa, uno olandese di grande resa e a forza di incroci sono arrivati all'ibrido dotato di tutte le virtù della carne, ma debole di cuore; gli si ferma come grossezza quando è sui 70 chili e continua a pompare la stessa quantità di sangue quando è sui 140, peso ottimale per la resa; perciò possono restare infartati al primo stress, e morire durante un trasporto o ammalarsi ed essere ricoverati nel reparto "handicappati", lo zoppo, il macchiato, l'orbo messi assieme per salvarli dalla giustizia sommaria dei sani.

"Qui," dice il Torelli, "entrano 80.000 quintali di mangime l'anno e devono uscire 20.000 quintali di maiali, se no posso chiudere." Torelli figlio, Maurizio, si incupisce per un attimo, ma lo rincuora la vista di una porta che si apre su un corridoio per cui un porcilante armato di armi lignee spinge verso il trattore una ventina di maiali al grido arcaico ma festoso "Baladrasc". Il sole splende sulle colline magiche di Langhirano e noi salpiamo verso le fabbriche del prosciutto nel grande ciclo che continua. Dicono che la campagna di Parma verso l'Appennino sia la più ricca di umori: è una terra che si incurva, che si gonfia come una vela al vento tiepido del mattino. Oltre Fontechiara e il suo stupendo castello non c'è mai nebbia ed è tiepida anche la neve; ne è venuta giù mezzo metro, ieri, ma oggi è già lenzuolo morbido e luminoso da stendercisi sopra. Neve, cielo azzurro, aria di mare dal passo di Lagastrello e apparizioni pantagrueliche di prosciutti che meccanismi automatici espongono al sole per le finestre lunghe.

Luigi Tanara, direttore del modernissimo stabilimento Goldoni, dove carrelli automatici vi fan passare sulla testa, come a Mirafiori, le "scocche" maialesche, è un ottimo tecnico, ma anche uomo della tradizione. "Meglio i prosciutti di oggi o dei nostri padri?" chiedo. "Meglio quelli di una volta, su questo non c'è dubbio. Allora si ammazzava il maiale una volta l'anno e si sapeva esattamente da chi per le grida nell'alba: 'Hanno ammazzato dai Testa'. Bestie che avevano trecento giorni di ingrasso, carne soda. Adesso li 'spingono', sono pronti in duecentodieci giorni, magari in centottanta." La lavorazione è quella di prima, le macchine non cambiano, e nemmeno la salatura né la pulitura, è la carne che è diversa. Già, l'ingrasso rapido è possibile, fa rendere i capitali, accorcia la rotazione, accelera il ciclo, ma magari vien fuori nel prosciutto l'odore della farina di pesce; oppure ti capita la bestia che è stata uccisa febbricitante e non prende il sale, non si conserva.

Il consorzio fa il dover suo: gli esperti passano, tocchettano, usano il loro stecchino in osso di cavallo, annusano, scoprono i "molloni" che sanno "d'arans", non di arancio, di rancido o quelli a cui "si è staccato il gambo", gli incommestibili di cui parlano come di mostri del Cottolengo. Il timbro a fuoco va solo ai buoni che, a forza di passaggi dai solai alla precantina alla cantina, acquistano il color rosa dorato dell'aria parmigiana, lo stesso delle forme di grana stagionato. I misteri dell'aria! Le gioie e i dolori dell'aria! A questi parmigiani collinari di Langhirano non è ancora andato giù che qui i culatelli – la fesa del prosciutto, la parte più tenera della noce – non maturano.

Lino Fattori, commerciante di prosciutto e oste che se ti fa sedere a un tavolo ti alzi dopo quattro ore "ammazzato" da troppo ottimo cibo, ci prova da sempre, sceglie i prosciutti migliori, taglia le noci migliori, ha una cantina perfetta dove coppe schiacciate fra due tavole di legno maturano egregiamente per due anni (quelle industriali in dieci giorni). Così ci prepara la bocca con un Sauvignon parmigiano – fratelli lasciate perdere, lasciate fare ai friulani –, sceglie il culatello, lo affetta con amore, ce lo serve e attende il responso, non il mio, ma del bussetano Giorgio Guareschi che è della compagnia, il quale assaggia e dice: "L'è mia el vost mesté. Lino, la sa d' plestica". Lino sente dire che il suo culatello sa di plastica ma incassa, non demorde, proverà ancora. "Non ci hanno la nostra nebbia che arriva dal Po," concede Carlo Dassena, mago del culatello, con laboratorio artigiano a Spigarolo di Busseto – che freschi i nomi della Bassa: Spigarolo, Frescarolo, Zibello, Fontanellato – dove lavora con suo figlio e la moglie, una bionda con gli occhi azzurri, ancora bellissima, sulla cinquantina. "Lui," dice del figlio, "ha preso il diploma da ragioniere ma non ha mica voluto lasciare il mestiere."

Lui è alto e forte come una torre e a forza di tagliar culatelli gli son venute delle spalle d'acciaio, ma l'occhio è bonario e ironico, le mani abili nella inimitabile concia. La coscia deve essere grande sugli undici, dodici chili, unica prova certa di un ingrasso a trecento giorni con carne rassodata: via la parte più piccola per i fiocchetti; via il grasso che non è commestibile, come quello della schiena o del collo, salvo quel tanto che serve alla morbidezza; via anche la parte superiore (ma noi abituati a prosciutti appesi per il gambo diremmo l'inferiore) non abbastanza tenera. Poi dopo un primo spurgo con sale e pepe spaccato, li "sciantran", ovvero benedicono, con qualche spruzzo di vino robusto, rosso, di solito Barbera, meglio se nella ciotola del vino è rimasto un profumo, ma solo un profumo, di aglio. "O lo fai bene il culatello o lo fallisci," dice il figlio. "Non c'è via di mezzo, non c'è l'aurea media del prosciutto, il culatello o ha il suo bouquet dei profumi o resta carne inerte."

Chiedo al padre: "Signor Dassena, me lo dice come si fa a trovare un culatello come si deve? Vengo a comprarli qui fra Busseto e Zibello, ma su uno perfetto ne trovo due o tre così così". "Vede, c'è una sola regola generale: prendere quelli insaccati a dicembre e pronti a ottobre dell'anno dopo. Con la bestia che ha fatto il suo ingrasso naturale. Ma oggi come fai a saperlo? L'industria mette assieme maiali di tutti i pesi. Sì, il Cantarelli di Samboseto sapeva chi uccideva il maiale in campagna, prenotava, faceva maturare – il suo segreto, pare, appesi nel pozzo –, ma anche a scegliere le bestie giuste è sempre un terno al lotto: uno è un sogno, gli altri mediocri. Ecco la ragione del prezzo alto, gli scarti che ci restano sono molti."

Il ciclo continua: la carne rossa che non serve al culatello va ai salami, alle pancette, ai cotechini ed è sempre la stessa storia: se il salame lo fa il "particolare" o l'artigiano prende il grasso migliore, la carne migliore, fa la prima maturazione nella camera da letto perché si asciughi al tepore, poi lo fa rassodare in solaio, al freddo, e poi ammorbidire nella cantina. Ma l'altro, industriale, è quasi sempre, salvo i Felino e i Varzi, "salame da corsa" fatto forzando prima l'ingresso della bestia e poi la maturazione del salume. A questo punto tanto vale rivolgersi alla Ibis fabbrica di mortadelle che sta al suino come Rivalta alla Ritmo, qualche laminato bianco in più nei reparti ma stesse camere di cottura, là per verniciare qui per rendere commestibile, stessi essiccatoi, stesse linee, stessi finissage.

E ora, in direzione, stanno discutendo con tecnici americani una linea di fast-food, una di quelle catene di pranzi veloci in cui i visi pallidi delle grandi città possano mandar giù qualcosa nell'intervallo di mezzogiorno, fumarci, dentro, una sigaretta e discorrere di job evaluation o di memorie per il computer. Figurati se gli interessa il profumo di nebbia e di vino del culatello vero.

Qui termina il nostro viaggio alla nuova frontiera dell'agricoltura. Coltivare e manipolare gli alimenti come un tempo, produrre, direbbe Gide, "nutrimenti terrestri" come un tempo non è più possibile. Ma accettare supinamente, passivamente, le forzature e gli appiattimenti industriali è, oltre un certo limite, imbarbarimento. Conosco un sacco di intellettualini che si sentono "puro spirito" se mandan giù quel che gli mettono nel piatto senza neppure guardarlo, a cui il discorso sui cibi e sui vini sembra monotono. Può esserlo, infatti, ma solo per l'ignoranza universale che ormai circonda il rapporto con la terra e con i suoi frutti. Per noi resta fondamentale, uno dei pochi piaceri veri e duraturi della vita. La più umana delle culture.

Da "la Repubblica" dell'11/12 marzo 1984

Capitolo IX

LE MAFIE DEL PROFONDO SUD

Negli anni del mio giornalismo la criminalità organizzata del Meridione non ha una collocazione cronologica perché è perenne, sta nel mio lavoro, nelle mie esperienze, dall'inizio alla fine, è la stessa cosa inevitabile, naturale, nazionale, linguistica del mio essere italiano. L'ho conosciuta quando ero alla "Gazzetta del Popolo" negli anni quaranta, mi ha accompagnato per tutto il secolo breve e poi nell'inizio del secondo millennio. Una brutta bestia, spesso mostruosa, sempre misteriosa, sempre legata alla domanda: perché noi sì e in altri paesi mediterranei no o molto diversa; perché da noi storica, inestirpabile dominante e in altri paesi mediterranei con lo stesso clima e una storia simile non così determinante, non così inevitabile come una sciagura naturale?

La strage di Corleone

Se mi venisse sete di Coca-Cola, qui faticherei a trovarla perché "Lei" ha dato ordine di boicottarne la vendita; se fossi medico, ingegnere o notaio non potrei esercitare senza la sua protezione; se fossi uomo politico, farei bene a procurarmi la sua benevolenza; se fossi contadino, le chiederei umilmente l'acqua e lascerei mettere "u pizzu", cioè la taglia, in ciò che ho raccolto; se fossi suo nemico, raccomanderei l'anima a Dio, ma poiché, in effetti, sono un giornalista e forestiero, debbo solo accorrere qui in Sicilia ogni anno, in occasione di una strage, per scrivere che lei, la mafia, è sempre la più forte.

Questa volta la strage è avvenuta a Corleone, un paese come tanti nell'interno dell'isola, dove, al crepuscolo, lo Stato abdica ai suoi poteri e, di fatto, passa le consegne alla "onorata società". Raffiche di lupara nel centro dell'abitato, tre morti da una parte e un ferito dall'altra, una fazione mafiosa che schiaccia quella rivale. Poi ci sono stati gli arresti e le denunce, a opera dei carabinieri, ma sono fatti secondari, è lo Stato-spettatore che è passato a raccogliere i cocci rotti, che è stato spettatore in una lotta che praticamente non lo riguarda.

Nell'impotenza più o meno colpevole dello Stato questa lotta è infatti una faccenda privata delle "coppole storte", una sanguinosa guerra intestina per il predominio, una rivoluzione, se vogliamo, che sta avvenendo da alcuni anni nel corpo della malavita: qualcosa in cui bisogna entrare se si vuole capire ciò che è accaduto a Corleone.

Rifacciamoci al 1944. Finita la guerra, la mafia, data per morta dal fascismo, è in piedi e sta, come sempre, dalla parte del vincitore. Gli americani, a cui ha reso segnalati servizi in occasione dello sbarco, le sono larghi di concessioni: le "guardanie" si ricostituiscono e circolano armate con il permesso degli Alleati; i capi vengono insediati nelle amministrazioni e nei pubblici uffici; don Calogero Vizzini, il loro pontefice, può credere che siano tornati i tempi d'oro del 1900 quando don Vito Cascio Ferro, in viaggio per l'isola, veniva accolto con il baciamano dai sindaci, all'ingresso dei paesi.

Ma don Vizzini sbaglia, come tutti gli uomini politici che in quei giorni pensano a una restaurazione pura e semplice dell'Italia prefascista. Nell'Italia che esce dalla sconfitta stanno invece scatenandosi forze nuove, anarchiche o rivoluzionarie. In Sicilia la spinta anarchica conduce ai banditi di Giuliano, quella rivoluzionaria alle lotte contadine contro il feudo.

Come dolgono, sotto la bufera, le vecchie ossa della mafia! Quali rimedi estremi, estranei al suo stile circospetto, è costretta a usare. Si disfa di Giuliano consegnandolo morto ai carabinieri, si oppone ai contadini facendo uccidere trentasette di coloro che li guidano. Ma perde la battaglia: l'esempio di Giuliano continuerà a contagiare i "picciotti" più coraggiosi, la crosta immobile della conservazione agraria è irrimediabilmente spezzata.

Allora la mafia, mostro dalle cento vite, si adegua ai tempi, esce dal feudo e tenta, nelle città, nuove esperienze nelle industrie, nei commerci, nella politica. Le giovano i suggerimenti avveduti dei gangster che l'America va restituendoci. Gli anziani "pezzi da novanta" con i capelli tagliati a spazzola, la giacchetta nera e i pantaloni di fustagno ascoltano i giovanotti eleganti e ingioiellati che spiegano, in siculo-americano, la tecnica nuova.

Si arriva a un compromesso: la vecchia mafia accetta i consigli dei giovani, si piega al loro dinamismo, ma ottiene, in cambio, il rispetto formale delle antiche regole e un'altrettanto formale sottomissione gerarchica. Per alcuni anni, mentre le "cosche" si trasformano in "gang" e i picciotti in "killer", mentre il traffico degli stupefacenti esige un'organizzazione moderna, internazionale, i mafiosi della vecchia scuola seguitano a illudersi con l'antico cerimoniale: se qualcuno deve essere minacciato lo sia con la tradizionale "masticogna", che è l'avvertimento in parole; se si decide una sentenza di morte, eccoli che passano lo stecchino dalla destra alla sinistra della bocca o che dicono "porco" sputando in terra; se devono chiedere il riscatto di una persona scrivono ancora ai parenti dicendosi "dolenti che il caro Ciccio, Dio lo benedica, sia stato rapito da infami delinquenti". E quando parlano dei giovani lasciano intendere che, infine, sono "o muro vascio", il muro basso nel grandioso edificio della mafia.

Intanto i giovani aspettano il momento per sbarazzarsi di simili capi che giudicano imborghesiti e di cui conoscono la debolezza. Sono i giovani che, a un certo momento, scelgono il luogo e i metodi della lotta. Scelgono Palermo, la grande città dove sono più forti, e il metodo, all'americana, della sparatoria a grandine, a diluvio, anche nel centro cittadino. Della prudenza se ne infischiano, sono indifferenti al clamore giornalistico, scandaloso per la vecchia mafia, che un tale regolamento dei conti provoca. Alcuni, anzi, se ne compiacciono.

Ora, intendiamoci, la distinzione che si fa tra giovane e vecchia mafia non significa che da una parte ci siano i giovanotti e dall'altra tutti anziani. Significa soltanto che da una parte ci sono coloro che accettano la nuova forma di organizzazione e le nuove gerarchie, dall'altra i conservatori. Il caso di Corleone è esemplare, i suoi personaggi possono servire da simboli dell'evoluzione che si va maturando.

Accade questo: la nuova mafia, che a Palermo controlla tutta l'intermediazione parassitaria (mercati, protezioni professionali, commerci, fronte del porto), decide di muovere alla conquista anche della campagna dove la vecchia mafia sopravvive grazie all'abigeato o alle taglie sui raccolti. Sulla via della conquista Corleone occupa una posizione chiave: posta a sessanta chilometri da Palermo, fra montagne difese dalla solitudine e da grandi boschi, è il passaggio obbligato delle bestie rubate che vanno ai macelli clandestini della capitale. Dunque bisogna impadronirsi di Corleone e battere il "pezzo da novanta" che vi domina.

Al principio del '57 la mafia di Corleone è agli ordini del dottor Navarra, un mafioso "ancien régime" imparentato con alti funzionari, primario dell'ospedale, ispettore di zona per la Mutua coltivatori diretti, persona di modi irreprensibili, di estrema prudenza e di riconosciuta scaltrezza. Nel corleonese la mafia che gli obbedisce ha lavorato bene, fra il '44 e il '48 sono stati compiuti 153 omicidi, uno ogni dodici giorni, ma con il dovuto rispetto delle regole, con una discrezione che è il fondamento del codice mafioso. Perciò il rifiuto del dottor Navarra della nuova scuola è invincibile: egli, che entra nelle migliori case di Palermo, non scenderà mai a patti con l'incivile brutalità dei giovani.

Allora si tenta con i suoi luogotenenti, cominciando da un certo Vincenzo Collura, detto "Criscione", un siculo-americano ideologicamente vicino alla nuova mafia. Collura ci sta. Ne consegue che una sera del febbraio due fucilate a lupara ne troncano l'esistenza, proprio nel centro del paese.

Ora tocca a Luciano Liggio, detto "O ficatieddu" cioè il fegatoso, l'impavido. Liggio è il bandito italiano come lo immaginava Stendhal: una forza di carattere talmente esasperata da trovar sfogo solo nella violenza, un tipo da esecrare, ma anche, segretamente, da ammirare. Come lo si ammira a Corleone dove ho ascoltato dei giovani professionisti, senza dubbio onestissimi, parlarmene con una voce che tradiva il rispetto.

Mi dicevano dunque che questo Luciano, giovane sui trentatré anni, è bellissimo di aspetto e di grande intelligenza. Sicché, pur essendo latitante da non so quanti anni, sa dirigere a meraviglia i suoi affari, possiede automobili lussuose e trova sempre case ospitali che lo accolgono. Liggio è un tipo che sa indossare con la medesima disinvoltura i panni ruvidi dei pastori come il doppiopetto del cittadino elegante; che cavalca come guida le fuoriserie, da maestro; che conosce il gergo della malavita come l'italiano più corretto e, soprattutto, che non teme niente e nessuno.

Questo è davvero il rappresentante della nuova generazione. Difatti si ribella agli ordini del mellifluo Navarra e costituisce con i suoi una società armentizia, rubando dove gli pare, e chiudendo la bocca con il piombo a chi protesta, senza risparmiare neppure i membri dell'onorata società. Navarra decide di eliminarlo e gli fa tendere un'imboscata nei pascoli del Pian della Scala; Liggio sfugge all'attentato. Siamo nell'estate del '58: mentre il resto del mondo, nei mesi che seguono, guarda preoccupato alle crisi del vicino e del lontano Oriente, i 17.000 abitanti di Corleone sono dominati dall'attesa di un avvenimento ineluttabile, la vendetta del "Ficatieddu".

Egli colpisce il 2 agosto. Il dottor Navarra sta andando in macchina quando un camioncino gli sbarra la strada. Sopraggiunge un'Alfa 1900 dai cui finestrini spuntano i fucili con le canne mozzate: i colpi a lupara crivellano il dottore e un suo malcapitato collega.

Da quel giorno la vecchia mafia non osa più uscire nelle campagne, sebbene sappia che la sfida dovrà continuare perché Liggio ha deciso di sterminarla. Trascorrono ventisette giorni tesi. Un intero paese attende la nuova battaglia.

Il regolamento dei conti si annuncia con il fragore di una fucilata alla sera del 6 settembre: gli uomini di Liggio hanno aperto il fuoco contro Marcuzzo Marino, l'uomo più pericoloso della vecchia mafia, capace di centrare al volo una moneta con un colpo di pistola. Marcuzzo cade colpito a morte. Suo fratello Giovanni e Pietro Maiuri escono da casa e si gettano all'inseguimento di Liggio. Cadono dopo 100 metri sotto i colpi del "Ficatieddu". Costui fugge per i campi e lascia tre dei suoi in paese per coprirgli la ritirata, due zii del Maiuri, folli di dolore e di rabbia, li raggiungono sul corso Bentivegna, la via principale di Corleone. La sparatoria rimbomba fra le case, uno degli amici del Liggio cade ferito, un altro si rifugia in una profumeria. Con il sangue agli occhi i Maiuri sparano dentro il negozio senza curarsi di chi vi si trova: la padrona, la sua bimba e una cliente anziana vengono ferite, l'amico del Liggio rimane illeso.

A strage avvenuta lo Stato-spettatore arresta chi gli cade fra le mani e denuncia gli altri che si sono scoperti. Alcuni mafiosi finiscono in carcere, ma Liggio e i suoi fidi sono liberi. Ora Corleone conosce il nome del suo vero padrone.

Così si è conclusa la battaglia per il controllo dell'abigeato ed è singolare il giudizio che ne ha dato una certa società palermitana. "Lasciateli fare," ha detto, "lasciate che si ammazzino fra di loro. Quale mezzo migliore per liberarsene?" Ora, a parte le obiezioni di carattere giuridico e morale, il giudizio ci sembra errato anche sul terreno pratico. Perché questi sanguinosi sussulti della malavita non preludono affatto a un suo indebolimento, ma annunciano una prossima, implacabile e organizzata "pace mafiosa", dove i capi potranno ripetere le parole di don Vito Cascio Ferro: "Ca è 'na badia", qui regna il nostro ordine.

"La mafia esiste solo nella fantasia dei nemici dell'isola," dicevano, anni fa, gli illustri personaggi, spesso amici di mafiosi, che si incontravano nelle hall dei grandi alberghi. "La mafia è roba del passato," dicevano sorridendo gli uomini politici eletti con i voti dell'onorata società. Erano i tempi in cui la diplomazia mafiosa di Caltanissetta faceva muovere i "picciotti" con zampe da felino, terribili ma silenziose.

Ora però i protetti della mafia tacciono poiché il gioco è diventato scoperto, a volte quasi impudente. Ora accade che uno sconosciuto, protetto dalla nuova mafia, prenda alle elezioni tanti voti preferenziali quanti il più illustre uomo politico; ora ci si vanta apertamente dei metodi che servono al controllo dei voti. Ve ne riferisco uno che mi pare di indubbia efficacia.

Mettiamo che la mafia, in una piccola sezione elettorale, faccia conto sulla metà dei voti, settanta su centoquaranta. Si tratta di persone che ha intimidito e vuole essere certa che voteranno secondo le sue istruzioni. Allora le catechizza una per una e a uno dice: "La lista che dovrai votare è questa, la lista x. Ma non basta, eccoti qui un foglietto su cui sono segnate le preferenze, in questo ordine, i candidati numero uno, quattro, sette e nove. Ricopia esattamente sulla scheda questo ordine perché lo controlleremo". Alla seconda persona impone una nuova combinazione delle preferenze, mettiamo il quattro, il sette, il nove e l'uno e così via fino a che ciascun votante avrà la sua combinazione riconoscibile. Al resto, al controllo, penserà uno scrutatore mafioso.

Si capisce che questo metodo è quasi sempre inapplicabile o perché mancano scrutatori mafiosi o perché le operazioni di spoglio non consentono un controllo preciso. Ma bastano alcuni controlli azzeccati per convincere la parte più ignorante e sottomessa dell'elettorato che la mafia è davvero onnisciente. Sta di fatto che l'onorata società ha rafforzato decisamente il suo prestigio nelle ultime elezioni. Naturalmente mancano le prove per la denuncia degli eletti, perciò siedano tranquilli sui banchi di Montecitorio. Ma chi ha a cuore il nostro regime democratico non può tacere il discredito in cui va cadendo in queste province.

Perché qui la gente ha avuto la controprova dei candidati sospetti di amicizia con la mafia che sono stati votati proprio nelle località più notoriamente mafiose.

La tentazione a cui ogni partito è sottoposto dall'offerta dei voti mafiosi è grande. Persino il Partito comunista, che ha dovuto versare tanto sangue nelle lotte contro il feudo protetto dalla mafia, riceve talvolta da Roma degli inviti "a non formalizzarsi su una lotta moralistica che li distoglie dalla sostanziale lotta di classe". Così fra i socialisti c'è chi parla dell'onorata società come di uno strumento "utile, talvolta, per rovesciare le vecchie strutture". E si capisce bene che dietro queste fumisterie marxiste c'è qualcosa da nascondere, qualche commercio poco pulito.

Non parliamo degli altri partiti le cui alleanze con la mafia sono tutt'altro che rare.

Certo, per chi è abituato da tanti anni a vivere sotto il nero mantello della mafia il problema sembra meno drammatico: nonostante la mafia, qui si vive, si lavora e ci si affeziona al proprio paese. Ma per un forestiero è diverso, egli non può sottrarsi all'angoscia che gli viene da un così triste spettacolo, non può non sentire dolore per tante energie sprecate, tante occasioni perse, tanti galantuomini costretti a subire la legge della delinquenza.

Il caso di quell'azienda che ha aperto di recente uno stabilimento a Napoli anziché a Palermo, rinunciando alle esenzioni fiscali offerte dalla regione, è lo stesso caso di molte altre industrie che non se la sentono di tentare l'avventura in un luogo dove la mafia impone i suoi custodi, i suoi impiegati, i suoi tecnici; dove i gangster cacciati dall'America trovano subito alloggio, dove c'è intrallazzo mafioso persino nell'aggiudicazione dei loculi del cimitero.

Che si può fare contro questa lebbra? Come liberarne un popolo così ricco di ingegno e assetato di giustizia?

Ecco, bisognerebbe trovare in Italia un uomo di governo capace di imporre una rottura definitiva fra politica e mafia, fra amministrazione e mafia, fra lo Stato legittimo e quello della delinquenza. Bisognerebbe trovare un gruppo di uomini disposto ad arrischiare nella lotta la compattezza del loro partito, pronti a sacrificare tutti i loro colleghi compromessi e a subire lo scandalo che ne deriverebbe. Uomini che gettassero in piazza decenni di compromessi e che facessero tremare, qui in Sicilia, clero, università, aristocrazia, borghesia, proletariato, in una parola tutta la società isolana.

Ci permettete di dubitarne?

Ci consentite di prevedere che fra un anno saremo di nuovo a scrivere articoli sulla mafia?

Da "L'Europeo" del 28 settembre 1958

La mafia, questa sconosciuta

"La mafia," diceva il sindaco, "io non la conosco." "Se esiste," diceva il vicesindaco, "non si lascia vedere." "Per me," dicevo io, "sono cose del passato." Le nostre parole cadevano nel ronzio incessante di un tafano, prigioniero fra le pareti bianche della stanza. "Qui è tutto calmo," riprendeva il sindaco. "Brava gente, contadini poveri," spiegava il vicesindaco. "Ho visto," dicevo io, "un posto tranquillo."

Ero nel municipio di Vallelunga, il paese più mafioso della Sicilia mafiosa, dove il pretore ha paura a camminare per strada quando è buio, dove i carabinieri vivono assediati nella loro caserma: la sera prima si era sparato a lupara contro un uomo nel centro del villaggio.

"Per me la mafia non c'è più," diceva il sindaco. "Se c'è non dà fastidio a nessuno," aggiungeva il vicesindaco. "Vecchie storie," dicevo io. Si era chiuso il triangolo rituale di quelle menzogne astratte, assolute, implacabili che si dicono per non morire. Più forti di ogni logica, più forti di ogni evidenza. "Occhio non vede, cuore non duole," dice chi abita in Sicilia. Dunque tocca a me, che abito altrove, raccontare come stanno le cose.

Il giorno che venne eletto sindaco di Vallelunga, il campiere Gerlando Praterrigo, noto capo mafioso, tirò fuori una pistola e la posò sul tavolo. Parlo del sindaco che venne eletto nel 1922 quando succedevano ancora cose del genere. La posò sul tavolo e fissando i consiglieri dell'opposizione disse: "Qualcuno di loro signori vuole chiedere la parola?".

Nessuno fiatò. "Visto che siamo tutti d'accordo," disse Gerlando, "sciolgo la seduta", e nei tre anni che amministrò il paese fece a meno di convocare il Consiglio. Per la storia gli successe un podestà fascista, ma per la mafia in comune c'era sempre "un amico degli amici".

Non so se abbiate un'idea del feudo siciliano, ma la storia di Ciccio Cuccia è illuminante. Ciccio Cuccia era podestà di Piana dei Greci, l'attuale Piana degli Albanesi, e un giorno memorabile arriva Mussolini scortato da manipoli di militi e di poliziotti. Alla qual vista il Ciccio Cuccia fece una smorfia e disse: "Che bisogno c'era, Duce, di tanti sbirri? Voscenza accanto a mia non ha da temere. Qui la zona la comando io".

Ciccio Cuccia finì a Ustica, al confino, ma gli altri podestà mafiosi o amici dei mafiosi rimasero nei municipi alla difesa dei feudi. Nella zona di Vallelunga, Villalba, Mussomeli i mafiosi di don Calò Vizzini tennero lontani i cafoni dall'occupare le terre che hanno nomi arabi: Micciché, Tudia, Susafa, Turrumé, Saeli.

La guerra si portò via il fascismo e nel feudo si accese la rivolta contadina. La mafia per difendersi armò i briganti. Fu sempre la mafia, qualche anno dopo, a sterminare i briganti e qui la nostra galoppata attraverso gli anni deve arrestarsi perché siamo arrivati a una storia che spiega da vicino la paura del pretore, l'ansia dei carabinieri.

Noi italiani sappiamo pochissimo di quella storia incredibile e spaventosa che fu la repressione del banditismo in Sicilia. L'episodio di Giuliano e poco altro. Ma la verità è che quasi tutti i banditi siciliani fecero la fine del re di Montelepre: uccisi dalla mafia e poi riuccisi, per l'opinione pubblica, dalle forze di polizia.

Ho letto, nei giorni scorsi, le note e i documenti che, sul tema, va raccogliendo Michele Pantaleone, un altro siciliano che esce poco di sera per via della mafia. Vuole farne un libro. Se ci riuscirà avremo un quadro impressionante di quella abnorme alleanza che si strinse fra la mafia e alcuni rappresentanti dello Stato legittimo. Certo è che ne paghiamo ancora lo scotto. Chi allora rappresentò lo Stato doveva sapere che i regali della "onorata società" si pagano sempre a carissimo prezzo.

Il racconto di questi "regali" valga per coloro che conservano un'idea romantica della mafia, per quelli che credono nel bonario massaro Passalacqua di *In nome della legge*, giudice severo, ma equanime in una società arcaica, dove la legge comune non arriva. Dirò solo ciò che accadde nel triangolo Vallelunga, Villalba, Mussomeli, ma credo che sarà sufficiente.

Il primo regalo della mafia a certi rappresentanti dello Stato italiano fu la liquidazione della banda Alfano. La banda era composta da delinquenti feroci, ma aveva reso servigi preziosi all'onorata società e ai suoi amici. Essa aveva trovato rifugio nella masseria di un mafioso a Gurgu di Sale. C'erano Luciano Alfano e i suoi sette compagni: mangiavano nella masseria e dormivano in un casone adibito a pagliaio. Una notte furono bruciati vivi. Tutti e otto.

Poi caddero i fratelli Ignazio e Giuseppe Giambra. Il comando per la repressione del banditismo comunicò che erano stati uccisi "in scontri con le forze dell'ordine, in località Carcatizzi". Michele Pantaleone ha raccolto invece la voce, a Villalba, che i Giambra furono accoppati in una casa del paese, casa di mafiosi, mentre mangiavano. Ed è strano che si legga nel referto necroscopico: "Pochi istanti prima di morire avevano ingerito carne di montone".

Anche Salvatore Trabona, detto "l'arricchiato", il rachitico, fu ucciso "in un conflitto a fuoco con le forze dell'ordine in località Valledolmo". Eppure la circostanza che giunse all'obitorio con il cranio spaccato da un colpo di scure avvalorò la voce che lo dava per morto per mano della mafia in una casa di Tavernola.

Incontestabile invece la morte "in un conflitto a fuoco ecc." del bandito Calogero Ingrao. Una squadra di carabinieri lo freddò a Vallelunga mentre stava per entrare nella casa di un capo mafioso. Ma la gente che conosce la mafia si chiese come mai i carabinieri fossero stati informati di un tale incontro.

Per chiudere l'elenco, Nino Mancuso detto "lu fuddu", il pazzo, fu consegnato alle forze dell'ordine con il corpo crivellato da una raffica di mitra, "regalo" di un capo mafioso di Valledolmo.

Si può immaginare i casi che derivarono da una tale collaborazione fra alcune forze della nostra polizia e la mafia. Si parla di un mafioso a cui i poliziotti trovarono in casa un moschetto. Lui disse che glielo aveva dato il commissario di un paese vicino, suo amico, per una certa missione. Incerti sul da farsi i poliziotti sequestrarono il moschetto, ma, a scanso di grane, non denunciarono il fatto. Due giorni dopo l'amico faceva avere al mafioso un altro moschetto.

Accadde a certi funzionari, che avevano continuato a esigere il rispetto della legge, di essere sconfessati dai loro superiori; ci furono degli espatri protetti dall'alto, molti delinquenti trovarono ai processi impreviste testimonianze a favore. Insomma, tutto ciò che è stato provato o che si è capito dal processo di Viterbo, antologia di una stolta alleanza, dal cui ricordo è difficile liberarsi.

Sta di fatto che in Sicilia, per via di quei patti inconfessabili, si avverte ancora il permanere di una situazione equivoca; si ha paura che un'informazione data alla giustizia finisca con l'arrivare, non si sa come, agli orecchi della mafia; c'è il sospetto che in qualche ufficio sopravviva una delle antiche amicizie. In una parola non si ha fiducia nello Stato, sicché magistrati integerrimi, autorità coscienziose, poliziotti onestissimi seguitano a cozzare contro il muro sordo dell'omertà.

"Turi, chi ha ucciso Giulio Cesare?" chiede il maestro in un paese di mafia. Lo scolaro Turi lo guarda fermo e non risponde. "Su, Turi, l'ho detto appena or ora, devi ricordarti chi ha ucciso Giulio Cesare." Turi non apre bocca. Allora si alza il suo vicino di banco e cerca di spiegare: "Voscenza, chiddu è di panza e non sta a canta' [signor maestro, Turi è di stomaco duro e non parla]". È una storiella, ma più vicina alla realtà di quanto si possa credere. L'uomo ferito nei giorni scorsi a Vallelunga dalle fucilate dei mafiosi, ai carabinieri che gli chiedevano i nomi degli aggressori ha risposto con una formula: "Se muoio non importa, se vivo ci penso io".

Adesso forse capirete meglio perché a Vallelunga ci siano un sindaco e un vicesindaco i quali non sanno che cosa è la mafia e quali attività svolge, "se veramente esiste nel loro comune". Comunque si può tentare di spiegarglielo.

Per cominciare la mafia campa di usura prestando denaro ai contadini poveri con tassi del 40 e del 50 percento. In genere non è denaro che i mafiosi tirino fuori di tasca loro, è denaro che gli viene prestato dalle banche. Se le banche non lo facessero potrebbero chiudere gli sportelli e poi è difficile provare che il tale commerciante è "un amico degli amici". Si deve dire poi che i crediti a catena così costituiti sono i più sicuri del mondo. È difficile rifiutarsi un pagamento quando è in gioco la pelle.

Il secondo cespite della mafia, "posto che esista", è "u pizzu", cioè il balzello imposto sui raccolti. La polizia ne ignora ufficialmente l'esistenza. I contadini che hanno commesso l'imprudenza di parlarne hanno visto, nel migliore dei casi, i loro vigneti tagliati e le bestie uccise.

Poi ci sono gli appalti dei lavori pubblici. La regione indice la gara e li concede a un galantuomo, che a sua volta li subconcede a un altro galantuomo. Capita che la serie dei galantuomini finisca dritta dritta a un mafioso. Allora gli operai prendono ottocento, novecento lire al giorno invece delle mille e trecento pattuite. E stanno zitti, perché se parlano rimangono senza lavoro o finiscono morti in qualche trazzera.

Segue il furto massiccio, dichiarato, imposto come il saccheggio del vincitore. Racconto fatti di questi ultimi mesi: dalla fattoria dei signori Battaglia, a Vallelunga, scompaiono duecento pecore; dal magazzino Alvara, sempre a Vallelunga, prendono il volo quaranta quintali di grano, mentre dalla vicina stazione di Villalba (a soli cinque chilometri) ne scompaiono addirittura quattrocento. Il signor sindaco di Vallelunga sarà certamente dell'opinione che tali furti sono opera dei soliti ladruncoli "spinti dalla miseria", ma invece si ha la netta impressione che sono stati opera della mafia anche perché le tracce lasciate dai camion su cui venne trasportato il bottino si dirigevano verso le fattorie di persone notoriamente mafiose.

Ma allora, si dirà, perché i carabinieri non le hanno arrestate? Perché qualche volta non ne hanno avuto l'animo e molte volte le prove. Perché a me che li interrogavo sulla mafia hanno detto con la voce di cui non dimenticherò l'amarezza: "Qui la mafia è padrona". Perché, diciamolo chiaro, questi valorosi carabinieri di prima linea sono morti a centinaia anche nei giorni in cui qualcuno, in alto, stringeva patti di alleanza con l'onorata società.

I furti di cui si è parlato sono avvenuti nella zona di Vallelunga dal mese di maggio a oggi. Nel medesimo periodo di tempo c'è stata una sparatoria notturna fra carabinieri e ladri di bestiame, ci sono stati i colpi a lupara sparati contro il mafioso "traditore" Madonia, appena uscito da cinque mesi di carcere, c'è stata una donna ferita. Le estorsioni, tutte sul milione, sono state più di dieci e non si contano le lettere minatorie. Una di esse giunse nella casa del dottor Ettore Cipolla, ex presidente dell'assemblea regionale. Il dottor Cipolla chiese una scorta di carabinieri e fuggì a Palermo.

Io capisco il sindaco e vicesindaco di Vallelunga: abitano nelle terre dove "occhio non vede, cuore non duole". Ma non se l'abbiano a male se uno che abita altrove dice le cose come stanno. Non se l'abbiano a male neppure le forze dell'ordine se ora dico che Luciano Liggio, bandito da almeno sei anni e autore della strage di Corleone, venne multato per velocità eccessiva o roba del genere mentre circolava tranquillo, in auto.

Le cose andarono a questo modo. La notte del 2 agosto il signor Cesare La Barbera, stimato commerciante di Palermo, fu svegliato dalla polizia, nel cuore della notte. Il dottor Navarra, capo della mafia di Corleone, era stato assassinato nel pomeriggio presso Imbriata da qualcuno che viaggiava su un'Alfa 1900 nera. Risultava che il proprietario della macchina era il signor La Barbera.

Allora il povero signor La Barbera dovette spiegare che la macchina era stata venduta due o tre giorni prima, tramite un garagista. La polizia gli credette, ma continuò gli accertamenti. Così venne fuori la bolletta di contravvenzione inflitta, poche ore prima del delitto, a un giovanotto bruno, con gli occhiali neri che era al volante dell'Alfa 1900 nera: Luciano Liggio, di professione bandito.

Essendo questa la situazione si va proponendo da alcuni un'inchiesta governativa, o si invita il nuovo prefetto di Palermo a usare la maniera forte, o si scrivono articoli, come quello recente dell'onorevole Saragat.

Molto bene. Però vien fatto di chiedersi se i valentuomini al momento indignati hanno ben chiaro in testa che cosa è il fenomeno mafia e ciò che bisogna pagare per debellarlo.

Per cominciare, chi si accinge alla guerra contro la mafia dovrebbe negare, in tutte le sue forme, il mito di una mafia ineluttabile. Il carattere mafioso non è congenito alla gente siciliana, la mafia non è una malattia cui sia condannata in eterno. Diteci dove esiste una cosca a Messina o a Siracusa. Raccontateci un episodio mafioso che sia avvenuto nella provincia di Ragusa, che la delinquenza chiama la "provincia babba", cioè stupida, proprio perché si rifiuta alle sue rapine.

Il fatto che la mafia sia incontestabilmente circoscritta nelle province occidentali dimostra semmai che nella Sicilia occidentale esistono situazioni ambientali favorevoli allo sviluppo di una delinquenza associata.

A questo punto è necessario un secondo atto di sincerità. Se esistono, come esistono, queste particolari situazioni ambientali, si è davvero pronti a correggerle? Chi ha il compito di eliminarle è davvero preparato ai problemi e ai rischi legati all'impresa?

Portiamo l'esempio del feudo. "Ecco," dicono taluni, "abbiamo scorporato il feudo e distribuito le terre ai contadini. Eppure la mafia è sempre forte e i contadini vanno mormorando che le cose 'andavano meglio quando andavano peggio'." Ma ragionare così significa barare al gioco. Si capisce che i contadini lasciati senza crediti e con scarsissima assistenza tecnica fanno bancarotta e piegano il capo davanti ai gabellotti mafiosi. Ed è inevitabile che i piccoli villaggi agricoli creati dalla riforma rimangano deserti, case azzurre e bianche abbandonate nei campi, come ne ho viste percorrendo la strada fra Palermo e Caltanissetta.

Come ci vivrebbero, in questi abitati-modello, i contadini siciliani? Chi gli darebbe i piccoli crediti, le elemosine, la garanzia di sopravvivere che essi trovano solo negli antichi popolosissimi borghi dove regna la mafia?

Le riforme non sono un problema facile da risolvere con qualche spartizione e qualche opera pubblica. Chi ha fatto la riforma in Sicilia doveva sapere quale travaglio economico imponeva. C'era da rivoluzionare un sistema creditizio ma non si è fatto; c'era da spezzare la fittissima rete dei mediatori parassitari, degli usurai, dei subappaltatori; c'era da scontrarsi con innumerevoli situazioni precostituite.

Questo era e rimane il rischio economico dell'impresa. Poi c'è il rischio politico. Nella Sicilia occidentale vale, sul tema della mafia, quell'equivoco che inceppa anche nel resto dell'Italia quasi ogni tentativo innovatore: l'accusa di fare il gioco di una determinata forza politica. In Sicilia il sofismo che ne deriva è il seguente: il comunismo combatte la mafia e ne fa oggetto di scandalo per discreditare l'amministrazione democristiana. Dunque chi tocca il problema della mafia è un alleato dei comunisti e fa il loro gioco.

In realtà attaccando la mafia denunciandola si fa solo il gioco della democrazia italiana. Ma per farlo, questo gioco, bisogna saper rinunciare alle votazioni facili, alle clientele obbedienti, alle preferenze su comando.

Da "L'Europeo" del 5 ottobre 1958

Il cuore nero di Palermo

Il volto arcaico della mafia è chiuso e orrido. Per capire un santuario di mafia conviene entrare al quartiere Brancaccio di Palermo alle otto di sera, ora del coprifuoco: le luci di Palermo alle spalle, laggiù, sparse quelle di Bagheria, qui il buio. Via Conte Federico è un tratturo fra due marciapiedi alti con le auto issate sopra, sui due lati, come scarafaggi, lamiere a colori freddi, appannati dall'umido marino, sotto le lampade di una illuminazione pubblica arrivata nell'83. Qui vivono e si uccidono i miliardari mafiosi della droga, l'aedo di questa triste epica può raccontarvi: "Uno davanti quella porta, quell'altro dietro quel bidone della spazzatura, un altro vicino al distributore di benzina. Diciotto morti ammazzati in trenta metri di strada in meno di un anno".

Le case sono di tufo, a uno, massimo due piani con i tetti a greca diseguale, tutte abusive. Su, giù, di sghembo, lo vedi dalle antenne televisive che seguono terrazzini, rialzi, porte blindate e verande di alluminio. C'è buio e silenzio in piazza Scaffa, uno slargo fra una fila di negozietti e il cimitero di automobili dove lavorava Tano, "lo sfasciacarrozze". Abitava proprio sopra il portone, si alzò alle sette del mattino, attraversò la strada per farsi due arancini di riso alla pizzeria e lo stesero vicino al banco. Cinque morti ammazzati in un anno nella piazzetta.

Dire Brancaccio è come dire Maredolce, Sperone, Villabate, l'Uditore e tutta la cintura di violenza e di sangue che la mafia ha saldato attorno a Palermo, nel suo modo torvo e simbolico: questa nuova ricchezza che non riesce a stanarsi dai suoi fetidi quartieri, questi miliardi che producono periferie infami per avere altri miliardi, questa gente che per una, due generazioni arretrerà di fronte alla *douceur de vivre* come da qualcosa di infido, questa ricerca di un potere che uccide, che esclude dal consorzio civile, questi uomini sospettosi impegnati ogni attimo della loro vita ad apparire minacciosi, tenebrosi, implacabili, che si alzano alle sette del mattino per farsi due arancini in una pizzeria sudicia, mentre le loro donne aprono le finestre delle casupole o dei casoni per stendere al vento camicie, sottane, mutande, calze di nylon multicolori, rappresentazione di una privacy familiare sordida, ma insostituibile, uniche ore sicure, addolcite dagli affetti, di questa loro vita feroce, di uno contro tutti. L'intensa, disordinata, breve vita che la nuova mafia spinge a tempi sempre più stretti. "Inzerillo è morto a trentasette anni," si legge in un epicedio mafioso, "d'accordo, ma è vissuto bene, ha avuto moltissime cose dalla vita, altri non avranno mai neppure un centesimo di queste cose. Non è peccato morire se a quell'età si sono fatte, avute, viste le cose che Inzerillo ha fatto, ha visto e ha potuto avere. Lui è morto sazio della vita."

La ferocia, in questa Palermo la tocchi con mano. Ti guardi attorno e vedi il "carnezziere" che ha messo sul banco della strada gli ossi buchi e le bistecche sanguinolente e sta con la frusta di carta, per scacciare le mosche; vedi i trionfi degli ortaggi, la Bmw di lusso parcheggiata in cortile accanto al carrettino, vedi i "masculi" seduti al caffè e senti che qui la ferocia la tocchi.

All'Uditore c'è un casone rosa, la casa degli Spatola, mafia sconfitta: i pochi sopravvissuti si sono trincerati in questo loro quartier generale, se ne vedono così nel Salvador e nei paesi di guerriglia, ne ho visti così a Saigon, con la portineria-garitta che blocca la scala di accesso. Nei quartieri nuovi, strade interminabili e rettilinee salgono verso i monti nudi e foschi di Montelepre: qui è in mostra la way of life siculo-americana, le pizzerie con insegna "New York Place", gli istituti di bellezza, i Baby Center; davanti a uno è stato ucciso il killer "Trema trema", certo Ignazio Goffo, così chiamato perché a ogni colpo di pistola ritraeva la spalla con uno scatto isterico.

A Palermo c'è gente civile che non ne può più di questa città malavitosa, che alla lunga non regge più al sospetto, all'incertezza: il cameriere che ti serve è uno della droga? L'impiegato, il politico, il medico cui ti rivolgi, da che parte stanno? E i giornali che a ogni arresto continuano a usare l'aggettivo insospettabile. Ma che insospettabile! Qui ognuno sospetta di tutti. Si può ignorare? Stare a vedere? Si può, ma sapendo che in questa città hanno ucciso il prefetto, il presidente della regione, il capo della mobile, il presidente del tribunale, il procuratore generale, il capo della

maggioranza, il capo dell'opposizione, i generali dei carabinieri, i giornalisti, gli impresari edili; quanto a dire una
città decapitata, in cui l'unica istituzione credibile è la mafia. Non è che la gente qualsiasi abbia paura di uscire, di
essere uccisa, non è che non riesca a tirare a campare, ma
che vita è in questo limbo dell'arbitrio, della continua umiliazione civile. Una città che ti spezza!

Il denaro è tanto e la lotta per averlo impietosa. Chi manca al patto di fedeltà o di omertà malavitose può finire "in-
caprettato". Uno degli ultimi era un ragazzo di diciassette
anni, trovato con un amico in un sacco della spazzatura
chiuso in un'auto rubata; legati tutti e due come capretti da
portare al mercato, le caviglie e le braccia annodate dietro
le spalle, la corda che passa attorno al collo: puoi resistere
arcuato cinque o sei minuti, poi ti lasci andare, la corda
spezza la giugulare, il sangue inonda viso e petto mentre la
tua giovane vita se ne va.

L'età media dei capi cosca è scesa, in quindici anni, da
cinquantacinque a trenta; il traffico di eroina spinge il turn
over della fabbrica della morte: se fai due o tre viaggi for-
tunati per la droga puoi assoldare dei killer e tentare la scalata. Qualcuno dice che la guerra in corso ricorda il passaggio dalle baronie feudali al principato: la holding del delitto deve verticalizzarsi, spazzar via le piccole cosche. Ma
sono ipotesi, teoremi che la torva vitalità mafiosa smenti-
sce di continuo, la mappa dei vincenti e dei perdenti va con-
tinuamente rivista.

Storie sotterranee, tragedie sconosciute percorrono il
mondo mafioso. Quanti sono i "canziati", quelli che fuggono, che si guardano alle spalle? Si allineano sui tavoli del-
l'obitorio i morti della lupara, ma fa vittime anche la "lupara bianca", i cui cadaveri scompaiono senza traccia, imprigionati in una colata di cemento, bruciati. Né mancano
i "suicidi bianchi" di quelli che si fingono morti, cambiano
connotati con una plastica facciale, si fanno operare alle corde vocali, si fan persino rifare le impronte digitali. Dicono
che un Buscetta viva a Palermo da mesi in questa fuga dalla vecchia identità. Per snidarlo i vincenti hanno fatto stra-

ge indiscriminata dei suoi amici e parenti, hanno ammazzato anche gli inservienti delle sue pizzerie. Di lui e dei suoi "non deve restar neppure il seme".

La mafia è sempre stata feroce, il dottor Navarra, vecchio capomafia di Corleone, iniettava il cianuro a un ragazzo testimone di un agguato. Uccidevano anche le donne. Meno di oggi, ma solo perché oggi le donne si occupano di più dell'amministrazione, dei trasporti, delle questioni logistiche. È difficile scrivere la storia della mafia, fare comparazioni. La mafia non racconta con cronache o comunicati; racconta e spiega nel modo misterioso dei simboli: gli incaprettati sono i ladri, gli evirati non hanno rispettato la moglie dell'amico, quelli con le pietre in bocca hanno cantato ed è ferocia reciproca, qui si dice: "Un uomo non vale né da vivo né da morto". Se i cultori del superuomo fossero scesi da queste parti avrebbero visto che qui si era realizzata in nero, nelle tenebre del clandestino, la loro "bestia da preda"; e qui aveva messo radice per i secoli a venire la filosofia dell'istinto, del potere al più forte, al più libero da inutili freni moralistici, al più pronto nella lotta contro tutti.

La mafia dei padrini delle grandi famiglie di cui raccontano film e romanzi è morta e sepolta. La mafia attuale è meritocratica; comanda chi ha il talento del delitto e della violenza, il genio del crimine, come Luciano Liggio, che quando arriva l'ora della droga non esita un istante a scatenare nel Settentrione ricco la catena dei sequestri con cui accumulare rapidamente il capitale necessario al nuovo job.

Da *Italia anno uno*, 1984

La famiglia Riina

Se entri in un bar di Corleone e Giuseppe Riina, il figlio di Totò, è lì, appoggiato al bancone, a gambe larghe, che fai? C'è chi guarda per vedere come ti guarda e poi dice:

"Lo beviamo un caffè?". Tu che fai? E non chiederti lo bevo o non lo bevo, perché lo bevi, vuoi farti ammazzare o pestare per un caffè? Tu puoi scrivere su "Città nuova", il mensile dei progressisti, puoi attaccare i manifesti contro la mafia, marciare nel corteo contro la mafia, stare a fianco del sindaco Cipriani quando si inaugura la lapide nella piazza Giovanni Falcone e Paolo Borsellino, ma lo sguardo ostile, dichiarato al figlio di Totò Riina non te lo puoi permettere, se vuoi vivere, perché il municipio è rosso e nell'ufficio del sindaco e nella sala della giunta, ma è ancora mafioso negli uffici, c'è ancora chi passa ai mafiosi la carta intestata del comune perché ci scrivano le loro minacce, i loro avvisi. I mafiosi dichiarati saranno una quarantina, ma quelli che lo sono, si sa che lo sono ma non lo dicono, saranno almeno 800 su 12.000 abitanti.

Una favola di Corleone racconta che i boschi vennero tagliati perché i corleonesi volevano vedere il mare. Non è così, Corleone ha sempre voltato le spalle al mare, è un paesone della Sicilia interna, di familismo chiuso e diffidente. Non c'è grazia, non c'è colore, non c'è invito ospitale, le case fuori devono essere grigie e nude. "Spendere per la facciata no, che poi se la godono gli altri." Tante zone segrete, tante isole dell'arcipelago, compatto nel nascondere le sue feroci divisioni, le sue sanguinose rivalità. Gente triste in una natura di selvaggia bellezza, prati verdi a perdita d'occhio fino alle rocce della Rocca Busambra, nubi e cielo in perpetuo mutamento, in pochi istanti dall'azzurro all'aer fosco, dalle nuvole nere che si rincorrono, al sole splendente. Sicilia dell'interno che volta le spalle al mare ma che è più isola delle coste, terra che naviga nella sua incomunicabilità.

Ma andiamo dal sindaco rosso Giuseppe Cipriani, al primo piano del palazzo comunale, nell'ufficio che sembra la sacrestia di una chiesa barocca, un san Sebastiano trafitto, il crocefisso che tiene un'intera parete, una santa Liberata levitante su prati verdi, su contadini al lavoro e armigeri che non hanno l'aria di sorvegliarli, ma sono lì; alle spalle del sindaco un santo di cui nessuno conosce il nome che torce il collo muscoloso e il torace possente per impetrare l'aiuto di una Madonna che sta nel cielo, indifferente, in quel cielo che ho visto arrivando fra squarci di sereno e nubi di tempesta. Anche la religione a misura di un'umanità che ha chiesto invano per secoli una sorte migliore e non saprà presentarsi se non con sofferenze e invocazioni di aiuto. Il sindaco rosso sta nel suo ufficio attorniato dai compagni nella città ostile, nel palazzo nobiliare piantato come una fortezza nel dedalo di viuzze strette, di lucidi selciati, con le auto sui terrazzini sopra la testa di chi sale.

"Che c'è di nuovo a Corleone, signor sindaco?"

Il sindaco indica la porta dell'ufficio: "Guardi la porta. Prima loro entravano senza bussare, senza salutare. Adesso bussano, salutano. Prima chi stava in questa poltrona doveva solo ascoltare ciò che avevano deciso di fare o non fare. Adesso ci siamo noi". Guardo gli uomini che stanno attorno al sindaco, assessori, insegnanti, sindacalisti e la bandiera amaranto dei Vespri, di velluto, con su scritto "Animosa Civitas Corleonis". Fermi attorno al sindaco come testimoni di ore fatali, muti di fronte alla storia. Poi da quell'immobilità esce una donna forte e gioviale, l'assessore all'Ambiente Giuliana Tripodi: "Guardi, la gente ha paura, ma vuole aiutarci, mentre salivo per le scale una donna mi ha afferrato per una mano e mi ha detto 'Tripodi, sei un cannone'".

Io li guardo e non saprei dire se sono i nuovi padroni o dei prigionieri di una città siciliana dell'interno, compatta nei suoi dolori e nelle sue ferocie, fuori dal mondo nel suo ordine mafioso. Hanno vinto perché il voto è segreto, hanno fatto il corteo contro la mafia facendo venire sindaci, poliziotti e autorità da fuori, ma qui in pochi si dichiarano. Concittadini sudditi della signora Antonietta Bagarella in Riina, la moglie del boss in prigione, la sorella del boss libero che ora comanda la mafia, lei che esce a far la spesa da tutti riverita e salutata? I figli del boss, Lucia, Maria Concetta, Giuseppe Salvatore e Giovanni Francesco vanno a scuola in fuoristrada per le trazzere, le zie li guardano e dicono: "Sono come Totò, non li tiene fermi nessuno, sono come loro zio". Totò va in giro per processi e minacce di morte a giudici e politici traditori, a Catanzaro ha fatto i nomi dei condannati, il procuratore di Palermo Caselli, l'ex direttore dell'Antimafia Violante, il sociologo Arlacchi. E il cognato Bagarella comanda Cosa nostra, manda a far saltare gli Uffizi e la Galleria d'arte moderna di Milano. La famiglia è tornata a Corleone ogni estate per settimane, anche quando Totò era il latitante numero uno, e nessuno lo segnalava ai carabinieri che del resto lo sapevano e facevano finta di non sapere che lui era lì, nei dintorni, e insegnava ai figli a guidare la macchina e a sparare. Chi sarà stamattina a caccia delle quaglie? Il fratello del boss, Gaetano, secondo modestia mafiosa, andava in giro su una Golf comprata usata. Era lui ad amministrare la RI-SA, padrona di terreni a Trapani, e non ci voleva molto a capire che dietro quella sigla ci stava Riina Salvatore. Dicono che i beni del boss sono stati sequestrati, lo hanno detto di altri boss, ma i terreni restano dei mafiosi o dei loro uomini di paglia, congelati dal terrore, nessuno che chieda di comprarli, nessuno che osi amministrarli e poi, senza che i giornali ne parlino, qualche giudice li dissequestra, i Ciancimino di Corleone sono sempre notabili e proprietari di Corleone.

Da *Il sottosopra*, 1994

Il salesiano di Palermo

Giancarlo Caselli, torinese, è il procuratore di Palermo dal 15 gennaio del 1993. Di educazione salesiana, virtuoso e attivo come i salesiani, Caselli passa la vita a indagare su uomini di un'altra legge, di un'altra morale: brigatisti rossi e mafiosi, ombre umane che passano nella sua vita tesa e nel suo rovello: chi sono? Perché sono così? Come capirli combattendoli? Il giudice Caselli ha cessato da tempo di chiedersi se valga la pena di spendere e rischiare la vita per questo Stato, lui come altri giudici si sente Stato anche quando lo Stato non c'è, con quei suoi capelli d'argento, non uno fuori posto, con quelle sue giacchette e camicie e cravatte al loro perfettissimo posto, solo dalle piccole rughe spuntate attorno agli occhi, dalle palpebre appesantite capisci l'usura della sua fatica. L'ufficio è rimasto quello di prima, del procuratore Giammanco. È chiaro che Caselli non se n'è proprio interessato, il brutto e il bello di fronte alla mafia non ci sono, sulle pareti sono rimasti dei brutti quadri, anime che volano in paradiso con mantelli rosa, tutti sospesi su un cupo mare siciliano, e mobili qualsiasi.

Come si sente, Caselli, lontano da Torino?

Non ho avuto il tempo di pensarci, siamo in pochi, su quarantaquattro posti di sostituto procuratore otto sono scoperti. Con me all'Antimafia lavorano in quattordici. Ero abituato a un lavoro specializzato, qui devo occuparmi di un sacco di cose, sanità, scuola, amministrazione, c'è del marcio dovunque.

A Torino lei era protetto in una città di pace. Ora è superprotetto in una città blindata. Per arrivare qui nel suo ufficio sono passato per posti di blocco dell'esercito e controlli della polizia, per strade dove è un continuo ululare di sirene e ruotar di lampade poliziesche, la sua anticamera sembra quella di don Rodrigo, piena di bravi armati fino ai denti. Le sembra conveniente che lo Stato offra di sé un'immagine così deprimente, Stato di occupazione in terra straniera? Non le sembra che una protezione così esibita nasconda una grande insicurezza, che la pretesa di proteggere tutto e tutti sia esagerata?

Sono cose di cui abbiamo discusso già ai tempi delle Brigate rosse. Sì, l'immagine non è delle migliori, ma noi sappiamo che i sovversivi come i brigatisti e la mafia se non possono colpire in alto colpiscono in basso, se non possono sparare all'avvocato Agnelli sparano ai capi officina o al povero giudice Alessandrini, se lo ricorda, che girava senza scorta. Ecco perché dobbiamo proteggere tutti.

Però fa un certo effetto vedere uno come lei che guida l'offensiva dello Stato contro la mafia praticamente assediato dalla mafia.

Non è proprio così, l'assedio è reciproco, noi e loro viviamo nelle contraddizioni della modernità, possediamo strumenti sofisticati, armi potenti, offesa e difesa si sono fatte più complesse. Lei mi ha conosciuto negli anni delle Brigate rosse. Fra esse e la mafia ci sono lontananze stellari, modi di pensare e comportamenti imparagonabili. Ma i problemi sono gli stessi, allora come ora dobbiamo dare una risposta tecnica e organizzativa adeguata, non dobbiamo preoccuparci più di tanto delle forme, dobbiamo andare alle radici.

Quali contraddizioni?

Guardi la mafia, ha usato per decenni le inefficienze efficienti. Deviava, bloccava, rimandava le pratiche della pubblica amministrazione per inserire al momento giusto i suoi uomini. Oggi la modernizzazione con i suoi fax, i suoi computer non ha debellato la paralisi burocratica, ma l'ha limitata, con il fax non puoi più dire che una comunicazione non ti è arrivata, con il computer non puoi più sostenere che mancano dei dati, un intoppo può essere risolto in pochi minuti.

Questi mesi le sono bastati per entrare nell'universo mafioso, rituale, simbolico, oscuro?

Quante interpretazioni abbiamo dato della mafia! Storiche, sociali, psicologiche, culturali. Ci siamo interrogati sul valore che la morte ha in una cultura arcaica? La morte come parificatrice, la morte che fa di un picciotto povero e senza cultura uno che ha il potere di annullare gli uomini del privilegio, voi avete la forza e la legge ma noi vi uccidiamo. Io credo che tutto sia in parte vero ma che tutto si riconduca alla sfiducia nello Stato. Qui giudici, carabinieri, poliziotti restano degli sbirri. La differenza fra Milano e Palermo non sta tanto nel livello di corruzione, si potrebbe anzi dire dopo Mani pulite che la grande corruzione di Milano sta franando sul resto d'Italia. Ma, nonostante la corruzione, a Milano un senso dello Stato esiste.

Lo Stato è quello che hanno fatto i governanti e i cittadini. I governi di centro-destra lo peggioreranno o lo miglioreranno?

Noi giudici che facciamo la guerra alla mafia siamo preoccupati. Non perché abbiamo individuato dei nemici in questo o quel governante, ma perché in un confuso periodo di rivalse e di improvvisazione si potrebbero fare dei passi indietro invece che in avanti. C'è gente che scambia le astrazioni, le questioni di lana caprina per garanzie dei diritti civili. Siamo l'unico paese al mondo in cui si torna a discutere sui pentiti, in tutti i paesi civili, moderni si è capito che i "collaboratori della giustizia" sono indispensabili e che vanno usati con le dovute cautele. Ma questa è la prima preoccupazione di un giudice: capire se è sincero o se parla solo per il suo tornaconto, se è uno che ha davvero voltato le spalle alla mafia o se è un infiltrato. Il giudice non può essere sostituito da una radiografia, da un'analisi del sangue del pentito e non ci sono regole che possono impedire ogni errore, o ci si affida alla responsabilità dei giudici o si rinuncia al contributo dei pentiti. Che non sta soltanto, come si crede, nel confessare un crimine e i suoi autori, ma nell'introdurti, nel guidarti nel campo nemico. Le faccio un esempio. Quando mi occupavo di Brigate rosse un pentito mi fece il nome di battaglia di uno dei dirigenti, mi pare Attilio. Io stavo interrogando un brigatista. A un certo punto lasciai cadere nel discorso qualcosa come: "C'era anche Attilio a quella riunione?". Bastò quel nome, l'effetto di quel nome e l'interrogatorio cambiò da così a così.

Mi pare che lei senta la mancanza di un pragmatismo anglosassone.

Vede, da quando sono morti Falcone e Borsellino, da quando lo Stato ha reagito con forza abbiamo fatto del buon lavoro, arrestato Riina e i grandi latitanti, spezzato in tutto o in parte il rapporto fra mafia e politici, e allora ci chiediamo: ma perché non ci lasciate lavorare? E invece la discussione sui pentiti si trasforma in lotta di religione, ma che dico?, in scontro fra tifoserie calcistiche che si picchiano senza un perché, vengono fuori dei tipi convinti che ostacolare la lotta alla mafia sia una difesa della libertà.

Da *Il sottosopra*, 1994

I mafiosi e l'ergastolo

Un mese fa a Palermo il giudice Gioacchino Natoli mi diceva: "Ha notato? Da quando è in carcere, Totò Riina si occupa esclusivamente di processi, non ne manca uno, ha prèso nelle sue mani la guida dell'operazione, gli altri capi di Cosa nostra non appaiono o fanno scena muta. E sa perché? Ma è chiaro, lui e gli altri della Cupola sono tutti condannati all'ergastolo e sono tutti sulla sessantina. La prospettiva per loro, se le cose stanno come stanno, è di finir la vita in carcere. C'è una sola speranza, la revisione del maxiprocesso, l'invalidazione del maxiprocesso come processo politico". Le dichiarazioni di Totò Riina a Reggio Calabria confermano che c'è una logica dietro una sortita di per sé assurda. I processi contro la mafia come un complotto comunista ordito da Caselli, Violante, Arlacchi? Se così fosse la pubblica opinione sarebbe autorizzata a pensare: be', per una volta questi comunisti hanno reso un servizio al paese.

Ma vediamo invece a lume di logica in che cosa consiste la strategia di Riina e della Cupola. La grande offensiva terroristica della mafia, i magistrati uccisi, il grande esattore Salvo assassinato, Lima ammazzato per avvertire Andreotti che il tradimento sarebbe stato punito, dicono che da almeno due anni abbondanti il sistema politico-mafioso che ha retto per decenni la Sicilia e con essa l'Italia era entrato in crisi profonda. Riina e la Cupola avevano dovuto prendere atto che se i legami fra mafia e politica, fra mafia e tessuto economico restavano praticamente intatti in Sicilia e nelle filiali romane o milanesi si era invece rotto il rapporto al vertice fra la mafia, e quella che Buscetta definisce "Entità", con dentro pezzi di partiti, pezzi di governo, pezzi di Cassazione. Il rapporto, lo sappiamo, si era rotto non per pentimento delle "Entità" ma perché di fronte alla crescente protesta della pubblica opinione e ai segni che le strutture del potere stavano crollando si faceva il tentativo estremo di tirarsi fuori dal delittuoso passato, di ridarsi una credibilità. Proprio come continua a ripetere Andreotti: "Nessuno ha fatto contro la mafia quel che ho fatto io". Sì, ma a buoi scappati dalle stalle.

La strategia di Riina e della Cupola è e non può che essere di attesa e di ricucitura: studiare il nuovo potere, provocarlo, pungolarlo per capire fino a che punto è disponibile per la ricucitura, fargli capire che una nuova alleanza è possibile. I fatti combaciano con questo disegno. Da alcune settimane è in corso il terrorismo mafioso contro le amministrazioni che noi diciamo progressiste ma che in Sicilia tutti continuano a chiamare comuniste. Perché ai mafiosi corleonesi, padroni di Cosa nostra, risulta insopportabile che a Corleone ci sia sindaco Giuseppe Cipriani, pidiessino? Ma no, nella Sicilia mafiosa i progressisti possono vincere nel segreto delle urne, ma a Corleone su dodicimila abitanti restano ottocento fra mafiosi notori e mafiosi di complemento. No, la serie di attentati per ora dimostrativi vuol far capire al nuovo potere che Cosa nostra è disponibile a entrare nel centro-destra.

Coloro che seguono con attenzione la nostra politica non dovrebbero scandalizzarsi se Riina parla di un complotto comunista guidato da Caselli, Violante, Arlacchi: è quanto vanno dicendo pubblicamente da mesi rispettabili ministri di Forza Italia, tutta la stampa della nuova destra, tutto il garantismo peloso che ogni giorno ci va spiegando che il pericolo vero non viene dai mafiosi ma dai giudici onesti che li combattono e che lo stato disastroso della pubblica amministrazione non è l'opera dei Craxi, degli Andreotti, dei Forlani, anche loro poveretti perseguitati dalla congiura comunista dei Borrelli e dei D'Ambrosio; la colpa è della grande industria filocomunista, della piovra dell'alta finanza e va già bene che non dicano pluto-giudaico-massonica.

Quei nomi fatti da Riina al processo di Reggio Calabria sono stati interpretati da alcuni come una designazione di morte, come un elenco di condannati dalla mafia. Drammatizzazione comprensibile ma in certo senso superflua. Caselli, Violante, Arlacchi sanno benissimo, da anni, di essere fra gli obiettivi della mafia se no non vivrebbero blindati fra ululi di sirene poliziesche e scorte di "gorilla". La strategia della mafia è chiara: tornare ai bei giorni di Corrado Carnevale, quando un interrogatorio del mafioso Bono del 1984 poteva essere giudicato invalido nel 1992 perché a esso era stato assente uno dei due avvocati difensori, motivazione che in dieci casi su dieci la Cassazione non aveva accolto per imputati non mafiosi.

Quello che invece resta da capire, e da capire con grande preoccupazione, è cosa intende fare la nuova destra al potere. Le nomine a posti di responsabilità di garantisti voltagabbana, di nemici in servizio permanente effettivo dei giudici antimafia o di Mani pulite, il reclutamento di questa genìa di servi furbi che la società civile disprezza che cosa significa? Un semplice sfruttamento del successo elettorale, una semplice continuazione del fortunato anticomunismo senza comunisti? Non lo sappiamo di preciso, il governo è un'arca di Noè in cui ci stanno pecore gentili e serpenti velenosi, tutti comunque forniti di un grosso appetito e quasi tutti sforniti, si direbbe, di un minimo di buona educazione, vedi le risse da osteria per i ministeri e i sottosegretariati. Preparando il suo governo Silvio Berlusconi ci aveva detto che stava facendo "una buona squadra". Con la Maiolo? Con Sgarbi? Con Tremaglia? Veda un po' lei, presidente.

Da "la Repubblica" del 27 maggio 1994

Capitolo X

MISERIA E SERVITÙ

Ho conosciuto il profondo Sud molti anni fa, alla fine degli anni cinquanta, quando lavoravo all'"Europeo". C'era stata una sommossa in una città del Molise di cui sentivo per la prima volta il nome, Isernia: voleva diventare capoluogo di provincia, una provincia sassosa e povera, e il governo di Roma non capiva perché. Neppure io capivo quando ci arrivai su una corriera sgangherata che andava a carbonella, su per una strada in terra battuta verso quella città abbandonata a sé, dimenticata da Dio e dalla provvidenza. Un bombardamento a tappeto delle fortezze volanti americane l'aveva distrutta, pare l'avessero scambiata per Montecassino, estrema difesa dei tedeschi, chi è nato con la jella addosso non se ne libera né in pace né in guerra. Sulla vicenda della provincia negata e desiderata, uno dei sogni che fa la gente povera dimenticata fra montagne povere, c'era poco da capire, quelli con cui parlavo negli uffici per strada vivevano una loro esaltazione che ora ricordo vagamente.

Ma ricordo bene lo sgomento di quel primo incontro con il profondo Sud, l'unica locanda, i suoi ospiti di rispetto, le due prostitute. Per entrare nella locanda si scendevano cinque gradini sotto trofei di cipolle e peperoncini e si era nello stanzone del camino, del pranzo. La donna-gatta, con occhi grigi nel volto pallido, affilato, stava accucciata al suo posto, vicino al camino, non ospite ma parte della locanda, come le sedie, i tavoli, le tovaglie a scacchi bianchi e blu, l'odore di grasso e di spezie. Era passato da poco mezzogiorno e gli ospiti di rispetto erano già ai loro tavoli, un breve saluto e poi ognuno alla sua melanconia: il sostituto procuratore della Repubblica che andava e veniva da Napoli, un professore di ginnasio, due tecnici del genio civile, un commesso viaggiatore, il cronista del Nord venuto per la rivolta. Lei e noi come la sparuta guarnigione di un forte rimasto in piedi nella rovina. Che lei facesse parte della locanda era chiaro, noi potevamo prendere la caraffa del vino forte e resinato, la minestra di ceci, l'olio, il pane come potevamo servirci di lei, senza parlare, senza chiedere, bastava uno sguardo e lei che conosceva le camere al primo piano saliva leggera ad aspettare come una gatta che non fa rumore, conosce tutto della casa, passa inavvertita fra il gemere di un tavolato, lo scricchiolio di una porta, lo sbattere di un'anta e il soffio gelido del vento che in quell'inverno e in quella rovina mi rabbrividiva fin dentro le ossa. Così pallida, così rassegnata, cosa fra le cose di una locanda povera, ma sembrò che le si gonfiasse il pelo, che sprizzassero scintille dai suoi occhi grigi la sera che entrò nella locanda la donna-cagna, l'altra prostituta di Isernia, irsuta, olivastra, non brutta, non vecchia ma ferina, che si era presa come abitazione una delle case semidistrutte un po' fuori città, senza porte e senza vetri alle finestre, pezzi di lamiera alle finestre e per le fessure si vedeva il braciere al centro della stanza e il pagliericcio posato sulla terra fredda. Ma nelle notti gelide e ventose lei attizzava il fuoco, faceva alzare la fiamma che la vedessero dalla città, quelli che la odiavano e sbeffeggiavano, era sempre lì, non era ancora morta, piaceva ancora ai suoi visitatori notturni. Entrò la donna-cagna con un suo mugolio minaccioso, si alzò pallidissima la donna-gatta e sembrò le si fosse gonfiata la groppa e la coda, e noi, gli ospiti di rispetto, capimmo che la donna-cagna poteva rivendicare qualcosa dall'oste che sbucò dalla cucina, rimandò al suo posto vicino al camino la donna-gatta e si portò l'altra dietro la tenda rossa per un piatto di minestra, che poi uscì come da un'incursione vittoriosa, con uno sguardo di trionfo, ancora viva nella sua vita perduta.

Ero in quella città del basso Molise chiamata Isernia e dal giornale mi telefonarono che dalle parti delle Forche Caudine, sotto cui passarono i romani vinti, mai lasciarli passare che poi tornano non per ringraziarti ma per ammazzarti, c'era un lebbroso. "Dato che sei lì vicino, fa' un salto," dicevano dal giornale, come quando sei a Hong Kong e ti dicono: "Visto che sei lì, fai un salto in Giappone". Per arrivare ad Arpaia ci impiegai una giornata di corriere sbilenche, poi noleggiai un'auto e andai verso le Forche, ma nessuno sapeva dove fosse e se ci fosse questo lebbroso. Finalmente un messo comunale si offrì di accompagnarmi. Lungo la strada s'incontravano villaggi di pietra, abbandonati, solo qualche vecchio impaurito che a vederci si intanava; villaggi in cima a monterozzoli brulli, le case strette l'una all'altra, in difesa da quale nemico non si capiva, in quella miseria. Poi la strada sterrata finì e continuammo per un trattturo sino a un colle che dava su una conca. Là in fondo c'era la casa del lebbroso, una stalla abbandonata che avevano recintato con assi e fascine. Il lebbroso da lì non poteva uscire, gli portavano cibo e acqua due volte la settimana. Il messo comunale si portò le mani alla bocca e urlò: "Aah Nicola!". Nulla si mosse. Ripeté il richiamo due o tre volte e finalmente qualcosa si mosse sulla porta della stalla, una macchia scura di stracci e di carne piagata. Fece barcollando qualche passo, alzò una mano agli occhi per proteggerli dalla luce radente del crepuscolo, capì che non eravamo quelli delle provviste, rientrò nel tugurio.

Molte cose sono cambiate nel profondo Sud, la sua Gehenna non è più atroce come allora, in Sicilia hanno chiuso le bolge infernali delle zolfare dove i carusi dovevano pagare il noviziato nei bordelli sotterranei, sodomizzati dagli anziani, per diventare a loro volta sodomizzatori di altri giovani, a catena continua, setta perversa e inconfessabile nel paese del virilismo. Sulle marine di Messina o di Palermo non ardono più nella notte le centinaia di falò per le prostitute della miseria, e neppure nei più desolati villaggi della Locride, a San Luca o a Platì, vedi gli storpi, gli affamati, i dimenticati di allora, i giovani indossano jeans e camicie sportive come i loro coetanei di Roma e di Milano, fanno caroselli per le vie con le loro motorette, nelle loro case ci sono televisori, elettrodomestici, computer. È cambiato il profondo Sud, cerca di vivere come a Torino, a Francoforte, a Londra, è pieno di auto, di bar, di campi di calcio, di boutique, di laboratori di analisi mediche, di Telebari e di Radio Vittoria e se è morto il vecchio meridionalismo piagnone vi alligna la specie nuova dei meridionalisti realisti, con gli occhi aperti, non pessimisti. Alcuni per amore della loro terra, altri cogliendo i primi segni, i primi annunci di un miracolo che non può non venire, di un riscatto che non può mancare in eterno, altri ancora perché il loro mestiere è di manipolare le cifre e di nascondere l'inferno, dicono: "Non esageriamo, non criminalizziamo intere regioni". Parlare di una questione meridionale è improprio, il Sud è trino con province arretrate in Sicilia, in Calabria, in via di rapido sviluppo nelle Puglie, ormai decollate e ricche in Abruzzo e dovunque, anche nelle terre più povere della campagna, c'è un principio di sviluppo "a macchia di leopardo". E se qualcuno come la sociologa Giovanna Zincone chiede: "Ma perché queste macchie di leopardo non fanno mai un leopardo?", il nuovo meridionalismo sorride come a una battuta.

Cuori di tenebre

Oggi, 1992, sono in un hotel della Locride, Calabria: se premo il bottone verde sul comodino s'illumina un video, c'è scritto se mi ha chiamato il giornale o se mi ha cercato da Milano mia moglie; se invece premo il bottone rosso la serranda della finestra si alza con un lieve fruscio e posso vedere l'Aspromonte, i suoi boschi fitti e so che in uno di quei boschi, forse vicino, c'è un uomo che sta da mesi, da anni – due anni il giovane Celadon – in una tana alta mezzo metro e quando lo fanno uscire deve stare lì sulla bocca della tana, legato a una gamba con una catena, come un maiale. In greco Aspromonte vuol dire montagna bianca e così la vedo bianca di neve, bianca di crete scoperte nel bosco, ma il nome va bene per dire montagna aspra, montagna deserta, dove non c'è niente di niente come ai tempi di Omero, l'immensa selva vuota in questa Italia gremita e noi dell'alta Italia non sappiamo che è lunga come il Piemonte o la Lombardia, cento chilometri da Serra San Bruno a capo Spartivento fra Ionio e Tirreno, noi non riusciamo a capire come possono tenerci per mesi, per anni, degli uomini legati a una gamba con una catena.

Nel 1968 a Saigon prendevo un taxi e mi facevo portare nelle terre e negli acquitrini dei vietcong in quello stato febbrile, fra paura e curiosità, di chi rischia la vita perché è il suo mestiere e oggi, 1992, a Locri di Calabria, a settant'anni suonati, è un po' la stessa cosa: andare da solo nell'Aspromonte è da stupido, ma se non ci vado che cronista sono? E allora saliamo sull'auto, andiamo nella grande selva per cui scendono fiumare dai nomi bellissimi, Amendolea, Amusa, Allaro, Torbido, Lauri, Careri. Da Locri al passo del Mercante, fra i due mari incontro tre, quattro automobili. È una giornata limpida, dal passo vedo il mare di Sicilia. Laggiù Stromboli, Vulcano, Lipari stanno immobili nell'azzurro come neri cetacei. Alle mie spalle la valle che ho risalito fra guglie di arenaria, valloni precipiti, un tumulto di terra e di alberi fino "all'immenso Ionio glaciale senza una vela" come lo vide Matilde Serao in quella sua vacanza alla Ferdinandea di Monasterace. Dal passo si diparte una strada che va nel cuore dell'Aspromonte. Su un cartello c'è scritto Piani di Zomaro. E su un altro: "Attenzione, possibili scontri a fuoco". Andiamo? Ma sì, andiamo. Pini così fitti, così vicini l'uno all'altro, così dritti li ho visti solo in Carinzia quando seguivamo Kruscev alla sua prima uscita nell'Occidente. Una strada diritta, senza fine o è l'ansia che la fa sembrare così? Ma poi gli alberi si diradano e la pineta cede il posto a un bosco assolato di erica arborea, merito suo se dai tempi dell'Unità noi dell'alta Italia chiamavamo il Sud "terra da pipe"; è con i ciocchi duri dell'erica arborea, vecchia almeno di tre secoli, che si fanno le pipe migliori del mondo, quelle con la testa dell'ussaro o la zampa d'aquila, o il diavolo, o il cane. Ma ora hanno sospeso la fabbricazione, la mafia dei sequestri non vuole estranei sull'Aspromonte, gli ultimi raccoglitori di erica hanno visto le lupare puntate, hanno sentito gridare: "Non vogliamo più vedervi, dite ai vostri padroni che sull'Aspromonte comandiamo noi". Poi è arrivata la raffica e uno di loro ha avuto una spalla trapassata perché si capisse che non era uno scherzo. O le "teste di cuoio" dei carabinieri in rastrellamento o i mafiosi signori dell'Aspromonte, gli altri fuori dai piedi. I cacciatori non si fanno più vedere, gli hanno tolto le doppiette, li hanno pestati. L'ostello che ospitava trecento persone è stato distrutto, il ristorante aperto da un calabrese tornato dall'estero è chiuso. Prima gli hanno ucciso i cani, poi visto che non capiva hanno ucciso lui. La casermetta dei carabinieri vicino al valico viene bruciata ogni anno in inverno e ricostruita in estate, ma non ci sta nessuno fisso. Ora in località Zervò incontro il Cristo ligneo, la prima forma umana che vide il salumaio torinese Castagno quando lo liberarono. Hanno sparato anche al Cristo, quattro pallottole nel costato, ma qualcuno ha chiuso i buchi con lo stucco, la sola cosa che funziona sempre è la cabina telefonica vicino al bivio dello Zomaro, da lì sono partite otto telefonate su dieci ai parenti dei sequestrati. Sto facendomi le stesse domande che mi facevo nel Vietnam: se mi fermano cosa gli dico? Che sono un giornalista? Che ho sbagliato strada? Ma visto che lo scrivo vuol dire che non mi hanno fermato né i vietcong né i signori dell'Aspromonte. I cartelli antincendio messi chissà quanti anni fa li posso capire, ma quelli dell'Eni che dicono "Amate la natura, usate l'energia pulita del metano"? Non deve essere lontano il santuario di Polsi dove banditi, carabinieri, preti e boscaioli si davano tregua nei giorni della festa. Una verde radura per il santuario e attorno il suolo lacerato dalle scosse sismiche, le rocce sospese sulle voragini, la lussureggiante vegetazione.

Scendendo verso Platì incontro una coppia di contadini anziani, lui fa un timido gesto con la mano e mi fermo subito. "Dove andate?" "A Platì," dice lui che è piccolo, ingobbito, con capelli bianchi e faccia rugosa. Salgono e mi sento più tranquillo come se fossero un mio salvacondotto. Ora lei che è vestita di nero e ancora forte e dura gli sta chiedendo: "Tu lo fermasti chistu cristianu?". "Io lo fermai," dice lui. "È buona la strada?" chiedo. "Buona se non la fai a piedi," dice lei. "E i banditi ci sono?" "Quelli noi non li vediamo, ma chi conosce la sua giornata prima che sia finita? A ognuno la sua ora, ma tu vai tranquillo." Suona nella voce un'autorità matriarcale: vai tranquillo, forestiero, che io ti proteggo. Passiamo il ponte che fu spazzato dall'alluvione e quelli di Platì vennero in processione a gettare nel torrente una corona di oleandri e ginestre con il nastro su cui avevano scritto "La popolazione di Platì in ringraziamento all'Anas", l'agenzia delle strade. Visto dall'alto Platì, il villaggio più duro e isolato della Locride, è una macchia grigio-gialla schiacciata sul fondo del vallone. Ci sono solo uomini seduti sulle spallette dei ponti, sui gradini delle case. Su cinquemila abitanti i pregiudicati sono più di mille, a maggioranza liberali, alle ultime elezioni il Partito liberale ha ottenuto qui cinquecento voti.

Che cosa so di questa gente? Buoni o impietosi? Selvatici per natura o piegati dalla miseria e dall'isolamento? Forse meglio di quanto si pensi, forse peggio di quanto si immagini. Il padre di Corrado Alvaro, lo scrittore, aveva fatto "un patto con l'avvenire. Che quanti figli avrebbe avuto li avrebbe fatti studiare". Faceva il maestro di scuola qui a San Luca e per trent'anni scrisse le lettere agli emigrati, tenne vivo il legame fra mogli e mariti, fra figli e padri. Suo figlio Corrado era molto legato a San Luca e all'Aspromonte, mai dimentico degli anni dell'adolescenza. "L'adolescenza," diceva, "è una riserva per gli anni in cui la fantasia avrà cessato di parlare" e quell'adolescenza felice, le memorie della solidarietà montanara gli impedivano di vedere il resto, come la volta che tornò a casa da un viaggio, chiese dove fosse il padre e la madre gli diceva: "È andato all'organizzazione" e lui sapeva quale ma non faceva domande.

Siccome non si trova mai e poi mai un sequestrato nel suo covo, quelli della polizia ogni tanto dicono che forse i covi non stanno sull'Aspromonte, ecco perché non li trovano mai ma è qui che stanno e lo si sa con certezza: il milanese Ravizza è stato visto passare per San Luca in taxi, fra i suoi sequestratori, Giuseppe D'Amico su una betoniera. Stanno sull'Aspromonte i covi, magari molto vicini agli abitati. Il dottor De Feo, fuggito due volte, è stato ripreso dalla gente di San Luca uscita alla sua caccia e riconsegnato ai rapitori, il ragazzo Furci è stato visto giocare a palla con il figlio del suo sequestratore davanti a una casa non lontano da San Luca, ma nessuno parla, la gente che vive "in questo cazzu 'i paisi" diffida dei forestieri, si sente in guerra con i forestieri. Quando arrivò qui mamma Casella, madre del sequestrato di Pavia, quelli della televisione scoprirono San Luca e Platì, si misero a interrogare i ragazzi del luogo che gli giravano attorno in motoretta, ostili, irridenti: "Ma non avete pietà per un ragazzo come voi? Tenuto per anni lontano dalla famiglia?". Un'alzata di spalle. "E di sua madre non v'importava?" "Pagare doveva." E ora che il giovane Casella appare in televisione a raccontare i suoi patimenti ci sono ragazzi di Platì e di San Luca che dicono: "Carogna è, camminavamo per ore per portargli da mangiare e ci insulta". Neppure io sono amato nella zona. Uno dei sindaci ha raccontato a Ornella Mariani che dirige a Benevento l'Istituto sulla mafia: "Se posso dire un'opinione, Giorgio Bocca è il più detestato dalla nostra classe di intellettuali del Sud, è un criminale protervo, animoso. Gli altri mentono per mestiere, lui ci emargina con lucidità". Quasi quasi, passavo a trovarlo.

Che San Luca sia un paese di sequestratori lo si vede dalle sue case, molte rimaste a metà, a un terzo in attesa di nuovi riscatti, pareti di mattoni traforati che attendono gli intonaci, pilastri di cemento per cui si vede la montagna bianca. Anche qui un migliaio di pregiudicati su 14.000 abitanti, ma onesti o pregiudicati qui "si resta amici, non si ha il coraggio di rompere". Don Pino Strangio, il parroco di

San Luca, cugino dello Strangio ferito dai carabinieri, che deve confortare le vedove degli uccisi, le mogli e i figli degli imprigionati, è nato qui, questo è il suo popolo, è uno di quei preti di montagna che ti guardano e sembrano dire: "Non lo vedi che sono un povero come gli altri?".

Da L'inferno, 1992

Capra e champagne

Viaggiatori inglesi dell'Ottocento biondi, occhi azzurri, camminatori instancabili e senza paura percorrevano la Valle d'Aosta e si chiedevano come fosse possibile che in una natura così gloriosamente bella, sotto montagne eccelse e ghiacciai, tra vigneti e frutteti si aggirasse un'umanità cenciosa e selvatica. Me lo chiedo nella piana di Gioia Tauro dove ci sono gli uliveti più belli e più antichi d'Italia, alberi alti quindici, venti metri e, sotto quel tetto argenteo, l'oro degli agrumeti, aranci e mandarini profumati e sotto ancora, in un mutar di verdi e di marroni, gli orti, i rampicanti, i prati d'erba tenera già fioriti di margherite a marzo. Anche le reti di nylon per la raccolta delle olive, altrove orrende, ci stanno nel grande incantesimo, le bianche come rugiada posatasi sulle rasole, le azzurre come il manto della fata turchina, le rosa come l'aurora omerica "dalle dita di rosa". Ai coloni greci questa oasi chiusa fra le montagne aspre e boscose dell'Aspromonte dovette apparire come la Terra promessa, e ora come in un Medioevo feroce vi dettano separata legge le cosche mafiose con pieno potere e crescente ricchezza. Arroganti, rozze, pronte a uccidere donne e bambini, ma il terrore chiude le bocche, è raro che uomini politici, sindacalisti trovino il coraggio per esecrare, per denunciare.

Devo incontrare a Taurianova il senatore comunista Argiroffi che vive qui da quarant'anni, superstite di una borghesia colta che assiste allibita, disperata al regno dei barbari, dei violenti astuti, degli ignoranti arricchiti. Fuori è già primavera, ma il camino di casa Argiroffi è acceso, ardore rossastro di brace sotto un grande quadro di una dama di corte austriaca, in veste ricamata bianca, "la madre di mia madre", dice il senatore che ha settant'anni, vive con la sorella, un comunista liberale che scrive poesie e non sa staccarsi da questa terra.

"Senatore, sa cosa mi ha detto a Reggio l'avvocato Medici, quello cui hanno sequestrato e ucciso un fratello? Mi ha detto: 'Noi che abbiamo avuto i privilegi di questa terra dobbiamo pagare il prezzo della storia, dobbiamo restarci come i patrizi romani che non fuggirono a Bisanzio, che rimasero nelle città e nelle campagne italiche'." "È molto bello quello che mi sta dicendo, qualcosa che sento profondamente," dice il senatore, "che cosa è mai un paese senza storia? Ma questi voltano le spalle alla storia, la ignorano o la odiano. A volte ho l'impressione che sia avvenuta una mutazione genetica, che sia uscita dalla foresta un'umanità selvaggia. Ha sentito parlare di Rocco Zagari che fu ucciso qui a Taurianova sulla poltrona del barbiere come il gangster Anastasia? Quando arrivai qui dalla Sicilia, quarant'anni fa, era comunista, mi aiutò a trovare casa, fra i primi, sempre, nelle lotte contadine. Ma un giorno venne da me, posò la tessera sul tavolo e disse: 'Con voi ho chiuso'. Da quel giorno non scambiammo più una parola. Dio mio che scempio di vite umane! Ho visto il suo cadavere e il cadavere di suo figlio in un campo, già roso dai topi, un giovane bellissimo. È la mattanza fra le cosche: a Giuseppe Grimaldi staccarono la testa e la lanciarono in aria per il tiro a segno. Ne sono caduti di tiranni su questa terra, Franco, Pinochet, Batista, Perón, Pol Pot, è caduto il Muro di Berlino, ma Francesco Macrì tiranno di Taurianova no, dovrebbe stare in galera da mesi ma sta nascosto qui da qualche parte, forse alla tonnara di Palmi, forse in casa di un suo parente, ma nascosto o in galera Taurianova resterà un suo feudo, le figlie, i loro mariti, i cognati, i nipoti occupano i posti di potere, l'intero apparato sanitario è nelle loro mani."

Francesco Macrì detto Ciccio Mazzetta: un personaggio anomalo, un sopravvissuto del notabilato, uno dei pochissimi notabili che si sia adattato alla Calabria delle cosche mafiose, come per decenni Lima in Sicilia, imponendo la sua superiore arte del far politica, di tenere i rapporti con Roma, di essere "l'uomo dello sportello", quello cui arrivano i soldi. E con i soldi a Taurianova si fa il bello e il cattivo tempo: 600 occupati, una minoranza in mezzo ai 1000 disoccupati, i 3500 pensionati e invalidi, i 7000 poco o nulla facenti. La campagna nelle mani dei grandi mafiosi, i piccoli proprietari superstiti in loro balia, che fai se ti rompono il trattore, se ti tagliano gli ulivi? Tacere devi, accettare i prezzi che ti impongono. Ma Ciccio Mazzetta no, lui qualcosa da opporre ai mafiosi ce l'ha sempre avuto, il partito di governo, la Democrazia cristiana, quei tre o quattromila voti di preferenza per cui tutti i leader calabresi del partito hanno dovuto comparire al suo fianco, sul balcone di casa Macrì, in piazza Macrì. Non mafioso, ma necessario ai mafiosi. In trenta e più anni don Francesco Macrì non si è mai accorto dell'esistenza delle cosche, non ha mai denunciato la crescita della mafia ma ha sempre tirato le fila del potere. Si sono provati a fare a meno di lui, hanno fatto una loro lista, "La sveglia", una sveglia a suon di lupara, ne facevano parte uomini come Marcello Romeo del clan degli Avignone, Marcello Viola e altri del clan Zagari, tutti uomini di rispetto ma poco pratici di Ussl e di municipio. Li ha costretti a tornare nel partito madre, ha ridato alla Democrazia cristiana nelle ultime amministrative del 1988 il 50,4 percento dei voti e si è tolto il gusto di gridarlo in faccia ai suoi concittadini sudditi: "Se non fosse stato per me Taurianova si sarebbe spopolata, voi sareste chissà dove e invece tutti avete una casa, il televisore, gli elettrodomestici e cibo assai".

Il senatore attizza il fuoco nel grande camino, aiuta la sorella a servirmi il caffè, è alto il senatore cogli occhi azzurri e ora sembra parlare a se stesso. "Ma com'è possibile che questo ignorante sia stato più forte della giustizia, dei contadini e degli operai, dei presidenti della Repubblica che non sono riusciti a cacciarlo? Nascosto o in galera comanderà ancora, scriverà ancora i manifesti elettorali, gli ukase municipali, il suo clan è sempre fortissimo, sua sorella..."

"Quella pure bestemmia," dice rapida la sorella del senatore, che la zittisce: "Questo non c'entra, questa è un'altra cosa. Qui è come se fossimo fuori dall'Italia. Quando hanno ucciso a Lamezia il maresciallo di polizia Aversa lo Stato si è presentato anche da queste parti, sono venuti Cossiga, il ministro della Giustizia Martelli, quello degli Interni Scotti, hanno inaugurato un commissariato di polizia che è come se non ci fosse".

Restare a Taurianova? Pagare il prezzo della storia? Già, ma come dice il giudice Misiani, che è di qui: "In secoli di storia Taurianova non era riuscita a produrre un uomo noto, non lo era nemmeno lo scrittore viaggiatore Giovanni Francesco Gemelli Careri. Ora tutta l'Italia conosce Macrì Francesco. Ha vinto lui. A Taurianova non c'è l'abusivismo edilizio ma lo spontaneismo, la concessione edilizia è un optional, la politica dei sussidi ha rafforzato la cultura del servilismo e della rassegnazione". Gente dura i Macrì e garantista, come no? Olga Macrì, sindaco di Taurianova, ha avuto parole di fuoco contro il governo liberticida che commissariava il comune.

Da *L'inferno*, 1992

La lunga notte di Rosarno

Negli ultimi dieci anni la segreteria socialista di Reggio Calabria è stata commissariata cinque volte, sono arrivati a rimettere assieme i suoi cocci Tiraboschi, Marianetti, Betulia, Franca Prest, ma non c'è verso, prima o poi i socialisti reggini tornano a fare elezioni e affari con la mafia forse perché non sono socialisti ma mafiosi. Il giudice Cordova dice: "I socialisti calabresi dicono che io li perseguito. Ma non è così, non li cercavo proprio quando ho deciso di far controllare le telefonate dei boss mafiosi di Rosarno. L'indagine è durata due anni, ha interessato nove uffici giudiziari, una ventina di magistrati, centinaia di poliziotti". Ora che le registrazioni telefoniche sono state pubblicate da "Panorama", si ha il quadro della naturale, quasi normale alleanza fra politici socialisti ed esponenti della cosca Pesce-Pisano, che parlano degli Zito come di vecchi amici e della campagna elettorale come di una fatica che gli tocca fare per accontentare "gli onorevoli". E a volte si chiedono se questi lo hanno capito che chi riceve poi deve dare: "Glielo hai detto all'onorevole che deve darsi da fare?".

Si ritrovano spesso mafiosi e candidati al Cristal bar, fra Rosarno e Gioia Tauro, elegante, ovattato, ottima pasticceria, lo stesso bar in cui dopo le elezioni amministrative avevano alzato i loro canti di vittoria. "Siamo il primo partito, abbiamo preso cinquecento voti in più a Rosarno, siamo forti, siamo grandi." Privi ormai di ogni senso del pudore. Ope legis il buon Cordova doveva chiedere la custodia cautelare per i politici, pezzi grossi, il presidente della Commissione di controllo della regione Calabria Battaglini, il vicepresidente del consiglio regionale Antonio Zito, suo fratello il senatore Sisinio presidente della Commissione sanità del Senato. E subito i parlamentari chiedevano e ottenevano l'immunità parlamentare, si presentavano addirittura come dei perseguitati – che miseria questo Parlamento in cui gli inquisiti giudicano e coprono se stessi – e dichiaravano alla stampa: "È riduttivo e banalizzante parlare dell'intreccio mafia-politica". Riduttivo? Dire che i rappresentanti del popolo sono complici dei mafiosi è riduttivo? È banale? Povera lingua italiana, questa sconosciuta fra i nostri rappresentanti.

Così molti dei pesci grossi sono sfuggiti all'arresto e sono finiti in galera solo Francesco Laruffa e Mario Battaglini con l'imputazione di "associazione di stampo mafioso e alterazione dei voti nelle elezioni amministrative del 1990".

Subito rimessi in libertà da una sentenza del giudice Carnevale, ma a noi sembra che abbia perfettamente ragione Cordova quando in contrasto con altri magistrati, come Carnevale, afferma che prendere voti dei mafiosi, chiedere voti dei mafiosi è reato perché è ben chiaro ciò che sta dietro quei voti di violenza e di terrore. Così si fa la politica in Calabria e a Rosarno. Le famiglie Pesce-Pisano sono le padrone incontrastate, i Pesce hanno un'azienda agricola di settecento ettari coltivata a kiwi e a eroina, ne hanno trovata a quintali assieme a mitra kalashnikov e tre fucili a pompa, più duecentocinquanta milioni ben sistemati nel terreno in pozzetti foderati di polistirolo. Chi ce li ha messi? Il boss dei boss Beppino Pesce sta in carcere e non sa nulla, neppure suo fratello ha idea di chi ce li abbia messi e neppure i loro nipoti Francesco Laruffa e Gaetano Rao che stanno nel consiglio comunale. E Gaetano Rao riceve giornalisti sulla porta della sua fazenda e dice: "È tutta una montatura, una risposta alle richieste che i socialisti hanno fatto perché si chiarisca l'attività della procura di Palmi". Cordova sorride e dice: "Ma sì, chiariremo al processo". Uno dei pentiti ha detto: "Il coinvolgimento dei politici? Non chiedetelo a me, chiedetelo a Craxi, sono tutti socialisti".

A Rosarno la mafia ha il volto delle istituzioni, mette i suoi uomini nei municipi, direttamente, senza più ricorrere agli uomini di paglia. Qualche volta va male, qualcuno finisce in carcere ma se la caveranno, il tribunale della libertà li farà uscire, il giudice Carnevale casserà le sentenze. Si è appena scoperto che la mafia ha uomini suoi nella cancelleria della Suprema corte. E appena fuori ricominceranno a minacciare chi non ci sta, a manipolare le liste, a terrorizzare i votanti. Perché questo è il fatto più angosciante di Rosarno, la scomparsa della sinistra, la distruzione di ogni opposizione. Giuseppe Lavorato, deputato del Pds, è uno dei pochi che continuano a battersi e a guardarlo mi si stringe il cuore. È un uomo bello e fiero, Lavorato, l'onestà e il coraggio gli splendono negli occhi, nel viso. Ora capisco cosa vuol dire "a viso aperto", è il viso di chi dice ciò che deve dire, che non ha da pentirsi per quello che ha fatto e che continuerà a fare. "Sa cosa mi ha detto l'altro giorno un compagno passato dalla parte della mafia? Giuseppe, mi ha detto, non fare fesserie, impara anche tu a vivere, ti insegno io a vivere. No, ho detto, tu non mi insegni niente perché quello che io e i compagni abbiamo dopo venti anni di lotte è proprio questo, che nessuno ci deve dire come dobbiamo vivere, nessuno ci può chiedere di vivere piegando la testa davanti ai mafiosi. È vero, siamo rimasti in pochi e isolati e questo è un dramma della sinistra italiana che fa finta di non saperlo. Lei deve conoscere la storia vera di questa sconfitta. Trent'anni fa Beppino Pesce era un contadino povero di una famiglia numerosa e gli era capitato in eredità la guardiania di una zona, doveva fare da sentinella per conto della mafia e campava male, quella mafia campava ancora di abigeato e di miseri scippi. Noi allora con questi mafiosi delle guardianie convivevamo. La mafia c'era ma non soffocava il paese, erano come dei cani che frugavano fra le immondizie. I guardiani come Beppino potevano anche farci dei favori, comunque non ci davano noia. Ma il governo sapeva come colpirli, come metterli contro di noi: alla vigilia delle elezioni li convocavano nella caserma dei carabinieri e gli dicevano: 'Dovremmo mandarvi al soggiorno obbligato, dipende da voi, da come vi comportate'. Loro sapevano come, accompagnavano il candidato dei partiti di governo, gli si piantavano a fianco sul palco, sul balcone perché tutti capissero da che parte stava la mafia. Poi cominciarono i grandi lavori pubblici e il Beppino Pesce come i Piromalli, come i mafiosi più intelligenti e decisi, si mise nel lavoro del movimento terra e per comprare camion nel commercio della droga. Allora i rapporti fra noi e la mafia cambiarono radicalmente: non eravamo più il partito dei contadini che dava una mano anche ai loro parenti rimasti a lavorare nei campi, eravamo il nemico, quelli che ostacolavano la loro scalata. Diciamo che si era al principio degli anni ottanta. Loro stavano crescendo in ricchezza e forza ma noi eravamo ancora numerosi, forti, uniti, attaccarci in pubblico non osavano, furono anni di grandi lotte, di grandi manifestazioni. Un giorno a Taurianova Ciccio Mazzetta stava parlando in piazza quando in mille ci mettemmo a gridargli di andarsene e se ne andò. A Palmi sfilammo contro i Mammoliti e qui a Rosarno quando alcuni compagni furono minacciati dalla mafia andammo in massa alla caserma dei carabinieri. Una volta partimmo dalla piana con ventidue pullman per andare a Gioiosa Jonica dove avevano ucciso un compagno. Passammo sotto la casa dei mafiosi Ursini gridando: 'Ursini assassini! Ursini assassini!'. Ma voi di quelle nostre lotte non ve ne siete neanche accorti, voi vi preoccupavate solo del terrorismo, i vostri giornali erano pieni delle imprese di quei quattro avventurieri, persino il nostro partito non capì che stava per cominciare la lunga notte in cui stiamo, che sembra non debba finire mai. Ogni anno che passava i Pesce e i Pisano erano più forti, più ricchi, il loro clan poteva contare su un migliaio di voti e con mille voti sicuri a Rosarno si è padroni del comune. Che potevamo dire ai contadini poveri? Resisti, fatti incendiare la casa, fatti massacrare di botte, fatti tagliare la vigna? No, non potevamo dirlo, ci rimettevamo alla loro scelta. Così i giovani cominciarono a non rinnovare la tessera e se passavano dall'altra parte facevi presto a capirlo, bastava guardare come si vestivano, che orologio avevano, che scarpe. Li chiamavamo 'i ragazzi dalle scarpe lucide'. Erano diventati soldati della mafia e si facevano pure l'automobile. Nel 1980 assassinarono Giuseppe Valarioti e fu il segnale che Rosarno era diventata terra di guerra. Tutto è stato rapinato, violentato, rubato cinque, sei volte, l'ufficio postale, le banche, le pensioni, le automobili, persino a un netturbino hanno portato via il portafogli, e di morti ammazzati una trentina. Mi chiede perché la mafia non tenga un suo ordine a Rosarno? Non le interessa, i capi stanno nelle loro tenute e lasciano mano libera in paese alla piccola delinquenza, è il loro vivaio, reclutano i più duri, eliminano gli incerti, ma non creda che non controllino la zona. Nel 1989 ci fecero capire che potevano ammazzarci tutti. Ci fu una manifestazione in piazza e alla fine i compagni che abitano lì dissero: 'Perché non vi fermate per una spaghettata?'. Restammo in una trentina con mogli e figli, stavamo mangiando quando uomini armati e mascherati ci circondarono. Le donne cominciarono a urlare, i bambini a piangere, furono dieci minuti terribili, ma i carabinieri non si fecero vedere. Che rapporti ho con i mafiosi di Rosarno? Nessuno, ma so cosa dicono quando passo, ecco la rovina del paese, dicono, senza quello ci sarebbe da viver bene tutti. E so che ci sono compagni che per paura tacciono e magari gli danno ragione. Sì, so cosa dicono di me i mafiosi: che criminalizzo il paese, che non mi faccio gli affari miei, che se resto il governo non manda più i soldi."

Da *L'inferno*, 1992

Capitolo XI

LA LEGA

La madre di Umberto Bossi, il fondatore della Lega, si lamentava: "Mio figlio è un pelandrone, dorme fino a mezzogiorno, lavorare non gli piace". Non gli piaceva lavorare, ma gli piaceva molto parlare, discutere, far politica e ispirato da un autonomista valdostano, Chanoux, scoprire che la carta vincente della sua vita era l'autonomia, anzi, l'autonomia federalista come in America. Non aveva voglia di lavorare l'Umberto, ma per la politica era pronto a ogni rischio e a ogni fatica. E aveva fiuto per le cose semplici, tanto semplici che i cervelli sottili non le curano, come la disunità d'Italia e l'egoismo elementare per cui le province ricche non amano sacrificarsi per quelle povere. Era la scoperta dell'acqua calda in un paese come l'Italia, messa insieme da uno come Cavour che non ci credeva al punto che la fece ma senza scendere mai a Roma, la capitale designata, e da un re Vittorio Emanuele II più savoiardo che italiano e da un esercito, il piemontese, dove gli ordini venivano pronunciati in dialetto, come alla battaglia di San Martino dove il re disse in piemontese ai soldati: "Forza, ragazzi, combattiamo se no ci fanno fare San Martino", che in dialetto vuol dire ci fanno far fagotto e andar via. L'idea chiave di Umberto era quella della Padania, della secessione del Nord, idea diffusissima al Nord anche se non confessabile dai risorgimentali. Al principio Umberto andava con pochi amici ad attaccare sui muri i manifesti del suo movimento, considerato un mattocchio, un perditempo, ma oggi nel 2010 le più importanti regioni del Nord hanno due governatori leghisti e l'appoggio della Lega al governo è condizionante.

Intervista al Senatur

Il fenomeno Lega lombarda non è più folklore politico, ma forza nuova, in crescita, alternativa ai partiti storici e allo Stato centralizzato. Più forte, a Bergamo, del Pci e del Psi, con punte del 40 percento in molti comuni della Bergamasca e del Comasco. Quattrocentosettantamila voti in Lombardia invece dei centonovantamila delle politiche, una media vicina all'11 percento in tutte le province, una organizzazione che cresce, quattromila militanti, diciottomila iscritti, una quarantina di sedi circoscrizionali. Una cosa seria, non un effimero movimento autonomista e xenofobo. In un colloquio con il leader della Lega, il senatore Umberto Bossi, cerchiamo di individuare i punti forti, le ragioni forti di questo successo elettorale.

Senatore, a queste europee avete più che raddoppiato i voti. Quale è secondo lei la causa determinante di questa crescita?

Le cause sono molte, ma la determinante, a mio avviso, è il rapporto con lo Stato, il rifiuto lombardo dello Stato centralista. Agli inizi questo rifiuto, questa estraneità erano più sentimentali, umorali che razionali. Siamo riusciti a tradurre i sentimenti in certezze contabili, abbiamo dimostrato che il centralismo fiscale penalizza le regioni e viene usato dalla partitocrazia, dai partiti di governo a fini elettorali. Un esempio? Alla vigilia delle elezioni sono stati dati alla Calabria quattrocento miliardi. Abbiamo spiegato alla gente che mentre il debito pubblico aumenta, le opere necessarie alla Lombardia, come il passante ferroviario di Milano, le nuove strade, le grandi opere pubbliche, sono sempre in lista d'attesa.

D'accordo, senatore, ma come spiega che questo malcontento regionale si sia rivelato in elezioni europee?

Vede, a differenza degli altri partiti, noi non siamo arrivati alle europee come a elezioni qualsiasi, da usare nei rapporti di forza interni. Noi abbiamo chiesto agli elettori di votare per una Europa diversa da quella centralistica che piace ai nostri partiti, per una Europa bicamerale con una Camera delle rappresentanze nazionali e una di quelle regionali. Noi non crediamo a un europeismo governato da rappresentanze ideologiche o di classe, che sarebbe spazzato via alla prima seria crisi economica. Noi crediamo che l'unico collante serio sia quello di tipo svizzero, regionale, cantonale, dove ogni comunità omogenea può far valere i suoi diritti e presentare i suoi interessi. È chiaro che i partiti tradizionali non vogliono l'Europa bicamerale, la Camera delle regioni. Sanno benissimo che una Camera delle regioni potrebbe intervenire nei rapporti italiani fra regioni e Stato, sanno benissimo che le regioni potrebbero trovarvi una leva per le loro rivendicazioni di autonomia.

L'opinione pubblica vi attribuisce una voglia xenofoba, pensa che puntiate sul razzismo settentrionale di cui si trova traccia nella vostra stampa e nei servizi televisivi.

Credo che l'opinione pubblica sia ancora condizionata dalla cultura antifascista e dai suoi tabù. Ho l'impressione cioè che la parola nazionalismo susciti ancora paure, rimorsi, rimozioni. Noi invece pensiamo a un nazionalismo legato al suo etimo nascere, pensiamo che il legame fra la gente e il luogo in cui abita, la cultura in cui cresce, le memorie di cui si nutre siano una cosa importante. Io ho avuto il presentimento del nostro grande successo quando ho saputo che dopo decenni c'erano state in Lombardia più nascite che morti. L'ho interpretato come una rinnovata voglia di vivere, come la conseguenza di un ritrovato piacere o amore di vivere in Lombardia. E noi a questo piacere, a questo amore cerchiamo di dare delle prospettive politiche, cerchiamo di spiegare alla gente che il loro esser lombardi deve tradursi in opere, in interventi, in presenza.

Senatore, lei esclude che nella base della Lega ci sia an-cora una forte avversione verso gli immigrati, specie se me-ridionali?

Non posso certo escludere aree di frizione, di scontro, che spesso sono frizioni e scontri di interessi. Ma quello che deve essere ben chiaro è che il nostro stare in guardia in tema di immigrazione non ha nulla di razzistico, di biolo-gico: per noi un meridionale o figlio di meridionali inte-grato in Lombardia è un lombardo. Per usare una imma-gine, direi che alcune regioni del Nord sono state per an-ni delle vasche da bagno in cui entrava più acqua di quan-ta ne uscisse con la conseguenza inevitabile che strabor-dava, che creava dei problemi seri. Per decenni la pressio-ne immigratoria ha messo in seria pena i lombardi. Non capisco perché si pretenda che questa pena debba essere reazionaria. Ora mi pare che il rapporto tra immigrati ed emigrati si stia equilibrando. Potrei persino prevedere che fra qualche anno i più ferventi lombardisti saranno per-sone di origine meridionale.

Senatore, a chi avete tolto i voti?

Una risposta precisa è impossibile perché il voto ha avu-to in Lombardia scarse connotazioni ideologiche e di classe. I nostri veri concorrenti sono stati i Verdi. Loro, come noi, chiedevano alla gente un voto contro la partitocrazia e il go-verno centralista. Hanno votato per noi forse gli scontenti moderati. Non credo che abbiamo portato via voti ai comu-nisti e alla sinistra, credo li abbiamo presi alla Dc e al Psi.

Da "la Repubblica" del 21 giugno 1989

La rete della Lega

Il miracolo della Lega è l'uovo di Colombo: aver capito che il radicamento localistico, l'appartenenza comune a un territorio, alla sua storia, ai suoi costumi, alla sua lingua possono facilmente tradursi in una rete politica, in un'or-ganizzazione politica più salda, più agile, meno costosa di quelle tradizionali; che non è necessario avere sezioni, uffici in tutti i villaggi, in tutti i quartieri perché bastano i bar, le case, i telefoni, i fax, gli incontri. Il bilancio della Lega nel 1989 sta a quello di un partito come un pulcino a un elefante: un miliardo e mezzo di entrate, un miliardo e trecento milioni di spese, duecento milioni di avanzo. Il voto più alto alla Lega, il 40 percento, è quello di Cene, un villaggio della val Seriana: l'ufficio elettorale era nel bar Coba del leghista Renato Bazzana, le spese elettorali sono state di 300.000 lire. Il collante immediato del dialetto, la partecipazione spontanea alla rete producono una propaganda semplice, efficace, di poco costo. "La Lega," dice il sociologo Manconi, "ha saputo antropomorfizzare il nemico, lo ha indicato nel burocrate di Stato che succhia il sangue dei lombardi." Il lombardo buono e vittima domina negli slogan: "tas lumbard", paga lombardo e stai zitto, "somaro lombardo, paga", "governo terrone governo ladrone". Pochi ma canonici i ricorsi storici. Il nemico è il Barbarossa o "i Borboni di Roma", il patrono è Alberto da Giussano, il condottiero che unisce i comuni lombardi a Pontida per la guerra al Barbarossa, lui e il suo spadone sugli stendardi e sui distintivi della Lega. Agli esperti delle comunicazioni di massa, ai tecnici della propaganda al servizio dei partiti gli slogan della Lega e il foglio settimanale che distribuisce porta a porta sembrano dilettanteschi. Ma sbagliano, come ricorderà Giorgio Ruffolo: "I partiti si sono ancora una volta affidati ai tristi slogan, ai tristi faccioni degli spot televisivi, dei manifesti. La Lega ha parlato direttamente con la gente".

Buona parte del merito di questo nuovo modo di far politica e propaganda è di Umberto Bossi da Cassano Magnago, il fondatore della Lega. I suoi avversari politici lo hanno variamente descritto come uno sfaticato, un medico mancato, un faccendiere che trova insperato successo come demagogo. In politica Bossi si comporta come uno che conosce il suo tempo e che sa muoversi nel suo tempo. Diversissimo dai tribuni del movimento socialista, dai capi fascisti, dai dirigenti comunisti o democristiani. Fuori dai modelli partitici, nato nel tramonto dei modelli partitici. Rispetto ai politici tradizionali, Bossi ha due grossi vantaggi: non ha dovuto perdere anni a conoscere la burocrazia di partito, a impratichirsi dei meccanismi partitici sino a esserne plagiato, perché la Lega, il suo antipartito, l'ha fatta lui assieme a pochi altri, la controlla lui. Da leninista, dicono i suoi nemici, perché i soci ordinari sono solo 119, tutti gli altri restano nella categoria degli "amici", e perché tutti i candidati devono firmare in bianco una lettera di dimissioni. Ma Bossi può rispondere: "Non sono un leninista e un autoritario, sono semplicemente uno che conosce i partiti e che i partiti hanno cercato di comprare. Noi non vogliamo, per ora, che qualcuno dei nostri si faccia comprare". Il secondo vantaggio è che Bossi, avendo deciso di agire fuori dei partiti, è andato fra la gente che i partiti ignorano e non sanno più mobilitare e muovendosi fuori dei partiti è apparso come un oggetto misterioso. Donde le reazioni tardive e goffe dei partiti, con la Democrazia cristiana che incarica i sociologi della Cattolica di Milano di indagare sul curioso ma preoccupante fenomeno. L'indagine prodotta dal professor Cesareo non fornisce grandi lumi alla Dc. Bossi dice che, informato dell'inchiesta, aveva consigliato ai leghisti di "fare i matti", di dare delle risposte strampalate, un'astuzia da ulisside della Brianza. Ma resta il fatto che a Lega già formata e avviata al successo elettorale delle europee il partito di governo non sapeva ancora che cosa fosse. Altra idea peregrina è stata quella di richiamare alle armi l'avvocato Massimo De Carolis, un democristiano della maggioranza silenziosa: come se la Lega fosse un movimento di destra, come se non ci fossero fra i suoi dirigenti persone provenienti da Lotta continua, dal Partito comunista, dal Movimento studentesco, come l'avvocato Marcello Lazzati di Legnano. A chi gli chiedeva che cosa si potesse fare per contenere e battere la Lega, Giuseppe De Rita ha risposto con una battuta che ha fatto scandalo: "Comprateli". Ma è chiaro cosa volesse dire: non avete fatto sempre così? Non avete ammorbidito e digerito così i vostri concorrenti?

Il senatore Umberto Bossi, come ogni politico, pratica l'ambiguità: indulge alla demagogia quando si rivolge alla base popolare della Lega, ma è attento, cauto quando incontra giornalisti o partecipa a dibattiti. Come tutti i leader di un movimento allo stato nascente coglie ogni novità, segue ogni opportunità, sorride agli umori della base e li semplifica per controllarli. La vocazione autonomista di Bossi è tardiva ma chiara, operativa. Incontra un attivista della Union Valdôtaine, lavora qualche mese con lui e capisce che sia l'autonomismo valdostano sia quello sudtirolese non sono proponibili né a livello nazionale, né in Lombardia. L'autonomismo valdostano ha due punti d'appoggio, uno ambiguo, l'altro irripetibile. L'ambiguo è un bilinguismo italiano-francese inventato dalla borghesia locale e dal clero. Il francese non è mai stato la lingua del popolo valdostano che parla un patois occitano. L'irripetibile è il patronato di un altro Stato, nel caso lo Stato francese, centralista quanto altri mai. Nel Sudtirolo il tedesco è la lingua madre, ma il patronato austriaco è l'ultima cosa che si possa proporre all'autonomismo lombardo. Lo Stato patrono per la Lombardia non esiste, proporre la Svizzera sarebbe ridicolo, la Lombardia è una delle regioni più avanzate d'Europa, non ha bisogno di alcun patrono. La scelta che si impone è dunque quella di un autonomismo federale in Italia in attesa che maturino i tempi per un federalismo europeo.

Il sindaco socialista di Milano, Pillitteri, dice che la Lega è qualunquista perché non ha un programma. Come se i partiti ne avessero uno diverso dalla spartizione di posti e del denaro. Si ride molto nei partiti e fra i loro intellettuali organici sulla toponomastica dialettale Bèrghem, Com, Lec, sul latino maccheronico della proposta del premio Nobel per il senatore Bossi "honorem causa" invece che honoris. Si dice con sufficienza: "Citano Cattaneo, ma non lo hanno mai letto, vogliono farci tornare indietro di due secoli".

Da *La disunità d'Italia*, 1990

Grazie barbari

Ho votato per la Lega come da dichiarazioni di voto pubblicate dalla stampa, per ragioni che a me sembrano di comune buonsenso politico. Chi come me pensa che il sistema dei partiti abbia fatto il suo indecoroso tempo, chi è
convinto che bisogna arrivare presto a una nuova legge elettorale, a una nuova Costituzione, a facce nuove, in pratica
a Milano non aveva scelta. Votare per Bassetti significava
votare per la Democrazia cristiana nelle sue forze più re-
trive come Comunione e liberazione. A dirla chiara la lista
Bassetti era stata messa assieme per silurare Segni e il suo
movimento. Votare Borghini non me la sentivo anche se
l'uomo è onesto e capace. Alle sue spalle, volente o nolen-
te c'era un partito morto, il socialista, ridotto al 2,5 percento e se si pensa che in via del Corso ci sono ancora dei
seguaci immarcescibili di Bettino Craxi vuol proprio dire
che la ragione se ne è andata dalla casa socialista.

Avrei probabilmente votato Nando Dalla Chiesa cui sono legato da stima e affetto se si fosse presentato, come
sembrava intenzionato mesi fa, a capo di una lista per Milano appoggiata dalla Rete e dalla Milano laica ma non potevo votarlo come ripescatore dei comunisti riciclati della
Quercia o di quelli tal quale di Rifondazione comunista. E
non, come ha detto con la sua irresistibile vocazione alle
gaffe il compagno Occhetto, per una riesumazione del fat-
tore K, per una idiosincrasia verso il comunismo, ma esattamente per il suo contrario, perché il comunismo milanese è quanto di meno comunista esista sulla faccia della terra, è, da decenni, sottogoverno burocratico di modestissi-
ma cultura e di rara inefficienza.

A farla breve, votando Dalla Chiesa avrei votato per il
ritorno in municipio di quei "castori" del Partito comunista che nelle giunte di sinistra hanno consegnato la città a
Ligresti e hanno partecipato in prima fila al ventennio della narcosi, il ventennio in cui Milano è passata dal quarto
posto in Europa per qualità della vita al trentaquattresimo.
Sono stato confermato in questa rabbrividente ipotesi dal

tipo di campagna elettorale che Nando Dalla Chiesa per voler accontentare i suoi elettori ha condotto. Ivan della Mea assessore! Ridaremo a Milano le osterie! Vogliamo ridare la fiducia a Milano, vogliamo che i milanesi si stringano la mano da amici! Un invito alla ricerca della felicità, un ritorno al pre-Rossana Rossanda, che almeno alla felicità nella politica non ci ha mai creduto. E attorno a questo ripescaggio di un mondo che fu tutto un agitarsi di quella subcultura di sinistra coltivata da persone magari simpatiche come la Lella Costa, ma intessuta dell'umorismo che non fa ridere, dell'ironia che annoia, dell'eterno conformismo dei vari Benni, Gino e Michele, Avanzi, Paolo Rossi e mediocrissima compagnia.

Ma amministrare Milano non è né avanspettacolo né libri millelire, è recuperare venti anni di sonno e avendo ben presente che ce ne vorranno almeno trenta con almeno trentamila miliardi, se e dove li troveremo, per fare ciò che non è stato fatto in questa ormai invivibile città. Ma si dirà: e la Lega quali carte ha in mano per cimentarsi in questa impresa terribile? Poche, ma certamente meglio di chi non ne ha più nessuna. La forza della Lega non sta nel fiuto politico soprattutto tattico del senatore Bossi, e neppure nel suo linguaggio violento e colorito che può servire da valvola di sfogo allo zoccolo fanatico del movimento, non sta neppure nel localismo e nel separatismo. Sta nel fatto che la Lega con tutte le sue rozzezze è qualcosa che nuota nelle acque vorticose del mutamento mentre gli altri, i vecchi partiti, ci annaspano.

La Lega sa nuotare nel movimento perché è nata da quelli che si muovono: da quelli che non capiscono più le vecchie distinzioni tra destra e sinistra, fra classi alte e classi basse e non perché queste diversità abbiano cessato di esistere, ma perché devono essere risolte nella pratica e nella innovazione fuori dalle false ideologie. La Lega con il federalismo, con la lotta al centralismo ha capito che oggi uno Stato in cui la legge è spesso falsa legge e schiaccia i cittadini non è più sopportabile perché la gente vuole che lo Stato sia sottomesso alla volontà dei cittadini.

La Lega è rozza ma in modo rozzo dice su per giù quello che dice uno degli intellettuali più raffinati della sinistra, Vittorio Foa: "Abbiamo vissuto una modernizzazione animata da acceso individualismo e poi ci siamo accorti che dentro questo individualismo maturava un diverso valore, quello della persona, del soggetto individuale e dei suoi diritti senza i quali riescono incomprensibili i diritti e i soggetti collettivi. Dentro il neoliberismo di destra è maturata la libertà come valore irrinunciabile delle grandi masse popolari". Credo di conoscere abbastanza, dato che me ne occupo da mesi, la Lega nei suoi difetti, nei suoi comportamenti da "mucchio selvaggio", nella navigazione spesso contraddittoria del suo leader. E non mi sento assolutamente in grado di prevedere quello che farà come primo partito dell'Italia del Nord e come uno dei due o tre partiti che ci governeranno nei prossimi anni. Ma il fatto che senza la Lega Di Pietro, come dice Bossi, "sarebbe stato mandato a spaccar sassi in Sardegna", che senza la Lega due terzi dei deputati socialisti e democristiani sarebbero ancora convinti di essere dei rappresentanti del popolo italiano e non degli zombi mi fa tranquillamente dire: "Grazie barbari".

Da "la Repubblica" dell'8 giugno 1993

Fine dei grandi partiti

Il voto di domenica [amministrative del 1993] non ha punito i due grandi partiti, li ha disintegrati e se un partito cattolico potrà faticosamente rimettersi in piedi quello socialista sembra avere definitivamente chiuso. I tre vincitori, la Lega, l'alleanza di sinistra, il Msi, sembrano al momento tre forze politiche, tre culture, tre storie incompatibili, in un'Italia apparentemente ingovernabile. La Lega ha guadagnato voti, ma è inchiodata al suo limite regionale, che non è solo quello del Po, ma che sopra come sotto il Po è il rifiuto della maggioranza degli italiani a un comportamento tribunizio.

Umberto Bossi di fronte ai risultati elettorali ha dichiarato che la Lega dovrà cambiare strategia, ma la sua non è stata una strategia perché la sovversione vociferante, la sovversione senza veri sovversivi, la violenza senza violenti è un polverone emotivo che prima o poi si sgonfia. Le grandi scelte, i grandi temi della strategia vociferante imposta da Bossi ai suoi umili e obbedienti luogotenenti non avevano un reale peso politico, al Nord come al Sud del Po spaventavano e irritavano, la gente di comune buonsenso non capiva cosa significassero politicamente, economicamente, culturalmente, la repubblica del Nord, la gestione fiscale leghista, i giochi del mattocchio Miglio sulle capitaline sparse nella Pianura padana come ai tempi della Repubblica di Salò. Se la Lega non solo ha tenuto, ma ha guadagnato voti nel Nord è perché la sua estraneità al regime, la garanzia della sua ostilità al regime, la buona prova delle sue amministrazioni pagano ancora, non certo per la sovversione vociferante.

L'alleanza di sinistra ha avuto un grande successo raccogliendo i voti di quanti in questo paese dicono no al regime, ma non alla democrazia che nel mezzo secolo della Repubblica è diventata elemento naturale di questo paese, bene irrinunciabile, bene separabile dai partiti che l'hanno usata per il potere e la corruzione. Il Pds come unico partito storico rimasto in piedi è stato scelto come punto di appoggio e di resistenza da quanti intendono salvare la democrazia italiana come cultura, come linguaggio, come memoria, come affinità, come conquista che ha resistito alle lacerazioni del mondo, alle guerre ideologiche frontali, alla disunità oggettiva del paese, alle ferite e alle corruzioni della malavita organizzata.

Ma basta questa alleanza democratica per governare il paese? Noi diremmo di no perché la grande alleanza democratica va bene per una emergenza elettorale ma poi si scioglie, poi il Pds resta solo e da solo questo paese complicato e fragile non lo governa.

Quale soluzione dunque? L'unica soluzione che vediamo è un progressivo e rapido avvicinamento (i mesi che mancano alle elezioni politiche) fra la Lega e il Pds. Soluzione quanto mai difficile, ma forse obbligata. Difficile perché per mesi lo stratega Bossi nella sua megalomania di conquistatore dell'Italia ha indicato nel Pds il vero avversario, il vero contendente all'egemonia, il vero continuatore del regime, e perché per mesi il Pds ha guidato con la sua sapienza organizzativa e propagandistica l'orrore democratico per i barbari, il linciaggio degli apostati, di coloro che avevano osato prendere atto dell'esistenza e della funzione della Lega.

Sì, non sarà facile l'avvicinamento di questi due avversari ringhiosi, ma forse sarà obbligato. Il Pds non può in nessun modo, in nessun futuro prevedibile allearsi con il Msi. L'antifascismo non è morto come si va dicendo. È finito come potere consociato, come eterna occupazione del potere dei partiti del cosiddetto arco costituzionale, è finito come luogo comune, come storia sacra, come retoriche consumate, ma non è finito come patto democratico, come avversione a ogni autoritarismo, come rifiuto di ogni falso revisionismo della nostra storia. Il Pds come continuatore dell'antifascismo socialista e comunista non potrebbe in nessun modo far ingoiare al suo popolo l'alleanza con un partito che presenta a Napoli una nipote di Mussolini proprio perché appaia chiara, evidente la linea continua, la comune ispirazione fra il vecchio e il nuovo fascismo. Ma è obbligata a rifiutare l'alleanza con il Msi anche la Lega, essa non può in alcun modo far ingoiare ai suoi simpatizzanti un'alleanza con i nemici del federalismo, con i sostenitori del nazionalismo centralista.

Nei prossimi mesi, nei mesi che mancano alle elezioni politiche, si vedrà se Bossi e Occhetto, i loro stati maggiori, i loro consiglieri, sono degli uomini politici responsabili che hanno a cuore la salvezza e la ricostruzione del paese o solo uomini di potere l'un contro l'altro armati nella difesa dei loro feudi in una Italia di granducati. Qui sì che i democratici né leghisti né comunisti, organizzati o meno politicamente, possono fare opera di mediazione e di convincimento.

La cosa peggiore che possa capitare al paese è una guer-

ra di posizione, di trincea, tra forze politiche che sostitui-
scono all'opposizione il sabotaggio, che sono pronte a pa-
ralizzare le nostre grandi città, l'intero paese pur di non con-
cedere nulla all'avversario. Secondo la peggiore tradizione
italiana delle fazioni.

Da "la Repubblica" del 24 novembre 1993

La Lega durerà

Chiamiamola come vogliamo, svolta storica, epocale,
rivoluzionaria, ma sta di fatto che l'Italia dei Craxi e degli Andreotti sembra lontana anni luce dopo il voto del 6
giugno. Un'Italia senza egemonia democristiana, con la
Lega al potere nell'Italia del Nord, nell'Italia ricca e avanzata. Irriconoscibile! Così nuova da dare un po' di verti-
gine, anche se era ora dopo mezzo secolo di immobilismo
politico.

Sono andato a trovare Umberto Bossi una settimana
prima del voto, e su un punto mi sono trovato d'accordo
con lui: i sondaggi che davano vincente Nando Dalla Chiesa erano sondaggi falsi, una delle varie manifestazioni dello snobismo anti-Lega della Milano che si crede perbene,
di sinistra, e guarda quasi con disgusto quei rozzi della Lega, mentre è la solita Milano conformista e consociata che
ha assistito per vent'anni senza muovere un dito alla corruzione e al sonno della città. Erano sondaggi falsi perché
non ci voleva molto a capire che la maggioranza dei milanesi non avrebbe votato una lista sostenuta dai comunisti
della Quercia e da quelli di Rifondazione che hanno fatto
parte per decenni delle giunte rosse, che cioè hanno tenuto bordone ai Craxi, ai Tognoli e ai Pillitteri nel sacco e nella paralisi della città.

Con Dalla Chiesa sindaco c'era da aspettarsi un ritorno
all'urbanistica dell'assessore Mottini, quello del piano casa
affidato a Salvatore Ligresti. I comunisti "castori", laborio-
si e magari anche onesti, ma decisamente coglioni. Se la Lega è oggi il primo partito di Torino, Milano, Pavia, Berga-

mo, Brescia, del Veneto e della Venezia Giulia non è per un capriccio del Dio della politica.

C'è sulla Lega nord un grosso equivoco che una modesta cultura di sinistra non è riuscita a sciogliere. Che essa è non la causa ma l'effetto del mutamento, e perciò non un fatto di moda ma un fatto duraturo, strutturale. La Lega vince non perché Bossi abbia inventato politicamente qualcosa, fosse il federalismo o il localismo o la protesta fiscale o il rifiuto delle ideologie, ma perché non essendo imprigionato nel potere e nelle consociazioni, nelle rendite di posizione e nelle spartizioni, ha capito, anche perché non è uno stupido, che la società italiana stava cambiando e ha creato con la Lega una struttura leggera, sapendo che nei fiumi in piena si salvano i natan-ti leggeri, mentre i grossi e pesanti si spaccano. Senza essere diretta da geni o da demiurghi questa Lega ha capito che alcune categorie come destra e sinistra, classi alte e basse erano obsolete, non contenevano in sé delle soluzioni automatiche come aveva teorizzato il marxismo, erano elementi di una società in cui ogni quattro anni tutti coloro che producono devono reimparare il loro mestiere; ha capito che il parassitismo meridionale non era soltanto uno spreco, ma il bagno di coltura dei politici e dei mafiosi associati; ha capito, senza aver letto Vittorio Foa, che "dentro l'individualismo del neoliberismo di destra era nata una voglia di libertà degli individui non più disposti a farsi schiacciare da uno Stato centralizzato".

La Lega non ha creato il mutamento, essa è il mutamento, e lo è anche nelle sue forme rozze, contraddittorie, rischiose. Ma nessuno è mai venuto al mondo senza correre qualche rischio. E dal 6 giugno 1993, altro caso mai visto, il Parlamento italiano non è popolato da deputati ma da zombi, da anime già vaganti nell'aldilà, due terzi delle quali sanno che non saranno rielette. Che questi signori cerchino di prolungare la loro permanenza nei palazzi del potere è prevedibile, e che qualcuno persegua lo stesso obiettivo ricorrendo alle bombe è ignobile ma prevedibile. Ma che questo Parlamento sia ormai privo di delega popolare è evidente e non si capisce come possano basarsi su di esso dei governi che hanno il compito gravissimo di rimettere il paese in linea di navigazione.

Si può tuttavia essere ragionevolmente ottimisti. I vari tentativi di golpe (che poi erano semplici correzioni al corso politico), la strategia della tensione, la politica delle bombe furono possibili perché il sistema di potere che ne faceva uso aveva il consenso della maggioranza degli italiani che continuavano a votare Dc e Psi. Tentare una simile politica conservatrice avendo il 3 percento dei voti come i socialisti, o il 15-18 come i democristiani, sarebbe pura follia.

Da "L'Espresso" del 20 giugno 1993

La fobia per la Lega

Forse sarebbe il caso di interrogarci sulla fobia per la Lega riesplosa con le amministrative. Fobia, cioè rinuncia alla ragione. Il segretario democristiano Mino Martinazzoli da Brescia ha dichiarato di preferire un sindaco eletto da Rifondazione comunista e dal Pds a un leghista. Uno che non è riuscito a cacciare dal suo partito i Gava, gli Andreotti e i Cirino Pomicino considera i leghisti come il male peggiore. Non li conosce? Ma sì che li conosce, sono i suoi conterranei della val Trompia e della val Camonica, i suoi ex elettori, quelli di cui ha spesso decantato la laboriosità e l'onestà. Curiosa anche la sinistra democratica progressista: per anni ha aspettato la caduta della Democrazia cristiana, e ora che è avvenuta non senza merito della Lega sembra rimpiangere la "Balena bianca". Qualcuno in vena di generosità, come il Mario Pirani di "Repubblica", dice: "Sì, voi della Lega qualche merito lo avete avuto nel portar via i voti ai democristiani e nell'affossare i socialisti, ma ora, da bravi, mettetevi in disparte e lasciate che a governare ci pensino i miei amici intelligenti e preparati, i Ciampi e i Maccanico". Io spero che quelli della Lega abbiano i nervi saldi e un certo senso dell'umorismo, perché sentirsi trattare a questo modo supponente essendo il primo partito dell'Italia del Nord potrebbe anche indurre a un certo scetticismo su questa democrazia. Che cosa c'è dietro questa fobia? C'è la paura del nuovo che nella società italiana, imbevuta di continuismo cattolico, incapace di produrre in tutto il corso della sua storia una rivoluzione o una riforma, è la paura massima. La paura, stretta parente della fobia, esclude la ragione. Per la paura si attribuiscono alla Lega le peggiori sorprese del prossimo futuro. Fosche previsioni fondate su che? Sui numeri tribunizi e populisti di Umberto Bossi. Che dietro ci siano milioni di persone che in sette anni non sono mai incorse nella violenza, che ci sia un suffragio che aumenta, non importa. E nessuno di quanti si angosciano per la Lega si è preso la cura di vedere cosa succede nelle città amministrate dalla Lega, città ricche, città avanzate come Varese, Monza, Meda.

La Lega, dice la fobia, non è capace di governare. Lo dice mentre l'Italia intera sopporta con una rassegnazione davvero incredibile che tutto tiri avanti come prima o quasi: che il ministero delle Finanze insista nel compilare dei moduli incomprensibili come il 740, che tiri fuori degli spaventapasseri ridicoli come il redditometro, che continui ad aumentare i balzelli senza riuscire a contenere la spesa pubblica. Interrogarsi sulla fobia per la Lega non è facile, ci vorrebbe quell'umiltà che la borghesia italiana, specie se progressista, non ha mai avuto. Se questa umiltà ci fosse, questa borghesia che si crede progressista dovrebbe riconoscere che nella partitocrazia ha avuto la parte dell'opposizione di sua maestà, all'opposizione ma con redditi confortanti e molte amichevoli relazioni con i partitocrati.

È una storia che conosciamo, cari amici, cominciata con il "partito nuovo" di Palmiro Togliatti: tutti quei figli di buona famiglia, a cominciare da Sergio Garavini, mandati dentro il partito della rivoluzione impossibile. Ma i comunisti non erano degli alieni per la classe dirigente antifascista, erano i compagni del carcere, dell'esilio, della guerra partigiana. I primi veri alieni della politica italiana sono questi della Lega. E non perché arrivino da un altro mondo, ma perché sono quell'Italia che è stata esclusa nei decenni passati dal grande banchetto, dalla grande dissipazione consociata.

Non è facile comunicare con gli alieni, capire gli alieni, e lo so bene io che ho provato a comunicare, a capire. Sono tutti degli sconosciuti, ignorano le nostre maniere, non sanno tenere le pubbliche relazioni, spesso rispondono con durezza o indifferenza alle nostre aperture. Ma di chi è la colpa? Come si può pretendere che siano grati a una società costituita che ogni mattino sui suoi giornali e sulle sue televisioni li demonizza, li diffama, spara delle intere pagine sull'ingegnere di Salerno non assunto a Lecco e dimentica che nella Brianza lavorano mezzo milione di meridionali e che un buon terzo dei voti milanesi andati alla Lega sono di meridionali? Meno fobia, amici, e più ragione.

Da "L'Espresso" del 27 giugno 1993

Capitolo XII

IL BERLUSCONISMO

Il Cavaliere è davvero un uomo pubblico, interamente esposto al pubblico. Non ci sono misteri sulla sua psicologia, sui suoi punti di forza e sulle sue debolezze, e nel caso che qualcuno le avesse dimenticate è pronto a ricordargliele. Si occupi di affari di Stato come di calcio una cosa è certa: lui ha sempre ragione e gli altri sempre torto, lui è sempre leale e fedele, gli altri sempre infidi e traditori.

Ultimamente è toccato all'allenatore del Milan, Leonardo, ultimo nella serie degli allenatori caduti in disgrazia. Che ha fatto di male questo Leonardo? Non ha vinto né il campionato italiano né la Coppa dei campioni, fatti che per qualsiasi essere ragionevole non sono una colpa, dato che gli aspiranti al successo sono in molti e che per averlo avevano speso più del Cavaliere, il quale, volendo essere amato da tutti, dai cittadini contribuenti come dai tifosi del Milan, voleva continuare a vincere ma spendendo di meno. Una contraddizione in termini, ma inaccettabile dagli uomini che si credono fatali e irresistibili.

Così per tutto il campionato in corso i cronisti al servizio del Cavaliere hanno dovuto vedersela con gli ordini e contrordini del nostro, che ora come capo del governo predicava l'austerità e la correttezza dei conti, ora come presidente padrone del Milan voleva continuare a vincere e stravincere. Gli allenatori del Milan sono pagati lautamente e dunque nessuno piange se il loro padrone li maltratta.

Ma accade nel gioco del calcio esattamente quello che accade in politica: che i capricci e le prepotenze del padrone vengano tollerate finché resta padrone, e gli errori dei dipendenti subito puniti, salvo i casi di defenestrazione dei padroni che di solito cadono sempre in piedi.

Insomma, l'allenatore Leonardo, come prima di lui gli allenatori Sacchi e Ancelotti, colpevoli di non vincere sempre, a un certo punto vengono "segati" dal padrone alla maniera cara al padrone: non improvvisa e drammatica, ma con una progressiva caduta in disgrazia, come i primi ministri alla corte del Re Sole o della regina Vittoria.

Durante una conversazione con gli amici o con i colleghi di governo, il Cavaliere padrone lascia cadere un giudizio, non già di condanna, ma malevolo, sull'allenatore dipendente, per esempio che Leonardo, il caro Leo, "è testardo", che sembra un'osservazione innocente, ma che per i cortigiani suona come una condanna irrimediabile. Tanto più se il Cavaliere con l'aria di scherzare tira fuori l'intera verità: "Il fatto è che l'allenatore dovrei farlo io".

A parziale scusante del Cavaliere c'è il fatto che la cortigianeria a favore dei ricchi si è enormemente diffusa, e viene accettata come una normalità. L'informazione al servizio dei padroni predica senza ritegno il teorema caro ai padroni: non ci sono datori di lavoro ma benefattori, non ci sono lavoratori che creano la ricchezza di tutti, anche dei padroni, ma degli ingrati che osano sputare nel piatto in cui mangiano.

I giornali del padrone ripetono ossessivamente, impudentemente che uno scrittore, un regista, un cantante, chiunque per meriti suoi abbia fatto guadagnare miliardi al padrone impresario è tenuto all'obbedienza e alla perenne gratitudine. I giornali del padrone e i loro direttori non lo sanno? Lo sanno benissimo, ma sanno anche che la calunnia "è un venticello" che lascia sempre il segno. C'è una sorta di *cupio dissolvi*, di compiacimento servile nella comprensione e nell'accettazione delle prepotenze padronali, il che spiega la ferocia delle defenestrazioni e delle gogne nei rari casi in cui il padrone resta privo del potere e dei soldi.

A differenza di altri sultani che nascondono la spada con cui infieriscono sui nemici, l'estroverso Cavaliere vuole che lo si sappia che è stato lui a usare i suoi soldi e i suoi poteri per sbarazzare il campo dai critici e da quelli di diverso parere. È stata la sua voce isterica e cattiva a lanciare gli anatemi contro giornalisti e opinionisti che osavano contraddirlo.

A chiedere *apertis verbis* ai dirigenti della Rai di toglierglieli dai piedi, a non sopportare la presenza dei Montanelli, dei Biagi e di chiunque mettesse in discussione il suo sovrano potere sultanesco. Non stupisce quindi che ora voglia addirittura imbavagliare la libertà di stampa tout court, chiudere la bocca ai giornali e alla verità.

Si è detto spesso che Berlusconi, a differenza di altri padroni, è un buono, uno che corre al capezzale dei dipendenti ammalati, che li manda in crociera per le vacanze e gli telefona: "Siete belli, siete abbronzati, al vostro ritorno troverete una gratifica, la prossima volta ci sarò anch'io, ho già pronto lo smoking". Certo, è un imprenditore non un gangster, uno che usa le parole più che la violenza, ma non è uno che perdona chi si mette sulla sua strada, poi cerca di eliminarlo. Non lo nasconde, vuole che tutti sappiano che l'incauto ha avuto la sua giusta punizione.

Un intercalare solito del Cavaliere è il "se lei mi consente", come a dire: io sono straricco, strapotente ma profondamente democratico fin dalla nascita, chiedo il permesso anche di sbagliare, anche di respirare, sorrido sempre anche quando metto alla porta un mio dipendente, anche quando licenzio un allenatore del Milan. Il Cavaliere di Arcore è buono, generoso, magnanimo ma i direttori dei giornali che non gli piacciono escono dalla comune, si chiamino Montanelli o Biagi. Ci pensano i maestri di cerimonie a congedarli. I maestri delle cerimonie, uomini di mondo educati a corte, in questi giorni compaiono sui teleschermi o sui giornali per smentire affabilmente i cata-strofisti, i profeti di sventure autoritarie che denunciano l'attacco alla libertà di stampa, come di fatto è il "nuovo ordine" sulle intercettazioni telefoniche.

Ma che dite, di che vi lamentate? Chiuderemo solo quelle che fanno danno agli innocenti, e ledono la privacy dei cittadini, che servono solo alle diffamazioni ingiuste, alla maldicenza, al pettegolezzo. Davvero? Le cose stanno diversamente. Senza le intercettazioni telefoniche fatte dalla magistratura e pubblicate dai giornali nessuno avrebbe saputo che un ministro era stato aiutato "a sua insaputa" ad acquistare "un mezzanino" da 200 metri quadrati con vista sul Colosseo da un generoso costruttore edile.

Berlusconi è fisicamente e mentalmente il contrario dei dittatori del secolo scorso. Paragonarlo nei modi di parlare, di fare, di atteggiarsi ai Mussolini, Hitler, Stalin non reggerebbe neppure nella bassezza dell'avanspettacolo. Anche il suo impero televisivo è stato costruito legalmente, con i privilegi e le prepotenze legali in cui i grandi costruttori sono maestri, ma chi si è opposto a questo sistema, chi si è messo di traverso con le buone o con le cattive è stato cacciato. Si tratta di quella che noi chiamiamo la democrazia autoritaria: una dittatura della maggioranza o l'assolutismo elettorale per cui chi ha più voti, chi ha il maggior consenso popolare può fare tutto ciò che gli comoda, anche violare le leggi della Costituzione.

Ma perché questa democrazia autoritaria non è stata denunciata e contrastata in passato, quando i grandi partiti storici, il democristiano e il comunista, si spartivano i poteri uno della politica l'altro del mercato del lavoro? Credo poi che quei partiti erano nati dalla guerra di liberazione, erano fondati sui valori della Resistenza, davano garanzie di non arrivare mai alla limitazione se non alla soppressione dei diritti democratici. I dubbi, i timori sul Cavaliere di Arcore, su cui i suoi portavoce teatralmente ironizzano, sono autorizzati dal suo sistema di continuo attacco ai baluardi della democrazia, alla libertà di stampa come prima alla magistratura e all'opposizione in genere, genericamente definita come comunista, di un comunismo morto e sepolto ma sempre intento a ostacolarlo e danneggiarlo.

Forse, anzi certamente, Berlusconi non se ne rende conto, forse come tutti gli "uomini fatali" è convinto di aver sempre ragione, che tutti congiurino ai suoi danni, ma da quando è entrato in politica, da quando ha detto al suo amico Dell'Utri: "Fare un partito? Lo fanno tutti, facciamolo anche noi" non ha fatto altro che attaccare, deridere, osteggiare la democrazia, il "teatrino della politica" come la chiama lui, la magistratura, con l'ipocrita distinzione fra quella buona che lo lascia in pace e quella "politicizzata" che lo perseguita, la stampa che concepisce solo, a quanto pare, come mezzo di intimidazione degli avversari.

L'ultimo dei suoi allenatori del Milan è stato licenziato come Santoro: "consensualmente". Ha detto che c'era "incompatibilità di carattere". Diciamola così: tra Berlusconi e la democrazia parlamentare nata dalla guerra di liberazione c'è incompatibilità di carattere.

Nota al testo

I passi citati in *Fratelli coltelli*, parzialmente rivisti, sono tratti dai seguenti volumi: *Partigiani della montagna* (Bertello, Borgo San Dalmazzo 1945; Feltrinelli, Milano 2004); *La scoperta dell'Italia* (Laterza, Bari 1963); *La nuova frontiera di Milano* (Almanacco Torriani, Milano-Roma 1965); *Storia dell'Italia partigiana* (Laterza, Bari 1966; Mondadori, Milano 1995); *Storia d'Italia nella guerra fascista 1940-1943* (Laterza, Bari 1969; Mondadori, Milano 1996); *La Repubblica di Mussolini* (Laterza, Bari 1977; Mondadori, Milano 1994); *Italia anno uno* (Garzanti, Milano 1984); *Noi terroristi* (Garzanti, Milano 1985); *La disunità d'Italia* (Garzanti, Milano 1990); *Il provinciale* (Mondadori, Milano 1991; Feltrinelli, Milano 2007); *L'inferno* (Mondadori, Milano 1992); *Il sottosopra* (Mondadori, Milano 1994); *È la stampa, bellezza!* (Feltrinelli, Milano 2008).

Gli articoli di quotidiani e riviste, anch'essi parzialmente rivisti per quest'edizione, sono ripresi da: "L'Europeo", "Il Giorno", "la Repubblica", "L'Espresso".

Indice